Eric Simon

LONDRES

Balades au fil des ombres

Cartes et illustrations de Christine Mabileau

Keswick Editions

Du même auteur

Le Béret de Monsieur Marquet
La Limousine au pyjama bleu
Limoges au cœur

En souvenir de Joseph Carfantan.
A la mémoire de John Betjeman
qui sauva le vieux Londres.

Design and layout by
Rob at MonoDesign

Published by Keswick Editions Limited London

ISBN 978-0-9561137-0-2

Lettre-Préface

Cher Eric,

Notre première rencontre a eu pour cadre un haut lieu de l'anglophilie parisienne aujourd'hui malheureusement disparu : le Smith, rue de Rivoli.

Ignorant l'un et l'autre qu'un triste soir de 1997 une princesse turbulente viendrait non loin de là s'y fracasser dans son carrosse, nous discutâmes à perdre haleine de nos altesses à nous : les Reines du crime, les rois de la bande dessinée belge - puisque la raison de notre rendez-vous était l'organisation par tes soins d'une exposition consacrée à la bande dessinée anglophile - et quelques divas du grand et du petit écran, Ava Gardner, Margaret Rutherford, Barbara Steele ou Angela Lansbury…

Ce jour-là naquit une complicité qui ne s'est fort heureusement jamais démentie. Elle s'est enrichie au contraire de mes nombreux séjours londoniens, au cours des années quatre-vingt-dix à Dalston, South Kensington, pour ne rien dire des visites guidées de Whitechapel à l'heure où rôdent des éventreurs, ou des ruelles de Wapping jadis hantées par les personnages des *Mystères de Londres* ou des *Enquêtes de Harry Dickson.*

C'est autour d'un « feu de camp » virtuel que, lors de soirées arrosées de ton généreux whisky – me rappelant d'autres moments passés au cœur du Brabant Wallon en compagnie d'Edgar P Jacobs - nous convoquions les mânes des créations les plus obsédantes de l'imaginaire romanesque. Blake, Mortimer et leur fidèle Nasir, fantômes de l'Empire britannique nés de la plume d'un sujet belge fasciné par H.G. Wells et Conan Doyle ; le sinistre Dr Fu-Manchu et sa panoplie orientaliste, nymphettes aux yeux bridés et trafiquants d'opium des docks de Limehouse ; le Father Brown de G.K. Chesterton, présent de Fleet Street à Notting Hill, nous offrant le visage de l'inoubliable Alec Guinness ; « le locataire » du terrifiant roman de Mrs Belloc-Lowndes porté à l'écran par Alfred Hitchcock… Et, bien sûr aussi, un certain nombre d'êtres passablement perturbés, errant dans le grand labyrinthe de Londres sous la plume de mon amie la Baronne Ruth Rendell of Babergh – celle-ci a même imaginé le quartier de Kenbourne Vale, introuvable dans les pages du A to Z - et, plus récemment sur l'écran d'ordinateur de l'Américaine Elizabeth George.

Je n'en finirais pas de citer tous les noms de ces créatures du mystère et de l'aventure que nous avons, si je puis dire, en commun.

J'ai plutôt envie de rendre hommage à ton étourdissant pouvoir de synthèse, né d'une érudition étonnamment altruiste. Chesterton aurait pu t'inventer et te mettre en scène dans l'un de ses contes : tu y aurais incarné une sorte d'oracle invitant sur sa pelouse de Putney les amateurs de cette mythologie que l'auteur du *Nommé Jeudi* contribua à créer...

Tu es pédagogue né, à la manière de Mr Chips – l'immortel héros de James Hilton dont le souvenir s'étiole, je le crains - toi, le natif du Limousin mais totalement intégré à cette ville choisie, par toi, comme exil mais dont tu es devenu inséparable...

Londres. J'y suis moi-même venu pour la première fois en juillet 1964, dans le cadre des « Vacances Studieuses R. Sturgis ». Je n'avais alors qu'un désir : me rendre sur les lieux mis en images par Jacobs dans *La Marque Jaune*.

De l'eau a coulé depuis sous les sept ponts que J M Barrie voyait de son appartement dominant la Tamise, et, grâce, notamment à toi, j'ai fait bien d'autres pèlerinages... Grâce à toi, encore, je suis devenu un visiteur assidu de l'Institut Français où je me revois donner une conférence sur André Maurois, un de mes maîtres à penser, en présence du maire de Chelsea qui s'endormit au premier rang. Je nous revois, mon complice Floc'h et moi, questionnés par de jeunes élèves du Lycée Français dont tu es l'une des figures légendaires – Mr Chips, je l'ai dit...

Merci d'avoir crée autant de liens entre des créatures de fiction et des êtres bien réels dont j'ai la chance de faire partie. Et comme il me faut mettre un terme à ce petit liminaire destiné à un livre qui n'en avait pas besoin, je dédie ces lignes à deux autres figures de notre entourage, Michèle Gauriat et Nelly Bourgeois, en souvenir des dîners de Dalston et - pardon pour tant d'égocentrisme – du salon de coiffure « Afro » du Nord de Londres où, sous vos yeux à tous trois, je me débarrassai, un jour de 1988, de mon abondante toison bouclée, vestige des années baba-cool.

Que Dieu te bénisse !
God save the Queen !

François Rivière
Royan
Septembre 2007

Sommaire

Introduction 4

Quelques pas vers le mystère
- Mayfair 7
- Soho 25
- Hampstead 49
- Highgate 61
- Fleet Street 73
- City 85
- East End 101

De pubs en fantômes : quelques plaisirs bien londonniens
- Mes pubs au charme désuet 131
- Sur les traces… des fantômes londonniens 143

Sur les traces des êtres du brouillard
- Virginia Woolf à Richmond 157
- Alfred Hitchcock 163
- Jean Ray 171
- Jack the Ripper 177
- Sherlock Holmes 185

Quelques Français sortis des brumes londoniennes
- Sur les traces de… Alain-Fournier à Chiswick 196
- Londres, nous t'avons tant aimé … 201
  - Voltaire 201
  - Chateaubriand 202
  - Jules Vallès 203
  - Emile Zola 203
  - Rimbaud/Verlaine 203
  - André Gide 204
  - Céline 204
  - André Maurois 205
  - Pierre Mac Orlan 206
  - Charles de Gaulle 207
  - Paul Morand 208
  - François Rivière 209

Remerciements 211

Index 212

A Londres... Avec un autre regard !

« Let me take you by the hand and lead you through the streets of London
I'll show you something to make you change your mind..."

Ralph McTell-The Streets of London 1970

A Londres la mystérieuse, à travers les trous de serrures, glisse un brouillard nostalgique et la Tamise mouille une ville peuplée de fantômes, de héros de romans et de films. Il y a des gentlemen en veste de tweed, des meurtriers, des spectres, des musiciens aussi. Tous semblent aimer le whisky et la bière, ou encore le thé à la bergamote. Des pages des livres, comme des écrans de cinéma, sortent des visages que je croyais à jamais enfouis dans l'éphémère souvenir d'un soir de bonheur. Dehors, il pleut un peu et on entend à peine le son lancinant d'une vieille guitare électrique. A Londres, les murs chuchotent et nous observent. A Londres, j'ai fumé une Craven A et ce fut ma toute première cigarette. J'avais acheté le petit paquet rouge, décoré d'un chat noir, chez un buraliste de Leicester Square qui aujourd'hui n'existe plus.

A Londres, je peux encore voir briller, sous la lumière timide de la lampe de mon salon, mes anciennes petites autos Dinky Toys. Du sapin de mes Noëls anciens, certaines de ces miniatures ont fui chez les brocanteurs qui, le dimanche, bradent les souvenirs dans l'un de ces innombrables vide-greniers qui se déroulent au hasard de la ville. Ici, comme au pub, les cravates sont à rayures et une veste de tweed a le pouvoir de vous transformer en un anglophile fervent...

Par des souvenirs, des images et des coins de rue, Londres m'habite depuis plus de trente ans. J'aime ses petits matins mouillés et ses soirées ensoleillées. Cette ville est magique ! Il m'arrive d'y croiser Jean Ray, Sax Rohmer, Hitchcock, Blake et Mortimer, Dickens. Dans une venelle se cachent Harry Potter ou Sherlock Holmes. Vieux pubs, passages secrets, cimetières perdus, souterrains effrayants, autant de lieux riches en anecdotes qui disparaissent souvent sous une nappe de brume. Leur histoire vous sera contée, entre deux pintes de bière, par des personnages hauts en couleur. Le touriste innocent qui visite Piccadilly ne se doute pas qu'à deux pas de la fine statue d'Eros un meurtre sordide eut lieu dans l'arrière-cour du célèbre Café Royal. Sait-il que dans une chambre d'hôtel de Chelsea, Oscar Wilde attendit les policiers qui devaient le conduire en prison, et à deux pas de Regent Street, devine-t-il que les Beatles ont donné leur dernier concert sur le toit d'une maison, au bon temps de *Let it be ?*

Londres existe entre les mots des livres, sur les écrans de notre enfance, à l'époque où Alec Guinness faisait sauter le pont sur la rivière Kwai. Sous le crachin ou le soleil londonien, les anglophiles que nous sommes se prendront pour ces héros de bandes dessinées issus des albums de Floc'h et Rivière. Comme Francis Albany et Sir Malcolm, deux créations de François Rivière, nous porterons imperméables et casquettes, essayant d'acheter chez un bouquiniste de Charing Cross Road une édition ancienne d'un roman de Conan Doyle.

Le Londres que j'aime n'existe que grâce à des ombres mystérieuses, amoureuses de vieilles pierres, à d'énigmatiques buveurs de thé et à tous ces êtres étranges, évadés d'un brouillard jaune et gras, qui n'en finit plus de les protéger. Les piétons anglophiles découvriront dans ce livre l'ancien quartier chinois de Limehouse avec ses tripots et, dans Soho, le cabinet du Docteur Jekyll. Il y avait en ce temps-là des becs de gaz et des cabs tirés par des chevaux. Scotland Yard occupait encore ses locaux sur l'Embankment et la Marque Jaune frappait dans la salle de lecture du British Museum. Le Docteur Watson écrivait les mémoires de son ami, le détective Sherlock Holmes, amateur de violon et de cendres de cigarettes. H.G. Wells, dans *La Guerre des Mondes*, lançait des hordes de Martiens à l'assaut du pont de Putney…

Oui, je me souviens de Londres, des salles de cinéma où l'on pouvait fumer, des autobus aux phares globuleux, des Fish and Chips arrosés de vinaigre, des grosses bonbonnes de thé des restaurants juifs de Whitechapel, des Austin Mini qui vrombissaient en descendant le Strand. Je me souviens des distributeurs de livres de poche de la gare Victoria, des rues vides le dimanche et des belles tranches de bœuf, accompagnées de Yorkshire pudding, que servait chez Simpson's un vieux maître d'hôtel en commentant les crimes de Jack l'Eventreur ! Quel dépaysement pour un petit Français qui ne connaissait de l'Angleterre que la musique rock diffusée sur les ondes de Radio Caroline, alors l'unique radio libre au monde !

C'est donc à un voyage en haute nostalgie que je vous convie. J'invite à me suivre les Français de Londres, de France et de Navarre, les cinéphiles, les amateurs de mystère, et tous ceux qui, passionnés, ont un jour vibré au rythme de la grande métropole à cause d'un objet, d'une chanson, d'un film ou d'un visage. Bien calé au fond d'un fauteuil en cuir, comme dans mon pub favori de Wimbledon, je vais tourner les pages de mon livre doucement. Mais attention, chers amis anglophiles, cet ouvrage n'est pas seulement un guide touristique, il est surtout une longue balade au pays de la nostalgie, pays où certains n'arrivent jamais, faute de savoir rêver. Alors, fouillons Hampstead et ses bois, Mayfair et ses écrivains, Highgate et son cimetière, Wapping et ses anciens docks. Suivons les traces de tous les gens qui ont fabriqué les mystères de Londres à la lueur d'un réverbère à tête de lune. Filons tous au fil des ombres, comme dans un film anglais d'autrefois tourné dans les prestigieux Ealing Studios…

Quelques pas vers le mystère

Mayfair

Mayfair : Ecrivains, dandys, cocktails et jazz bands !

« Si les bars à Londres avaient des terrasses comme à Paris, on y boirait des verres de pluie »
Somerset Maughan

En évoquant le quartier de Mayfair, je pense aux chansons légères de Noël Coward, aux musiques endiablées d'un orchestre de jazz lors des folles années vingt, les belles années de l'insouciance et du délire. Mayfair rime avec cocktails et folies aristocratiques. J'imagine le visage de la jeunesse d'alors, avide de gloire et de rires, les dîners littéraires au son de vieux disques qui tournent sur un phonographe à pavillon. Fatiguée de la Grande Guerre, la jeunesse voulait s'amuser, oublier les champs de bataille de la Somme. Je revois ce quartier calme, agréable à vivre, coquin aussi, où jadis je venais chercher l'inspiration et la tendresse, l'ombre d'une vieille Angleterre à jamais disparue entre des images de films et des romans… En ce temps-là, à vingt-cinq ans, nous étions nombreux à rêver d'un studio dans Mayfair…

Poirot et les sœurs Mitford…

En déambulant dans les rues de Mayfair, l'Anglophile s'imagine que, derrière les lourds rideaux de velours des appartements, se dissimulent des salons douillets, meublés d'une bibliothèque, d'un piano et de deux gros fauteuils Chesterfield. Sur une table basse, un roman policier. Il s'attend aussi à voir surgir la silhouette sympathique de Monsieur Hercule Poirot, détective belge, qui marche à petits pas précieux vers une nouvelle enquête, ses petites cellules grises s'agitant dans son cerveau. A moins que ne se profile, au détour d'un porche, Lord Peter Wimsey, le détective cher

à Dorothy Sayers, cet auteur de romans policiers qui débuta, comme Agatha Christie, en 1922. Bien entendu, sur les étagères, dorment les romans des sœurs Mitford et d'Evelyn Waugh. Les Mitford, merveilleuses excentriques descendantes d'une très grande famille, quitteront un jour les fêtes de Mayfair pour flirter chacune de leur côté avec les idéologies de leur époque. Jessica deviendra communiste et participera à la guerre d'Espagne, tandis que sa sœur Unity tentera de se suicider le jour de la déclaration de guerre en septembre 1939. En raison de sa profonde amitié pour Hitler, elle ne supportera pas l'idée qu'Allemands et Britanniques puissent s'affronter ! Diana fera de la politique, écrira des articles de presse et épousera le leader fasciste Oswald Mosley. Nancy Mitford publiera plusieurs romans dont *L'Amour dans un climat froid.* Dotée d'un réel talent pour l'écriture, elle saura utiliser un humour corrosif et faire preuve de beaucoup d'esprit dans ses livres. Ses biographies de Madame de Pompadour et de Voltaire sont toujours des pièces d'anthologie. Nancy vécut de 1942 à 1945 au 10 Curzon Street, à côté d'un coiffeur pour hommes. A cette époque, elle fréquentait l'une des grandes figures de la France Libre, Gaston Palewski, le chef de cabinet du général de Gaulle. Elle commencera à travailler chez le libraire Heywood Hill, spécialisé dans le livre ancien, et finira par prendre la gérance de la boutique pendant tout le temps que son propriétaire restera sous l'uniforme.

La librairie existe toujours et la correspondance entre Nancy et Heywood Hill a été publiée en 2005 chez l'éditeur Frances Lincoln. C'est un vrai régal !

Evelyn Waugh et ses souvenirs...

Evelyn Waugh, fils d'un critique littéraire, étudiera l'Histoire à Oxford. Il décrira la haute société anglaise dans ces œuvres au vitriol que sont *Retour à Brideshead, Grandeur et Décadence* ou *Ces Corps vils*. Stephen Fry a adapté ce dernier livre au cinéma, sous le titre *Bright Young Things.* Waugh aimait la décadence et l'enthousiasme de ses contemporains au même titre que des auteurs comme Cyril Connolly ou Graham Greene. Les airs de jazz éclataient aux quatre vents londoniens, l'alcool coulait à flots, mais homosexuels et lesbiennes devaient se cacher pour se retrouver dans des appartements discrets. Ils encouraient en effet de fortes peines de prison s'ils se faisaient surprendre en public.

Dans un salon de Curzon Street, le mage Aleister Crowley entretenait de longues conversations avec quelques vieilles dames, amatrices de tables tournantes et de tarots. Pendant ce temps, Waugh tapait sur une vieille Remington les textes de ses livres entre deux bouffées de cigarettes turques, des "Abdullah" , bien entendu ! Dehors, les rares voitures ne venaient guère troubler l'inspiration des écrivains. Fin octobre, de tendres jeunes filles regardaient les premières feuilles du parc tomber, en attendant de rejoindre un pensionnat du Surrey. Le brouillard était assez sage et les voisins peu dérangeants. Dans la cheminée brûlait un feu de bois dont les flammes se reflétaient sur le corps ambré d'une vieille bouteille de whisky écossais...

Un coin de province qu'aimait Wellington...

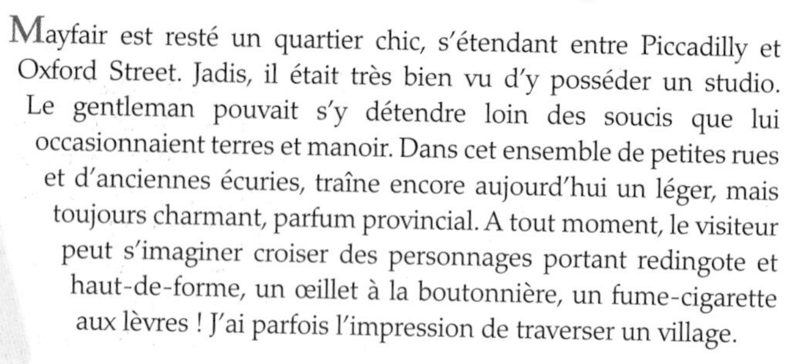

L'arbre aux morts

Mayfair est resté un quartier chic, s'étendant entre Piccadilly et Oxford Street. Jadis, il était très bien vu d'y posséder un studio. Le gentleman pouvait s'y détendre loin des soucis que lui occasionnaient terres et manoir. Dans cet ensemble de petites rues et d'anciennes écuries, traîne encore aujourd'hui un léger, mais toujours charmant, parfum provincial. A tout moment, le visiteur peut s'imaginer croiser des personnages portant redingote et haut-de-forme, un œillet à la boutonnière, un fume-cigarette aux lèvres ! J'ai parfois l'impression de traverser un village.

Pour atteindre Mayfair, il faut descendre du bus ou du métro à Hyde Park Corner, à côté de la belle maison du duc de Wellington. Cette demeure, Apsley House, regorge de souvenirs de Napoléon. Les drapeaux confisqués à Waterloo, les belles porcelaines de Sèvres, comme cette statue de ce cher Empereur dans son plus simple appareil, sont exposés dans les diverses pièces.

Wellington se rendait tous les matins à cheval à la vénérable librairie Hatchards, dans Piccadilly, pour y lire le *Times*. Hatchards est toujours un lieu enchanteur pour le bibliophile, et aussi pour tous ceux qui aiment flâner dans cet endroit hors du commun.

Savait-il, le vainqueur de Waterloo, qu'au cœur de Green Park, devant "L'arbre aux morts", des duellistes clandestins réglaient leurs différends à l'épée ? Les branches de cet arbre sont mortes, aucune feuille ne repousse au printemps. Les oiseaux le fuient et ne songeraient pas à se poser sur ses branches. Certains petits matins d'hiver, on entend encore le cliquetis de deux lames de fer qui se croisent...

La laideur du Hilton ne rebuta pas Truffaut...

En traversant Park Lane, la tour du Hilton nous interpelle dans toute sa laideur. Combien de belles demeures n'ont-elles pas été détruites pour construire cette horreur architecturale ! Souvenez-vous que dans une des chambres, François Truffaut écrivit en 1966 son mythique journal de tournage du film *Fahrenheit 451* qu'il réalisait dans la banlieue de Londres avec Oskar Werner et Julie Christie. Chaque matin, une voiture de la production l'emportait vers les studios de Pinewood. A côté du plateau où travaillait Truffaut, le grand Charlie Chaplin tournait *La Comtesse de Hong Kong* avec Sophia Loren et Marlon Brando. Son producteur Jerry Epstein deviendra un de mes amis, à la suite d'une rencontre à la cinémathèque, du temps où j'étais libraire. En fin de journée, Truffaut aimait regarder les flocons de neige qui recouvraient lentement les toits de Mayfair et de Hyde Park. Le soir, il se rendait à la cinémathèque, sous le pont Waterloo, pour voir des films de Lubitsch. Je me souviens de lui dans les rues de Londres, le visage dissimulé derrière son écharpe, marchant en compagnie de son ami anglais, le critique Don Allen. Un triste dimanche de novembre 1983, François Truffaut nous a quittés mais il reste à jamais lié à mes plus beaux souvenirs de jeunesse...

A Tyburn on exécute... A Hyde Park on refait le monde...

Au nord de Hyde Park, près de Marble Arch, se trouvait jadis la sinistre place de Tyburn où le bourreau de Londres officiait. Transporté en tombereau depuis la prison de Newgate, il était de bon ton que le condamné offrît une bière au bourreau sur le chemin de l'échafaud et qu'il lui laissât ses habits et sa montre pour qu'il achève plus vite sa besogne. Souvent, les parents des victimes étaient invités à saisir le pendu par les pieds et à tirer de toutes leurs forces jusqu'à ce que mort s'ensuive pour abréger ses souffrances ! Après le supplice, les médecins venaient récupérer le cadavre pour le disséquer dans l'arrière-salle d'un pub. La graisse de pendu était censée guérir bien des maux. Sous l'échafaud, il se trouvait toujours quelque bonne vieille en quête de la légendaire racine de mandragore.

A la Restauration, Charles II, voulant venger le meurtre de son père, fit déterrer le cadavre de Cromwell qui fut ensuite traîné sur une herse jusqu'à Tyburn où la populace le couvrit de crachats. Le peuple faisait ainsi payer de manière posthume à Cromwell sa dictature puritaine alors que même danser était interdit. Mais depuis ce jour de 1666, les Londoniens ont évolué et aujourd'hui Hyde Park n'est plus que le théâtre des orateurs qui discutent sans fin à Speaker's Corner. Chaque dimanche, ils s'y amusent à refaire le monde. Il faut au moins s'y rendre une fois. Marx, Engels, puis Lénine s'y exprimèrent. Aujourd'hui, à vous les discours du vieux monsieur en chapeau de paille qui veut que le magasin Selfridge's déménage à la campagne ou les dithyrambes de ce jeune personnage qui réclame son droit à la couronne d'Angleterre !

Je me souviens de ce brave homme qui parlait à un homard en plastique, tenu en laisse. Sans oublier cette dame qui se targuait du don des langues et qui aboyait la parole divine dans une suite d'onomatopées incompréhensibles. Vous y rencontrerez Jésus Christ en chair et en os, ou bien cet émule de Gandhi qui raconte qu'il n'a pas mangé depuis dix ans ! Méfiez-vous néanmoins des marchands d'illusions en tout genre et surtout des prédicateurs qui y poussent comme de la mauvaise herbe.

C'est dans ce parc que se situe l'intrigue de *Piège à minuit* avec Doris Day et Rex Harrison. Doris Day reçoit des coups de téléphone anonymes et croit entendre des voix dans le brouillard qui envahit Hyde Park. Oui ! Ce film se déroule dans un Londres traditionnel où les phares globuleux des bus percent le "fog" . Un vrai suspense à la Hitchcock, réalisé sur place en 1960 par David Miller.

Meurtres à Park Lane… Blake et Mortimer…

Maison de Blake et Mortimer

Park Lane borde le parc, la circulation y est intense. C'est dans une maison à marquise, non loin du Dorchester Hotel que, dans la bande dessinée du Belge Jacobs, *La Marque Jaune* vivent le professeur Blake et le colonel Mortimer, en compagnie de leur serviteur Nassir. C'est ici que frappe, le temps d'un éclair nocturne, le colonel Olrik, sous le déguisement de "Guinea Pig" . Le lecteur se souviendra des magnifiques antiquités égyptiennes qui décorent ce logis mythique.

Dans ce quartier toujours à la mode, les meurtres furent légion. Au numéro 13 de Park Lane, en 1871, une Française, Madame Riel, qui était la maîtresse de Lord Duncan, fut étranglée par sa gouvernante belge, Marguerite Diblanc. Cette dernière sera pendue au gibet de la prison de Holloway. Citons également cette demeure de Chesterfield Gardens, où un valet, François Courvoisier, une nuit de juin 1840, poignarda son maître, Lord William Russell, pour le voler. Le meurtrier sera arrêté nu, en pleine rue, par un policier. Il s'était débarrassé, dans un buisson du parc, de ses habits maculés du sang de sa victime…

Cercles de jeux et prostitution…

C'est en descendant Curzon Street que se révèlent les secrets de Mayfair, ce quartier dont les terrains appartiennent presque tous au duc de Westminster. On imagine facilement les hauts plafonds des pièces qui se cachent derrière les façades de style géorgien. L'hiver, à la tombée de la nuit, les lustres brillent de tous leurs feux. Devant la cheminée rougeoyante du 19, le fantôme de Benjamin Disraeli revient sans doute voir l'intérieur où il mourut. Jadis, l'aristocratie perdait d'énormes sommes d'argent en jouant aux cartes. Dans une ruelle discrète de Shepherd Market, au XVIIIe siècle, des joueurs ruinés se suicidaient d'une balle de pistolet dans la tête. C'est ainsi que James Walbrook, fils d'un riche fermier du Nottinghamshire, perdit la vie à l'âge de seize ans, après avoir dépensé le peu d'argent qui lui restait avec une jeune prostituée. Au cercle de jeux Crockfords, des gens en smoking se pressent autour des tables pour disputer des parties de poker, whist, bridge ou chemin de fer. Je suis sûr qu'un nuage de fumée de cigare enveloppe les joueurs accrochés à leur table recouverte de feutrine verte, comme dans une aventure de James Bond !

Combats de chiens et mort d'un rocker…

Non loin de Curzon Street se trouve Pitt's Lane, une venelle jadis connue pour ses combats de chiens et d'ours. Combats sur l'issue desquels pariaient les cochers, pendant que leurs maîtres s'abîmaient les yeux sur les cartes des tapis verts. Au Curzon Cinema, sont toujours programmés les fleurons des films d'auteur. Woody Allen y tourna une séquence du film *Match Point.* Non loin de cette salle, toujours dans Curzon Street, le 7 septembre 1977, Keith Moon, le batteur des Who, fut retrouvé mort dans un appartement. Ce fut une immense perte pour la scène du rock…

Shepherd Market, le mal famé...

Shepherd Market était un ancien lieu de plaisir où se déroulait chaque année, la plus belle foire de Londres à l'occasion du 1er mai qui symbolisait alors l'arrivée des beaux jours. Cette foire de mai, "May Fair" allait donner son nom au quartier. Jongleurs, prostituées, animaux savants et phénomènes en tout genre se retrouvaient autour de l'arbre de mai, un mât fleuri planté sur la place, cousin de notre mât de Cocagne. On y dansait et buvait jusqu'au petit jour. Ceci, jusqu'à ce que la reine Anne chargeât en 1735 l'homme d'affaires Edward Shepherd de rendre les lieux plus fréquentables.

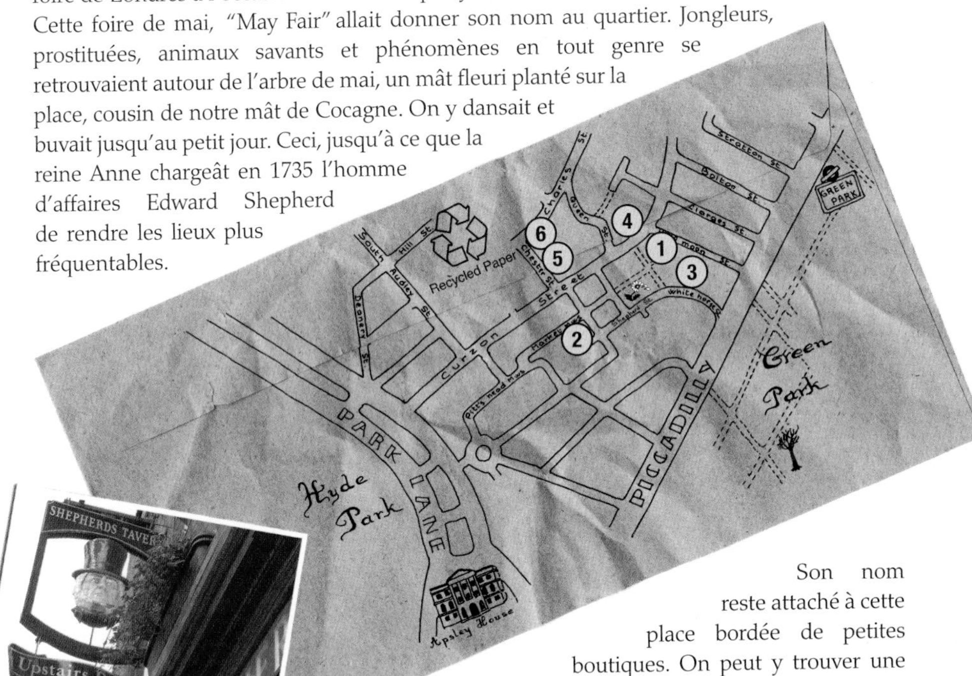

Son nom reste attaché à cette place bordée de petites boutiques. On peut y trouver une boucherie, une poissonnerie ainsi que trois pubs magnifiques, Ye Grapes, The Shepherd's Tavern et The King's Arms. Une anecdote fort coquine se déroula, en 1818, dans une chambre du King's Arms. Un homme d'Eglise fut surpris par la bonne dans un lit avec un jeune palefrenier. Le prêtre sauta par la fenêtre, oubliant jusqu'à son habit et son argent. Le jeune homme fut accusé de vol et fouetté en place publique... En 1977, le quartier comptait encore plus de deux mille prostituées.

Le royaume de Jeeves et des mariages illégaux...

Une tradition peu connue est citée par E. V. Morton dans son livre *Ghosts of Old London.* Jusqu'en 1939, deux fois l'an, les majordomes à la recherche d'un emploi se rendaient au pub Ye Grapes pour rencontrer leurs futurs maîtres de maison. Ces derniers, attablés, faisaient leur choix et une fois le marché conclu, un double scotch, offert par l'employé, scellait l'affaire.

1. Ye Grapes
2. Shepherd's Tavern
3. King's Arms
4. Librairie Heywood Hill n°10
5. Somerset Maugham n°6
6. Beau Brummell n°4

Nous sommes transportés dans *Jeeves*, le roman de P. G. Wodehouse. Jeeves est le parfait majordome d'un certain Bertie Wooster, toujours prêt, avec humour, à satisfaire les désirs de son patron, n'hésitant jamais à le soutenir, le protéger de ses tantes caractérielles et de ses anciennes petites amies. Wodehouse, fils d'un officier colonial, était un véritable magicien du langage ; il maniait l'humour comme personne. Il suffit de lire une aventure de Jeeves comme *Pas de pitié pour les neveux* pour s'en rendre compte. Il y écrit : « *Ma complète incapacité à me faire la moindre idée de ce qui se passait dans ma vie a fait de moi une espèce de légende vivante…* »

Dans ce curieux quartier, en 1730, les couples en fuite pouvaient sans problème se marier dans la vieille chapelle de Mayfair, aujourd'hui détruite. Un faux pasteur, Alexander Keith, y célébra plus de sept mille mariages illégaux avant de finir ses jours à la prison de Newgate.

Somerset Maugham…

Dans Chesterfield Street, une rue hybride où se côtoient styles géorgien et victorien, vivait au numéro 6, entre 1911 et 1919, l'écrivain Somerset Maugham auteur du roman *Le Fil du rasoir* et de nombreuses nouvelles délicieuses. Né à Paris en 1874, Maugham, gentleman raffiné, sera tour à tour médecin, militaire, aventurier, et agent secret lors des deux guerres mondiales. Il s'éteindra à Nice, dans sa villa mauresque, en 1965. On lui doit la série policière des *M. Ashenden, agent secret* et, bien entendu, le roman *Servitude humaine* écrit en 1915, dans cet appartement de Chesterfield Street où il recevait Hugh Walpole, H. G. Wells ou Ford Maddox Ford.

Il se permit d'écrire de manière très pragmatique : « *La mort est une affaire très monotone et ennuyeuse, mon conseil est de ne jamais avoir affaire à elle !* » ou encore : « *Les gens vous demandent des critiques, mais ils veulent en fait seulement des compliments* » .

Beau Brummell, le dandy éternel…

Dans cette même rue, au numéro 4, Beau Brummell, le dandy par excellence, partageait son temps entre les tailleurs de Savile Row et les cercles de jeux. Cet officier de cavalerie était un ami du Prince Régent qu'il n'hésita pas à faire pleurer, un jour de 1811, en critiquant la coupe de sa nouvelle redingote.

Brummell nous a laissé une phrase célèbre « *Si l'on ne se retourne pas sur vous dans la rue, c'est que vous êtes mal habillé !* » . Brummell lança la mode du costume et de la cravate. Il passait des heures à se préparer et ne cirait ses bottes qu'après les avoir mouillées avec du champagne.

A la suite d'une dispute avec son protecteur pour une réflexion déplacée à propos d'un membre de la famille royale, Brummell s'enfuira en France couvert de dettes et mourra de la syphilis à Caen en 1840, dans un asile pour indigents. Stewart Granger saura l'immortaliser au cinéma en 1954 dans *Beau Brummell*.

Un petit cercle littéraire...

Le petit cercle littéraire londonien des années trente adorait Mayfair. Beaucoup de gentlemen campagnards fortunés et de jeunes romanciers découvrirent la folle vie londonienne dans ce quartier. Graham Greene, Dorothy Parker, Saki, Nancy Mitford menèrent de joyeuses sarabandes autour des ruelles de Shepherd Market, au son des derniers airs de charleston. C'était le temps des premiers cocktails et des dîners en smoking. Déjà, les journaux dénonçaient ces jeunes gens qui utilisaient avec un peu trop de dextérité la pipe à opium ou d'autres drogues, tout aussi redoutables. Pour l'écrivain et diplomate Paul Morand « *le danger n'est pas dans les bouges des docks, mais dans le luxe de Mayfair...* »

Charles X et Glenn Miller...

Le nord du quartier est vraiment un Londres américain avec l'ambassade des Etats-Unis à Grosvenor Square et de nombreux restaurants et bars qui nous plongent au cœur du Central Park londonien. Glenn Miller donna l'un de ses derniers concerts de jazz, en 1944, à l'intérieur de la chapelle Grosvenor, dans South Audley Street, non loin de la maison qu'occupa le roi Charles X en exil sous l'Empire. Hemingway fut victime d'un accident de voiture en traversant le square, une nuit sombre de 1944. Blessé, il ne put accompagner son ami Bob Capa, photographe de *Life*, pour le débarquement du 6 juin, sur les plages de Normandie.

Rendez-vous littéraire au Brown's Hotel ...

La nuit, sous la pluie, Mayfair prend des airs mystérieux. Les réverbères et les grosses lanternes à tête de lune guident nos pas en direction de Albemarle Street et du Brown's Hotel qui deviendra Bertram's Hotel dans le roman éponyme d'Agatha Christie. Cet hôtel, fort respectable, ouvert en 1837 par James Brown, un ancien valet de Lord Byron, sera longtemps le rendez-vous littéraire par excellence. Rudyard Kipling y passera sa lune de miel, avec son épouse Caroline Balestier.

Autour de son bar se rencontraient Ernest Hemingway, Dorothy Parker ou Anthony Powell qui décrira la bonne société anglaise dans sa série de livres *La Ronde de la musique du temps.* Des critiques le surnommeront le Proust anglais. L'écrivain américain Stephen King, des années plus tard, demandera la chambre de Kipling pour y achever son roman *Misery.*

Jack London sera encore plus exigeant et voudra qu'on lui serve son whisky exclusivement dans le verre qu'aurait utilisé Mark Twain. Enfin, c'est dans le hall de cet hôtel prestigieux que sera installé le premier téléphone public londonien.

Les spectres du numéro 50 Berkeley Square...

Sur l'énigmatique Berkeley Square, se tient la maison la plus hantée de toute l'Angleterre. Les amateurs de spiritisme savent qu'au numéro 50, les chats descendent par la cheminée, un enfant pleure au grenier et les tableaux ne peuvent rester accrochés aux murs de la salle de bal. Devant les flammes de la cheminée apparaît une dame en crinoline, le visage brûlé.

Un ancien propriétaire avait la fâcheuse habitude d'y tourmenter ses bonnes en les enfermant au grenier jusqu'à ce que mort s'ensuive.

Un soir de bordée, deux marins se réfugièrent dans la vieille maison alors abandonnée aux rats. En pleine nuit, ils furent réveillés par des bruits de tonnerre. Des lueurs menaçantes apparurent le long des murs ruisselants de sang. Une forte odeur de soufre s'exhalait des marches du grand escalier, plongé dans l'obscurité. Leur terreur fut telle qu'ils se jetèrent par la fenêtre, en enfonçant les vitres. Le premier finit sa course sur une pique de la grille en fonte qui séparait la bâtisse de la rue. Le deuxième, profondément choqué par ce qu'il avait vu, ne s'en remit jamais et termina ses jours au redoutable et terrifiant asile de Bedlam. Il s'avéra que jadis, du temps de la reine Victoria, un bal tragique s'y était déroulé. Un incendie, provoqué par une bougie, dévora en quelques minutes tous les convives, l'ensemble du personnel, ainsi que les propriétaires. On reconstruisit la maison, mais depuis ce jour fatidique, les phénomènes étranges n'ont cessé de se manifester...

Aujourd'hui s'y trouvent les locaux du libraire Maggs Bros, spécialisé dans le livre ancien.

Services secrets...

Il me faut aussi mentionner que, pendant la dernière guerre, les services secrets américains et britanniques, le fameux Special Operation Executive, avaient établi leurs quartiers généraux autour du square. De nombreuses opérations furent décidées dans les salons de deux magnifiques maisons bourgeoises. Plus de deux mille personnes travaillaient en ces lieux, certaines chargées du recrutement des agents qui seraient parachutés en territoire ennemi.

Jack Barclay et Jimi Hendrix...

A l'extrémité du square, en direction de Bond Street, se trouve l'imposant garage de Jack Barclay. Depuis des années, les amateurs de voitures anglaises de luxe viennent y choisir Rolls, Bentley ou Jaguar. Dans les vitrines on peut toujours admirer d'anciens modèles aux chromes étincelants. Ian Fleming, le père de James Bond, était un excellent client.

Non loin de là, dans Brook Street, au 23, une plaque bleue nous apprend que Jimi Hendrix vécut ici au premier étage avec sa compagne, Kathy Etchingham, de 1968 à 1969. Haendel habitait autrefois la maison attenante. Hendrix viendra en Angleterre sur les conseils de son manager Chas Chandler, l'ancien bassiste des Animals. Il y connaîtra une véritable gloire, allant de triomphe en triomphe, jusqu'au concert mythique de l'Ile de Wight à l'été 70. Hendrix jouera pour la dernière fois sur la scène du club Ronnie Scott le 15 septembre 1970 ; il mourra trois jours plus tard dans une chambre de l'hôtel Samarkand, un établissement de Ladbroke Grove où vivait une autre de ses petites amies, Monika Danneman.

Puisque nous sommes arrivés à Bond Street, suivez-moi dans Albemarle Street où se trouve The Albemarle Club. Le 18 février 1895, un de ses membres éminents, Lord Queensberry, déposa sa carte de visite dans le casier d'Oscar Wilde. Queensberry était le père du jeune Lord Alfred Douglas, amant du grand écrivain. Sur le bristol, il avait écrit : « *Oscar Wilde posant au sodomite !* » . Le flamboyant Oscar portera plainte pour diffamation. C'est alors que commenceront tous ses ennuis. Il perdra ses procès et sera condamné à la prison, puis il s'exilera à Paris et résidera dans un hôtel miteux de la rue des Beaux-Arts. Aujourd'hui, il dort chez nous au cimetière du Père Lachaise...

Remember the Beatles...

Si l'on osait, on pousserait jusqu'à Savile Row, les yeux levés vers le toit de l'ancien immeuble d'Apple Corps où par un bel après-midi de janvier 1969, pour les besoins de *Let It Be*, le film de Michael Lindsay-Hogg, les Beatles donnèrent un dernier concert en plein air sur le toit. Il y eut scandale, la police intervint au beau milieu de *Get Back* et les messieurs en costume trois pièces qui passaient dans la rue levèrent les yeux vers le ciel de Mayfair pour essayer d'apercevoir, sans doute, la silhouette de Lucy, l'héroïne de *Lucy In The Sky With Diamonds.* John et Yoko occupaient un étage, Paul s'apprêtait à partir en Ecosse avec Lynda. Le fameux *Let It Be* annoncera la rupture finale et sonnera le glas des productions Apple.

Donc, chers Anglophiles, raison de plus pour visiter le quartier de Mayfair ; la chasse aux souvenirs y sera excellente !

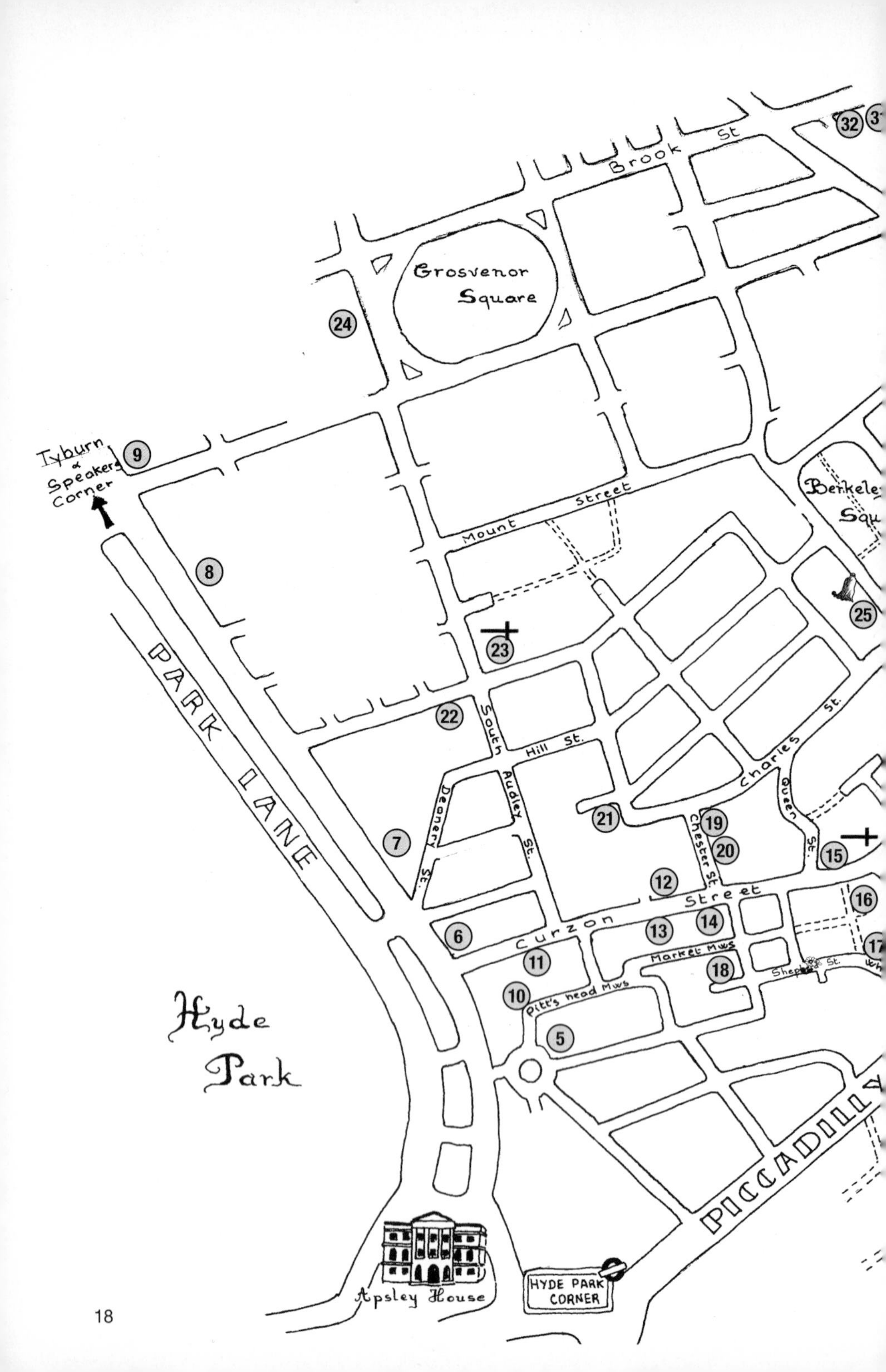
Brook St
Grosvenor Square
Tyburn & Speakers Corner
Mount Street
Berkeley Square
PARK LANE
South Audley St.
Hill St.
Deanery St.
Charles St.
Queen St.
Chester St.
Curzon Street
Market Mws
Shepherd St.
Pitt's head Mws
Hyde Park
PICCADILLY
Apsley House
HYDE PARK CORNER
32
24
9
8
25
23
22
7
21
19
20
15
12
16
6
13
14
11
18
10
5

NORTH
REGENT STREET
PICCADILLY CIRCUS
Savile Row
Burlington Gardens
Sackville
Royal Academy
Burlington Arcade
Old Bond St.
Albemarle St.
Dover St.
Berkeley St.
Stratton St.
Bond St.
PICCADILLY
Jermyn Street
GREEN PARK
30
29
27
28
1
2
3
Piccadilly :
1. Librairie Hatchard's
2. Fortnum and Mason
3. Ritz Hotel
4. Arbre aux morts
Park Lane :
5. Hotel Hilton
6. Maison de Mme Riel n° 13
7. Hotel Dorchester
8. Hotel Grosvenor
9. Maison de Blake et Mortimer n° 94
Pitts's Head Mews :
10. Combats de chiens
Curzon Street :
11. Disraeli n° 19
12. François Courvoisier
13. Cercle de Jeux Crockfords
14. Cinéma Curzon
15. Librairie Heywood Hill et maison de Nancy Mitford n°10
Shepherd Market :
16. Ye Grapes
17. The King's Arms
18. The Shepherd's Tavern
Chesterfield Street :
19. Somerset Maugham n° 6
20. Beau Brummell n° 4
Duke of York Street :
21. The Red Lion"n°2
South Audley Street:
22. Charles X n°72
23. Grosvenor Chapelle
Grosvenor Square :
24. Ambassade des Etats-Unis
Berkeley Square :
25. Fantômes du bal n° 50
26. Garage de Jack Barclay
Albemarle Street :
27. Brown's Hotel
28. Albemarle Club:
Vine Street :
29. Commissariat et fantôme du policier pendu
Savile Row :
30. Dernier concert des Beatles
Brook Street :
31. Maison de Jimi Hendrix
32. Maison de Haendel

Belgravia et ses secrets...

De l'autre côté de Mayfair, au-delà de Hyde Park Corner, se trouve le magnifique quartier de Belgravia avec ses immenses maisons victoriennes et ses "mews" discrets. Les mews étaient en fait des écuries.

Ici, par une nuit froide de novembre 1974, la nounou des enfants de Lord Lucan fut battue à mort. On retrouva son corps devant la porte d'une maison cossue, mais fort discrète, 46 Lower Belgrave Street. Assez vite, la police conclura à la culpabilité de Lord Lucan, grand habitué des cercles de jeux de Mayfair, criblé de dettes et charmeur de la meilleure espèce. Scotland Yard s'apercevra assez vite que Lucan s'était trompé de personne. La victime aurait dû être son épouse Veronica, mais, trahi par l'obscurité, il tua la nounou de ses enfants. Veronica ayant entendu du bruit descendit à son tour et trouva son mari qui traînait le cadavre de sa victime dans la cuisine. Sans sourciller, Lucan se mit alors à la frapper. Veronica, couverte de sang, réussit à s'échapper et à donner l'alerte au pub voisin, The Plumber's Arms. Lord Lucan disparaîtra la nuit du drame et sa trace se perdra sur les quais du petit port de Newhaven d'où partait le ferry de Dieppe. Depuis, nul ne sait si Lucan est mort ou vivant, ce qui est fort gênant pour son fils qui ne peut toujours pas prétendre au titre de son père.

Ian Fleming et James Bond...

L'amateur de romans et de films d'espionnage que je suis ne peut passer sous silence Ian Fleming, le créateur de James Bond. Né en 1908 à Mayfair, au 7 Green Street, il vécut au 22B Ebury Street, à la lisière de Belgravia entre 1936 et 1939, dans une grande maison désormais ornée d'une plaque bleue. Journaliste chez Reuters, banquier, agent secret et écrivain, il sera chargé pendant la guerre de former un commando d'espions spécialisés dans le décryptage des codes secrets. Fleming fumait deux paquets de Moorland's Special qu'il achetait chaque matin au petit bureau de tabac situé en face de chez lui.

Après son mariage à Chelsea Old Church, avec Ann Charteris, il habitera 16 Victoria Square. Ses voisins de Belgravia étaient réveillés, presque toutes les nuits, par Fleming qui cherchait une place dans un mews adjacent pour garer sa vieille Bentley.

Le premier James Bond sera rédigé sur la terrasse de sa villa Goldeneye à la Jamaïque. En 1964, Ian Fleming écrivit un chef d'œuvre pour les enfants, *Chitty Chitty Bang Bang*, les aventures d'une extraordinaire voiture volante, adapté au cinéma en comédie musicale. Il décédera d'une crise cardiaque à Canterbury la même année, après avoir achevé *On ne vit que deux fois.*

Un petit pub charmant, mais hanté...

A Londres, à tout moment, on s'attend à voir surgir des fantômes. En matière de spectres, on ne peut quitter Belgravia sans évoquer le petit pub The Grenadier situé dans la charmante rue pavée Wilton Row. C'était le pub favori des grenadiers de la caserne Wellington. L'un deux, pour avoir triché aux cartes, fut occis par ses partenaires et son cadavre jeté dans la cave. Depuis ce jour de 1835, le fantôme du malheureux tricheur se manifeste sous forme de fumée. Il s'amuse à bouger les verres, casser les bouteilles ou faire peur aux consommateurs en leur caressant la nuque. Il s'agit de l'un de mes pubs favoris. La bière y est excellente et l'atmosphère incomparable. Et puis, le spectre du mauvais joueur ne se manifeste que le 25 septembre, date anniversaire de sa mort !

Hantise...

Dans ce quartier si bien fréquenté, tout peut cependant arriver, comme dans le film *Hantise* de George Cukor, avec Ingrid Bergman et Charles Boyer. Adapté d'une pièce de Patrick Hamilton, il connaîtra un grand succès dès sa sortie en 1944. Le scénario se situe dans la grande tradition des thrillers anglais. Paula a épousé Gregory qui a tué sa tante pour lui voler ses bijoux. Bien entendu, le couple habite la grande demeure de Belgravia où a eu lieu le meurtre. Gregory essaiera de rendre sa femme folle en organisant toute une mise en scène : bruits de pas nocturnes, portes qui claquent, lumière de l'éclairage au gaz qui baisse par moments. Mais arrivera un jeune policier... Ce film très efficace illustre bien ce quartier de Belgravia à l'époque du brouillard et des tentatives d'assassinats à coups de verres de porto agrémenté d'arsenic.

Les espions d'Eaton Square...

Entre 1940 et 1944, le gouvernement belge en exil s'était installé sur ce square victorien. De cette véritable "petite Belgique " partaient les ordres à la Résistance. Dans les parages, évoluaient, dès les années trente, des agents doubles qui transmirent aux Soviétiques les secrets du gouvernement de sa Gracieuse Majesté.

Guy Burgess, comme Kim Philby, étaient les hôtes des meilleurs salons de Belgravia. Viendront les rejoindre, au hasard de dîners mondains, Anthony Blunt, Donald Maclean et le cinquième agent, John Cairncross, dont le nom ne sera révélé qu'en 1990 par un ancien du KGB, Oleg Gordiewsky. Blunt travaillait directement avec la reine. Il était responsable de ses collections de tableaux. Tous étaient passés par l'université de Cambridge et Philby participa activement à la guerre d'Espagne et à la Résistance. Leur engagement en faveur du communisme remontait à 1936. A cette époque, deux idéologies dominaient le monde : nazisme et communisme. Nos espions surent choisir. Brillants diplomates et intellectuels, Philby, Burgess et Maclean finiront leur vie en exil à Moscou, après avoir publié leurs mémoires. Les vieux clients des pubs du quartier doivent se souvenir de ces charmants jeunes gens qui, entre deux bières, échangeaient des secrets si mal gardés !

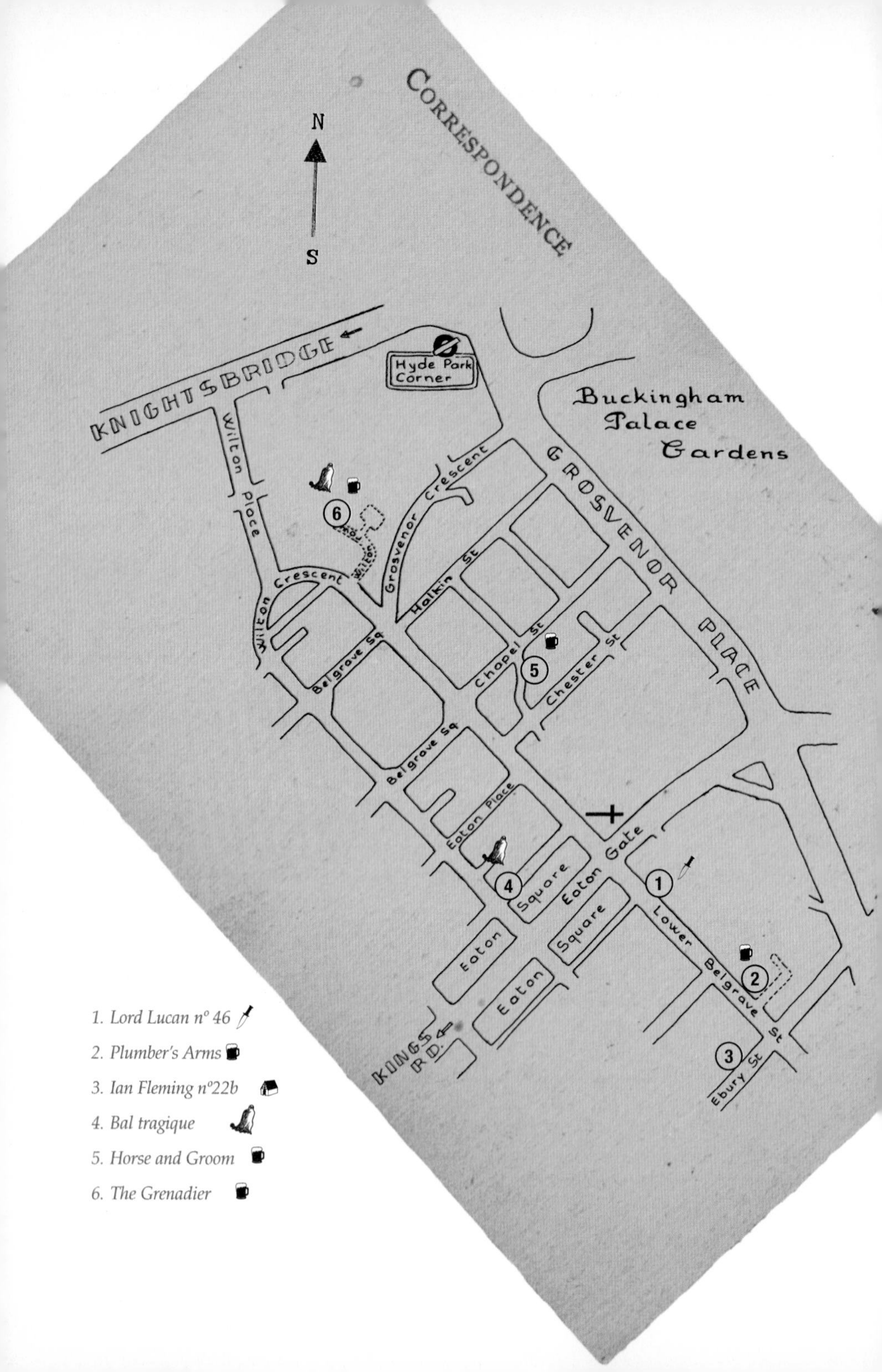

1. Lord Lucan n° 46
2. Plumber's Arms
3. Ian Fleming n°22b
4. Bal tragique
5. Horse and Groom
6. The Grenadier

Comment s'y rendre

Métro Hyde Park Corner ou Knightsbridge

A voir...

- **Piège à minuit. (Midnight Lace)** *David Miller 1960 avec Doris Day.*
- **Retour à Brideshead. (Brideshead Revisited)** *Charles Sturridge 1981 avec Jeremy Irons*
- **Hantise. (Gaslight)** *George Cuckor 1942 avec Ingrid Bergman et Charles Boyer*
- **Romance inachevée (The Glenn Miller Story)** . *Anthony Mann 1956 avec James Stewart*
- **Let It Be.** *Michael Lyndsay Hogg 1969 avec les Beatles.*
- **Bright Young Things.** *2003. Stephen Fry*
- **Beau Brummell.** *1954. Curtis Bernhardt avec Stewart Granger, Liz Taylor et Peter Ustinov.*

A lire...

- **A l'Hôtel Bertram. (At Bertram's Hotel)** *Agatha Christie. 1965*
- **L'Amour dans un climat froid. (Love in a Cold Climate)** *Nancy Mitford. 1949*
- **Retour à Brideshead.(Brideshead Revisited)** *Evelyn Waugh. 1945*
- **Ces Corps vils. (Viles Bodies)** *Evelyn Waugh. 1930*
- **Ghosts of Old London.** *E.V. Morton. 1939.*
- **Pas de pitié pour les neveux. (Aunts aren't Gentlemen)** *P.G. Wodehouse. 1974*
- **La Ronde de la musique du temps. (A Dance to the Music of Time)** *Anthony Powell. 22 volumes, entre 1951 et 1975*
- **Le Fil du rasoir. (The Razor's Edge)** *Somerset Maugham. 1944*

Soho

Le parfum exotique de Soho...

« *This is the evening of the day*
I sit and watch the children play
Smiling faces I can see, but not for me...
I sit and watch, as tears go by... »

Jagger/Richards/Oldham

Jadis régulièrement évoqué par les films policiers et la presse à sensation, un parfum de scandale traîne encore dans cet endroit qui fut toujours aux yeux des Londoniens le quartier exotique de leur ville. En parcourant les journaux, on aurait pu croire qu'ici les balles de browning ne cessaient de cracher leur fureur à quelques gangs perdus, comme dans un livre de la Série Noire. Le cinéma y situa certaines de ses productions les plus violentes, dont le chef-d'œuvre de Michael Powell *Le Voyeur*, où l'assassin tue l'une de ses victimes dans une chambre sordide de Newman Passage. Le héros, véritable émule de Jack l'Eventreur, ne trouve pas mieux que de fixer un poignard à sa caméra, un court travelling l'aidant ainsi à occire ses proies...

Soho, terre étrangère...

A Soho, vécurent Français, Italiens, Chinois, Russes, tous réfugiés politiques ou en délicatesse avec la justice de leur pays. Des prostituées arpenteront longtemps les trottoirs de Old Compton Street ; les premiers restaurants étrangers fleuriront au fil des rues. Les artistes, avides de bohème, suivront et envahiront les clubs privés où l'on peut boire en dehors des heures de fermeture des pubs. On verra s'ouvrir une bourse du travail réservée aux métiers de bouche, puis aux musiciens. En 1970, je croiserai le peintre Francis Bacon et l'auteur de romans policiers Robin Cook, son éternel béret sur le crâne, en train de vider un verre de blanc au pub The French House. Cook décèdera en 1994 après avoir écrit entre autres *Vices privés, vertus publiques*. Je reviendrai sur ce pub ; une partie de mes souvenirs de jeunesse s'y trouve encore enfermée, autour de ce qui reste de la vieille pompe à eau qui servait à allonger le Pernod de Gaston Berlemont, le maître de ces lieux...

Des commerçants pittoresques...

Où sont-ils donc passés les commerces d'autrefois ? Au début des années quatre-vingt, nous venions le samedi matin dans Brewer Street acheter des volailles chez Randall et Aubin, devenu depuis une brasserie ; les nouveaux propriétaires ont cependant conservé le décor original aux murs carrelés de faïence. Je n'ai jamais oublié les volailles et les lapins suspendus sur la rue par des crochets, ni la petite vieille en tablier blanc qui tenait la caisse et s'exprimait avec un fort accent bourguignon. On croisait alors des tas de gens pittoresques, comme ce Benoît, un Belge d'au moins quatre-vingts ans, qui adorait flatter les meilleures clientes de son épicerie fine, en leur offrant de temps en temps une rose ! Il y avait aussi Del Monico, un marchand de vins d'origine espagnole, qui tenait la boutique la plus animée de Old Compton Street. Il fut le premier à importer, dès les années soixante, des petits vins de table à prix réduit. Del Monico refusait les chèques et ne faisait goûter ses produits qu'aux clients capables d'engager de longues conversations avec lui. Son sujet favori était la Grande Guerre !

Au milieu de Brewer Street, non loin du cabaret Madame Jojo, se trouvait la merveilleuse poissonnerie Richard's, tenue par Leo Mc Garry, ancien sergent parachutiste, qui ne quittait jamais son béret rouge. Les clients venaient de tout Londres pour s'y approvisionner en fruits de mer, denrée alors rare en Angleterre. Parfois, pour éviter aux clients de descendre de leur véhicule, il prenait la commande à la portière. A l'époque, pour bien manger, il était indispensable de fréquenter Soho. C'était l'unique endroit où l'on pouvait trouver choucroute, charcuterie ou poisson. Je connaissais presque tous les commerçants. Je vivais à l'autre bout de Londres, à Hackney, et pourtant je n'hésitais pas à faire une heure de bus pour me procurer les boîtes de petits pois extra-fins de l'épicerie française, tenue par deux sœurs originaires de... Pologne. Auparavant, j'avais acheté des croissants à la pâtisserie Valérie, cette boutique où, en vitrine, on voit de gros gâteaux à la crème et des tartes aux pommes glacées à la gelée de framboise, comme dans une boulangerie du centre de la France.

A Soho, nous retrouvions un coin préservé de la vieille Europe, une petite sous-préfecture de notre bonne vieille France. Nous revenions à l'appartement avec de la vraie nourriture dans nos sacs. Bien sûr, nous étions passés acheter des légumes frais au marché de Berwick Street et des cigares de Toscane chez l'un des nombreux marchands de tabac du quartier. Mais, avec le temps, les épiceries continentales et les boucheries françaises fermeront et seront remplacées par des sex-shops et de sinistres boîtes de strip-tease. Il faudra attendre 1995 pour que leur disparition progressive rende le quartier beaucoup plus respectable.

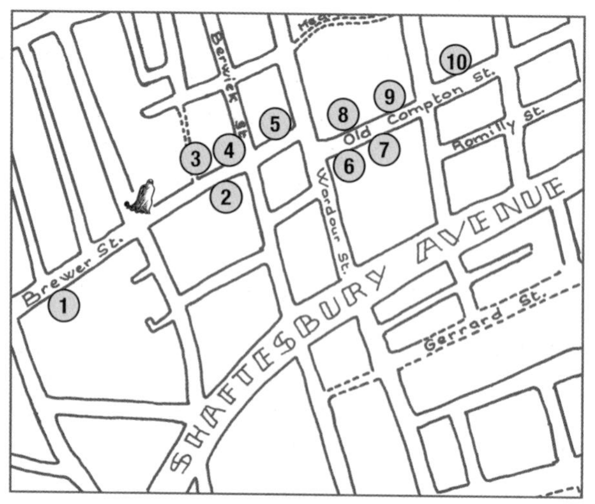

1. *Chevalier d'Eon n°71* 
2. Ancienne *Poissonnerie Richard's*
3. *Lina Store*
4. *Randall & Aubin*
5. *Madame Jojo*
6. *Camisa and Son*
7. *The Two I's*
8. Ancien *Del Monico n°64*
9. *The Algerian Coffee Store*
10. *Pâtisserie Valérie* 

Soho ! Soho !

Autrefois, à l'époque du roi Henri VIII, on chassait à courre sur ces terres, situées entre Oxford Street et Piccadilly. Le gibier abondait dans les fourrés de Tottenham Court Road. A la fermeture des monastères, ces terrains étaient devenus la propriété du roi. Son ami, le Duc de Monmouth lançait sa meute après les cerfs et les lièvres au cri de « So Hoe ! So Hoe ! » pour rallier les autres chasseurs. Ce cri féroce allait donner son nom au quartier.

La soupe à la queue de bœuf des huguenots...

A la révocation de l'Edit de Nantes, en 1685, les huguenots arrivent à Londres. Les tisserands iront à Whitechapel, les tanneurs à Putney, les orfèvres s'installent à Soho, le plus souvent dans des greniers. Leurs boutiques s'ouvrent autour de Meard Street et de Dean Street et retiennent l'attention des monarques. Denis Papin fait ses premières expériences de bateau à vapeur sur une rivière de Windsor, sous la haute protection du roi. Charles II reprochera à Louis XIV les persécutions dont les Protestants étaient victimes. Beaucoup de ces immigrés sont très pauvres mais l'Angleterre les respecte et les protège. Les bouchers de Soho leur laissent des queues de bœuf pour faire de la soupe. C'est ainsi que fut inventé "the oxtail soup", un excellent bouillon de bœuf assez épais, qui tenait chaud les jours d'hiver.

L'Angleterre était une terre d'asile. A Soho, il y aura jusqu'à cinq temples protestants, mais aussi deux églises grecques. L'une d'elles, qui se trouvait dans Hog Lane, inspirera en 1738 à William Hogarth l'un de ses dessins. Les Grecs fuyaient l'envahisseur turc. Aujourd'hui, le temple de Soho Square accueille toujours la communauté francophone.

Le Chevalier d'Eon...

En 1762, l'ambassade de France se trouvait à Soho Square. Louis XV y nomma Ambassadeur le comte de Guerchy, qui allait vite s'opposer à son Chargé d'Affaires, le Chevalier d'Eon qui habitait Brewer Street. Charles d'Eon, natif de Tonnerre, en Bourgogne, était inscrit comme avocat au Parlement de Paris. Très intelligent, capitaine des Dragons, il fut recruté par les services secrets royaux et devint membre du "Secret du Roi" . Pour sa première mission, en 1777, il s'habilla en femme et devint lectrice d'Elisabeth, tsarine de toutes les Russies, pour la convaincre de s'allier à Louis XV.

Après cette mission couronnée de succès, il aurait aidé le roi de France à préparer une éventuelle invasion de l'Angleterre. La correspondance secrète du Chevalier était fort compromettante pour Louis XV. L'Ambassadeur tenta plusieurs fois de le faire extrader voire de le faire enlever. Mais son intelligence déjoua tous les pièges. Tombé en disgrâce par la faute de la Marquise de Pompadour, il ne fut jamais payé. Ruiné, il exerçait pour survivre ses talents de duelliste dans le quartier en prêtant son épée au plus offrant.

Plus tard, Louis XVI essaiera de faire récupérer un pamphlet injurieux à l'égard de la jeune souveraine Marie-Antoinette. Caron de Beaumarchais sera chargé par le nouveau roi de venir chercher ce document à Londres ainsi que tous les papiers qui prouvaient l'hostilité de Louis XV envers l'Angleterre. La maison de Brewer Street était une véritable forteresse, défendue par quelques mercenaires français et Beaumarchais rentra bredouille ! Il y eut scandale lorsque le *Morning Post* invita ses lecteurs à parier sur l'épineux sujet du sexe du Chevalier. Une somme de deux mille livres sterling récompenserait celui qui découvrirait ce secret. En fait, d'Eon avait dû prendre l'habit féminin sur ordre de Louis XV, soucieux d'éviter un scandale avec le roi d'Angleterre George III qui avait trouvé le Chevalier dans la chambre de sa femme, la reine Charlotte, dont il était fort amoureux. Notons toutefois que lorsque le monarque anglais surprit d'Eon, ce dernier se contentait de tenir la main de la reine. Néanmoins, la raison d'Etat, pour étouffer l'affaire, déclara que ce galant chevalier français était une femme, donc la réputation de la reine était sauve ! De ce jour, il ne fut plus que Mademoiselle d'Eon.

A la Révolution, on retrouve le Chevalier dans les rues de Soho. Il mourut à quatre-vingt-deux ans, en 1810, peu de temps après un dernier duel. Un prêtre français, le Père Elysée, constata son décès et déclara qu'il était bien de sexe… masculin. Il fut enterré au vieux cimetière de l'église Saint-Pancras, derrière la gare du même nom. Dans ce cimetière seront enterrés de nombreux immigrés français, entre 1792 et 1799…

Marat vécut également à Soho où, en 1775, il exerçait sa profession de médecin de la communauté française. L'année suivante, il publiera un traité sur les maladies des yeux qui aura un certain retentissement auprès de la Royal Society of Medicine. Ceci, bien avant de rencontrer le poignard de Charlotte Corday…

La maison de Madame Cornelys…

Au XVIIIe siècle, les maisons closes fleurissaient à Soho. Madame Teresa Cornelys, la tenancière italienne de Carlyle House, tenait dans Greek Street un salon galant fort couru que fréquenta Voltaire en exil et où Mozart, enfant, joua du piano.

Celui-ci voyageait en Europe, en compagnie de son père Léopold. Chez Teresa, on discutait politique et d'interminables parties de cartes se déroulaient entre gentlemen fortunés. Au petit matin, des carrosses discrets reconduisaient ces personnalités fatiguées vers leurs demeures respectives.

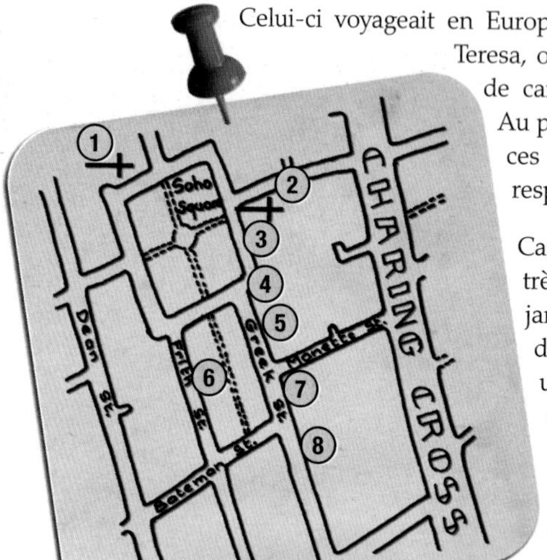

Casanova détestait Madame Cornelys ; la sachant très superstitieuse, il adorait l'effrayer. Un soir de janvier 1781, au cours d'un bal costumé, il apparut dans des bruits de tonnerre, drapé dans un linceul, un cercueil sous le bras, le visage dissimulé sous un masque. Nul ne le reconnut. Plusieurs documents d'époque font état de celui que la presse surnommera The Soho Ghost.

Dans la maison Cornelys, l'illusionniste Etienne Robertson faisait apparaître ses figures lumineuses à l'aide d'une lanterne magique dans l'obscurité. On surnomma le lieu "Le Palais des Merveilles" et son procédé s'appela "fantasmagorie". En pleine Révolution Française, au cœur de la Terreur, les silhouettes spectrales de Robespierre, Marat, Charlotte Corday ou Louis XVI apparaissaient sur un drap tendu devant un public avide de sensations morbides… A côté de cette maison, Joshua Wedgwood ouvrit sa première fabrique de porcelaine.

1. Eglise Protestante — *2. St. Patrick* — *3. Carlyle House* — *4. St. Barnabas House* — *5. Gay Hussar* — *6. Hazlitt's Hotel* — *7. Pillars of Hercules* — *8. Wedgewood Mews*

Dans une rue adjacente, Frith Street, se dissimule le fort discret Hazlitt's Hotel, hôtel le plus "cosy" de Londres avec ses vingt-trois chambres. Derrière ses vitres, on distingue les lumières de grosses lampes ainsi qu'une bibliothèque murale... Au XVIIIe siècle, le peintre et écrivain William Hazlitt habitait l'une des trois maisons géorgiennes qu'occupe désormais l'hôtel. Hazlitt écrira, entre autres, une vie de Napoléon en quatre tomes.

Dans Greek Street, se tient le restaurant Gay Hussar, champion de la cuisine d'inspiration hongroise, ouvert en 1953 par Victor Sassie, cuisinier originaire de la région de Newcastle. Ce dernier avait l'habitude de dicter avec autorité leur menu à ses clients. Fréquenté par le monde politique et journalistique, le restaurant possède un décor qui n'a pas évolué depuis sa création. Sur les murs, de nombreuses photos et caricatures témoignent du passage de tous ceux qui firent la vie politique britannique, mais surtout de membres du Parti Travailliste... Au XVIIIe siècle, Hogarth, qui habitait Leicester Square, peignit le cycle de *La Carrière du Roué* en traquant l'insolite dans les rues londoniennes. Ses carnets à la main, il fréquentait les mauvais lieux, observant les ravages du gin sur une population misérable, ne négligeant ni les prostituées, ni les jeunes gens de bonne famille qui venaient s'encanailler dans les bordels et les tripots. Un autre personnage, haut en couleur, déambulait dans les rues de Soho : il s'agit de Théodore de Neuhoff, dit "Le Roi de Corse", un aventurier qui avait acheté une cargaison d'armes pour les insurgés corses en guerre contre la République de Gênes. Les insulaires le couronnèrent Roi. Après un règne de deux mois, chassé par son peuple, il reviendra mourir dans la misère en Angleterre.

Un restaurant hongrois dans Greek Street

Chateaubriand et Karl Marx...

Soho fut, au cours des siècles, une terre d'asile pour les réfugiés politiques. Pendant la Révolution, en 1793, Chateaubriand, blessé à la jambe à Thionville, alors qu'il avait mis son épée au service de l'armée des Princes, se réfugiera à Londres après avoir séjourné chez son oncle à Jersey. Il traînait dans Old Compton Street et mendiait son couvert auprès des riches immigrés. Selon ses propres paroles : « *j'étais si affamé que je trempais des morceaux de chemise dans l'eau et les suçais...* » . Il fréquente les milieux royalistes et participe aux discussions du cercle des monarchistes libéraux à Juniper Hall, dans le Surrey, sous la houlette de Madame de Staël. Après huit années d'exil, il repartira en France en mai 1800. Lorqu'il reviendra sur le sol britannique en 1822, ce sera en tant qu'Ambassadeur.

Juifs, Grecs, Allemands, Français firent la richesse du quartier avec leurs pâtisseries, boucheries, petits restaurants et cabarets divers. A la chute de la Commune de Paris, en 1871, Verlaine et Rimbaud partageaient une chambre dans Frith Street. La même année, Jules Vallès, proscrit, arriva à Londres. Démuni, affamé, il y écrira un livre plein d'amertume, *La Rue à Londres*. Vallès se rendait le soir dans un club de Soho, Le Cercle Communard, qui se trouvait dans Frith Street, à côté de l'actuelle pâtisserie Bertaux. De ce Soho communard sortiront de nombreux talents dont Emile Lastenet et Pierre Evicole, anciens défenseurs, en 1871, des barricades de Belleville et grands cuisiniers.

Karl Marx écrivit *Le Capital* dans son logis misérable de Dean Street, au-dessus du fameux restaurant Quo Vadis. Il se trouvait dans une misère extrême et ne sortait que rarement, sinon pour effectuer des recherches au British Museum ou à Clerckenwell pour retrouver ses amis politiques. A la mort de sa fille, il dut emprunter à Engels la somme nécessaire à l'achat d'un cercueil. Les clients du restaurant Quo Vadis, établissement de grand luxe, ont le privilège de pouvoir dîner près de la chambre mansardée avec sa porte aux ferrures rouillées. Dans un coin, il y a la chaise et la table sur laquelle fut rédigé *Le Capital*. Espérons que le fantôme de Marx ne dérange pas trop les riches convives du Quo Vadis !

Le choléra et la pompe de Broadwick Street...

Le choléra frappa Londres dès juillet 1831. Soho ne fut pas épargné. Lors de la grande épidémie de 1849, plus de deux cents personnes succombèrent. Le docteur John Snow, obstétricien de la reine Victoria, un des pionniers de l'anesthésie, qui habitait Frith Street, découvrit l'origine de la terrible maladie. Assez rapidement, il se rendit compte que l'eau de la pompe de Broadwick Street devait être la cause du fléau qui ravageait Soho. Sur une carte du quartier, il marqua les lieux où vivaient les victimes de la maladie et découvrit ainsi qu'ils buvaient tous l'eau de cette fontaine. Compte tenu de l'état de pollution de la Tamise et du nombre de petites rivières qui traversaient Londres à ciel ouvert, le choléra n'était pas une maladie rare. La pompe fut dès lors fermée. Depuis 1992, un petit monument marque l'endroit où coulait l'eau porteuse de la terrible maladie. Un pub traditionnel à l'enseigne de John Snow accueille toujours avec plaisir les buveurs de bière...

De Quincey, Dickens, Stevenson et William Blake...

En 1812, l'auteur des *Confessions d'un mangeur d'opium*, Thomas de Quincey, connut également la misère à Soho, comme William Blake, qui vivait dans Broadwick Street.

Quartier misérable, mais quartier étrange, que ce Soho où Robert Louis Stevenson situa le repaire de Mr Hyde, le double du docteur Jekyll, dans une charmante maison de Soho Square, à l'angle de St Barnabas House, le refuge des femmes destituées de Greek Street. On imagine aisément Hyde en fuite dans les venelles de Soho, dissimulé par un brouillard humide et visqueux, le visage hideux et les yeux injectés de sang, avant qu'il ne redevienne, dans son laboratoire, le bon et vertueux docteur Jekyll.

Je revois toujours avec émotion les films interprétés par Spencer Tracy ou Fredric March. Adolescent, je traînais dans les rues de Soho pour tenter d'y retrouver certaines images de ces films, cherchant une allée qui se serait, selon la légende, appelée Jekyll and Hyde.

Dans *Le Conte de deux villes*, Dickens situe la maison du Docteur Mallett non loin du pub The Pillars of Hercules.

A l'âge de vingt-cinq ans, employé à la grande librairie Foyle's, je passais mes heures de repas à parcourir les ruelles à la recherche de cette parcelle du vieux Soho et je m'en voulais d'être arrivé trop tard, à la mauvaise époque, dans un quartier déjà à l'agonie. On abattait de vieilles maisons et les fantômes s'en allaient. Pourtant, on rencontrait encore des personnages dignes de figurer dans un film d'épouvante, comme ce Jack Tracey, petit et bossu, qui gagnait sa vie au fil des pubs en démontrant ses talents de... cracheur de feu !

Restauration et cinéma...

Les Français ouvriront à Soho d'excellents restaurants dont le plus ancien reste L'Escargot, spécialisé dans la bonne cuisine bourgeoise française. Dans la cave de son établissement, Antoine Gaudin élevait les escargots qu'il allait servir à ses clients. Ce grand chef dont le buste orne toujours la façade avait pour devise « *Faisons les choses doucement, mais sûrement* » Il fut le premier à servir du Dubonnet et du Chambéry à l'apéritif.

Avant la guerre de 14-18, les Belges torréfiaient le café dans Berwick Street, près du marché. Madame Valérie, native de Liège, ouvrira en 1926 sa pâtisserie légendaire dans Old Compton Street. Nous y venions jadis déguster de vrais éclairs au chocolat, des cœurs de palmier ou des figues en pâte d'amandes. Depuis trente ans, la couleur des gâteaux n'a pas changé. C'était mon refuge, les samedis après-midi d'hiver, après avoir travaillé à la bibliothèque du British Film Institute de Dean Street. Devant un café, je découvrais le fabuleux livre de Truffaut sur Hitchcock. C'est encore le lieu de rendez-vous favori des gens du cinéma.

Charles Laughton, le réalisateur de *La Nuit du chasseur,* vivait dans un appartement de Golden Square et Kenneth Branagh fréquentait le salon de thé de la Pâtisserie Bertaux de Greek Street, ouverte en 1871. Je me souviens y avoir vu Simon Callow corrigeant des chapitres de son livre sur Orson Welles. Au premier étage, certains soirs, on joue des pièces de théâtre.

Michèle Wade la propriétaire, actrice et ancienne serveuse, a racheté l'affaire à ses anciens patrons. Aussi excentrique qu'un personnage de Nancy Mitford, chaque 14 juillet, elle adore revêtir la robe de Marianne, allégorie de notre chère Republique, brandissant dans la rue un drapeau tricolore au son d'une *Marseillaise* digne des grands ancêtres de 1792 !

Les pubs de Soho ont résisté au modernisme, et en particulier The Coach and Horses qui a gardé le décor assez désuet des années cinquante. Malheureusement, son ancien tenancier, Norman Balon, individu haut en couleur, qui ne servait que les clients dont la tête lui revenait, a pris sa retraite. Ce patron de pub ne buvait pas une goutte d'alcool. Dans Bateman Street, le Dog and Duck dont le nom fait référence à la chasse, nous rappelle les origines du quartier. C'est ici que venait boire l'écrivain George Orwell.

Wardour Street restera toujours la rue du cinéma avec ses boîtes de projections privées, salles de montage et magasins de location de matériel. N'oublions jamais que depuis les bureaux de Hammer House, Michael Carrera lança la production de nombreux films d'horreur avec Peter Cushing et Christopher Lee. Dracula et Frankenstein ressuscitèrent, loin d'Hollywood, à Wardour Street. Le gamin des Sixties que j'étais se piquait de ne rater aucune de leurs aventures projetées dans les petits cinémas de Charing Cross Road. Aucun membre de la génération des Baby Boomers ne peut oublier ces décors à base de carton-pâte et de toiles peintes qui virent évoluer nos célèbres monstres. Les grondements de tambour de la musique de James Bernard faisaient battre nos cœurs. Nous étions transportés d'office en Transylvanie ou sur une lande perdue du Devon, prêts à affronter les vampires ou les zombies.

Rock et expresso...

Dans Frith Street, il y a Jimmy's. Ce petit restaurant grec, situé dans un sous-sol, vaut le détour pour la qualité de sa cuisine et la modicité de ses prix. Le décor est banal, mais il règne à l'intérieur une atmosphère de vacances. J'espère que la moussaka et le bœuf stifado y sont encore succulents. C'est dans ce restaurant que, avant même de voyager, de nombreux Londoniens découvrirent les verres de Retsina bien frais.

J'aime ce lieu mythique qu'est le Bar Italia, inauguré en personne par Gina Lollobrigida en 1953. Le temps y a laissé son manteau : la vieille machine rouge à expresso, les hauts tabourets du bar, le long miroir, l'écran de télévision qui reçoit des images en direct d'Italie, les murs où brillent le regard féroce du boxeur Rocky Graziano et le visage de Presley nous ancrent au cœur des Fifties. On s'attend à y rencontrer le jeune Cliff Richard en blouson de cuir. C'était un des lieux favoris du pionnier du rock, Gene Vincent, créateur de *Be-Bop-A-Lula*. Sur un mur, une plaque nous rappelle que c'est ici que John Logie Baird fit en 1926 les premiers essais de sa télévision.

Avant la guerre, et jusqu'au milieu des années cinquante, les Italiens remplacèrent les Français. Du Soho italien subsistent peu de choses. Outre le Bar Italia et quelques rares restaurants, citons l'épicerie Lina dans Brewer Street et I Camisa and Son dans Old Compton Street. Les salamis pendent en vitrine et des sacs de pâtes vous y attendent dans l'ambiance chaleureuse de la vieille et authentique Italie. Mais pour combien de temps encore ? La"Congestion Charge"qui taxe quotidiennement l'entrée de tout véhicule dans le centre de Londes et l'augmentation des prix des baux immobiliers risquent de porter un coup fatal à ces commerces…

Le pub de Gaston…

Dans Dean Street, le French House, ouvert en 1915 par Victor Berlemont fut, et reste, un véritable havre de bonheur pour les buveurs du monde entier. Il s'agit en fait du vieux York Minster, établissement ouvert par un Allemand en 1902. A la déclaration de guerre, en 1914, Victor racheta l'affaire qui périclitait. Victor fut un commis du grand Auguste Escoffier qui dirigeait les cuisines du Savoy, l'établissement de César Ritz. Son fils Gaston fut l'incroyable animateur de ce petit pub que fréquentèrent les Français Libres et des célébrités comme le peintre Francis Bacon et le dramaturge Dylan Thomas qui y oublia un jour le manuscrit de *Under Milk Wood* sous une banquette. Les moustaches et l'accent forcé de Gaston étaient légendaires. Son vieux garçon qui claudiquait derrière le bar, également. Je me souviens de la vieille pompe à eau pour servir l'absinthe. Gaston encaissait les chèques de ses bons clients et refusait de vendre de la bière à la pression. Dans son pub, les prostituées pouvaient s'y reposer autour d'un verre, sans être inquiétées par la police ou les souteneurs.

Fabriquant lui-même son Pernod, il régnait sur son établissement en costume sombre et cravate. Parfois, on le croisait le matin, allant faire ses courses au marché de Berwick Street. Une légende tenace veut que de Gaulle griffonnât le brouillon de"l'Appel"sur une table du restaurant au premier étage du pub. En tout cas, entre 1940 et 1944, ce fut le grand rendez-vous de la France combattante. Lorsque la guerre imposa des restrictions sur la vente du whisky, il suffisait de demander un verre d'eau écossaise pour que Gaston posât un verre rempli d'un liquide ambré devant vous. De nombreuses photos jaunies décorent les murs et témoignent du riche passé de cet établissement.

Maurice Chevalier y a la part belle, un verre de Pernod à la main, tout sourire, devant les épaisses moustaches de Gaston qui frétillent d'émotion. Edith Piaf y chanta. Le premier étage du pub est redevenu un restaurant. Pour son ami le boxeur Carpentier, Gaston avait installé une salle de boxe dans les caves.

En 1955, le photographe Willy Ronis immortalisera le pub et son patron à travers une série de photos pour le journal *France Dimanche* .

Je me souviens du départ à la retraite de Gaston Berlemont. C'était le 14 juillet 1989. De la fenêtre du premier étage, en manches de chemise, après avoir servi son dernier verre, il remercia tous ceux qui étaient venus l'applaudir en participant à une fête qui bloqua la rue pendant douze heures. Le lendemain, ayant remis les clés aux nouveaux propriétaires, deux journalistes, Gaston s'apprêtait à se retirer dans son lointain pavillon de banlieue... A sa mort, en 1999, les grands journaux ne tarirent pas d'éloge sur la légende qu'il était devenu au fil... des verres !

Conrad et son agent secret...

Les amateurs de romans d'espionnage ne seront pas surpris d'entendre que Joseph Conrad trouva l'inspiration pour son livre *L'Agent Secret* dans les rues brumeuses de Soho. Son héros, Monsieur Verloc, l'espion du roman, vend du matériel pornographique dans une boutique obscure de Dean Street. Les réunions avec ses amis anarchistes se tiennent dans l'arrière-boutique. C'est ici que Verloc prend la décision de faire exploser une bombe à Greenwich. Hitchcock en tirera en 1936 un film remarquable, *Sabotage,* faisant de Verloc le propriétaire d'un petit cinéma.

Graham Greene, ancien agent secret et grand écrivain, adorait déjeuner au restaurant Wheeler de Old Compton Street, désormais disparu. Le dramaturge Noël Coward se vantait d'avoir visité tous les clubs de Soho ; il y en avait cent cinquante !

Au 45 Dean Street, se trouve un club littéraire très fermé, le Groucho Club, nommé ainsi en hommage à Groucho Marx. Ses chambres et ses bars accueillent les grands noms de l'édition et du spectacle. Chaque année, le Groucho organise un concours qui voit s'affronter quelques auteurs connus. Ils ont vingt-quatre heures pour écrire une histoire de vingt mille mots !

Dans Greek Street existait, vers 1967, une librairie d'occasion tenue par un vrai bibliophile, David Archer. Ce dernier refusait, de temps en temps, de vous vendre un livre, pour l'emporter chez lui et le mettre ainsi sur ses propres étagères. Archer était l'un des plus fins connaisseurs de Cocteau et de Breton. Bien souvent, vers onze heures, il fermait la boutique pour aller rejoindre ses amis au French House, et ne rouvrir que vers seize heures...

Le restaurant Kettners, fondé en 1868 par un ancien cuisinier de Napoléon III, n'a pas bougé de Romilly Street. Oscar Wilde y avait sa table à l'année et régalait ses amis. Le personnel du restaurant témoignera à son procès sur ses petites habitudes dans un cabinet particulier.

Après sa condamnation, le patron s'empressera de faire brûler la petite table et la chaise sur laquelle s'asseyait l'écrivain qui déclara sans sourciller à un douanier : « *Monsieur, je n'ai rien d'autre à déclarer que mon génie !* » . Dans l'une de ses chambres, le futur Edouard VII retrouvait sa maîtresse, l'actrice Lillie Langtry. En ce qui me concerne, pour respecter la mémoire d'Oscar, je refuse de fréquenter cette gargote !

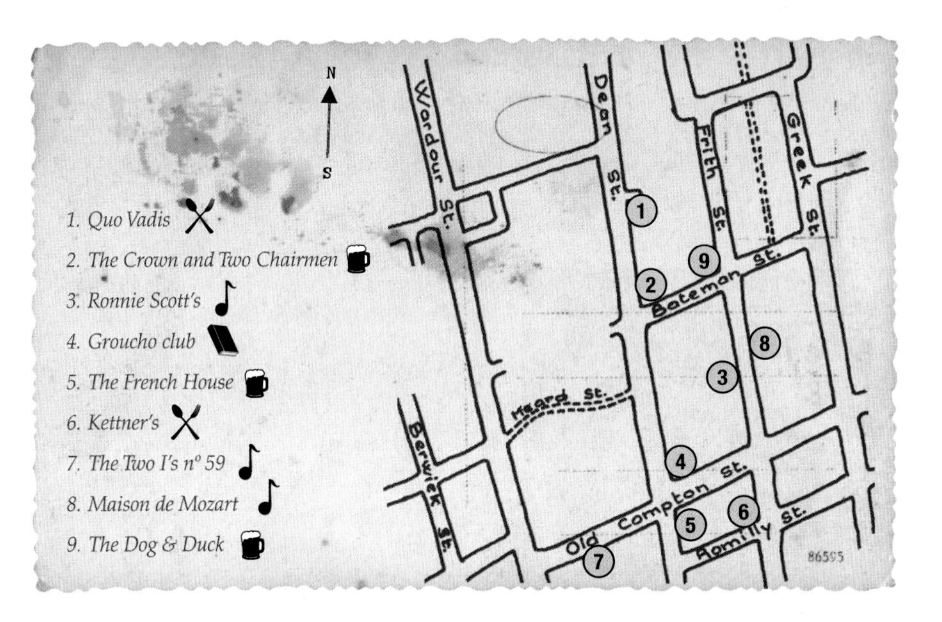

Les Shadows, le Marquee et les rockers...

Soho fut aussi le haut lieu des débuts du rock anglais avec ces deux établissements qu'étaient The Two I's, 59 Old Compton Street, un ancien milk bar devenu depuis une brasserie et The Marquee de Wardour Street. Le premier vit débuter Tommy Steele, Joe Brown, Cliff Richard et ses Shadows en 1958. Les jeunes musiciens, venus de province, aimaient à s'y retrouver autour d'un lait fraise, avant de jouer devant une petite foule d'adolescents avides de bonne musique.

Un jour de 1958, les guitaristes Hank Marvin et Bruce Welch devaient y rencontrer le bassiste Jet Harris et le batteur Tony Meehan. Peu après, Cliff Richard à la recherche d'un groupe pour l'accompagner en studio engagea les quatre copains qui, avant de connaître de nombreux triomphes sous le nom des Shadows, s'appelaient les Drifters.

Vince Taylor, cette légende du rock, y chanta ses premiers airs, dont sa chanson fétiche *Brand New Cadillac*. Pour l'occasion, il était accompagné par Mike Green et Johnny Spence, deux futurs membres du groupe de Johnny Kidd, The Pirates. Sur la scène du Marquee, salle jadis consacrée au blues, jouèrent les Stones, les Kinks, John Mayall, David Bowie, les Sex Pistols ou les Clash, pour ne citer qu'eux... Ce fut ici que les Yardbirds enregistrèrent le disque mythique *Five Live Yardbirds*, le 12 février 1964.

De Denmark Street au 84 Charing Cross Road...

En bordure de Soho, de l'autre côté de Charing Cross Road, non loin de la grande librairie Foyle's, se trouve Denmark Street, rue consacrée à la vente d'instruments de musique et à quelques studios d'enregistrement. Ray Davies, le chanteur des Kinks, consacrera une chanson à cette rue dans l'album *Tower Man, Lola Versus and The Moneygoround*. Le morceau intitulé *Denmark Street* rend hommage à tous ces jeunes musiciens qui désespèrent d'enregistrer un disque. Surnommée jadis "Tin Pan Alley" (l'allée des casseroles), Denmark Street attirait dans ses hôtels tous les musiciens fauchés de la capitale.

La légende de Soho y retentit encore du son des guitares Fender, Stratocaster ou Gibson. Tous les grands groupes venaient s'approvisionner ici. Bob Marley, comme Eric Clapton ou Lou Reed y achetèrent leur première guitare. Dans le documentaire de David Pennebaker *Don't Look Now*, on peut y voir Bob Dylan faire du lèche-vitrines.

C'est au numéro 4 que les Stones enregistrèrent leur premier album. Bob Dylan donna l'un de ses tout premiers concerts londoniens, en décembre 1962, au 12 Bar Club, petite salle située dans Denmark Place, au bout d'une courte allée qui commence à l'angle du magasin Andy's Guitar. Dylan venait à Londres, invité par le directeur de la BBC, Philip Saville, afin de participer à une dramatique *Madhouse on Castle Street*. Il chanta cinq chansons dont *Blowing in the Wind*. Il se produisait également dans un club de Dean Street, Les Cousins, qui faisait partie de ces boîtes fréquentées par les jeunes Français de passage à Londres.

Je me souviens qu'en 1967, on allait aux Enfants Terribles et à La Poubelle écouter d'illustres inconnus du grand public, comme Jeff Beck et Big Jim Sullivan. Les amateurs les connaissaient comme étant les deux meilleurs musiciens de studio du moment. Je me souviens d'y avoir entendu Peter, Paul and Mary, les rois du Folk, créateurs du fameux *Four Hundred Miles*, devenu en France *J'entends siffler le train*, interprété par Richard Anthony. Le Folk était à la mode et nos cheveux s'allongeaient. A Soho, nous rêvions aux plaines américaines et à un voyage le long de la mythique "route 66".

En 1965, Michel Polnareff enregistra son premier titre, *La poupée qui fait non*, au studio Southern Music où Donovan avait gravé *Mellow Yellow*. Polnareff y était accompagné par deux futures grandes légendes du rock : Jimmy Page qui jouait de la guitare à douze cordes et John Paul Jones qui tenait la basse. Je me souviens de ce petit salon de thé The Gioconda qui vit passer tous les noms du rock en attente de succès. Avant d'être connu, David Bowie s'y rendait chaque jour dans l'espoir d'y rencontrer la personne qui lui donnerait accès à un studio. C'est ici qu'il eut l'idée d'écrire son album décisif *Ziggy Stardust*, sur la déchéance d'un rocker qui n'était autre que Vince Taylor.

Charing Cross Road est une longue rue qui, partant de Trafalgar Square, remonte jusqu'à New Oxford Street, en traversant Cambridge Circus. Par tradition, c'est encore aujourd'hui une artère bordée de librairies. Le bibliophile trouvera son bonheur au fil de magasins qui ont nom Quinto, Murder One, Henry Pordes, Soho Original Bookshop et bien d'autres. Ici, il pourra trouver, quelques mois après publication, de nombreux titres qui désormais font partie des surplus des éditeurs. En Angleterre, il n'est pas rare de trouver un titre à prix réduit, trois mois après son lancement. En matière de vieux livres d'occasion, ou de titres rares, il lui suffira de fouiner à l'intérieur de ces vénérables établissements.

Il se souviendra aussi qu'en 1945 se tenait, en lieu et place d'un cabinet de médecine chinoise, la librairie Marks and Co tenue par Leo Marks l'un des grands noms des services secrets britanniques lors du dernier conflit mondial. Son travail consistait à fabriquer les codes des agents parachutés en France. Mais son établissement entra dans la légende le jour où l'un de ses employés, Frank Doel, lira une lettre d'Helene Hanff, une lectrice américaine passionnée de littérature anglaise, qui se plaignait de ne pas trouver les ouvrages désirés à New York. Une véritable correspondance s'ensuivit dont Helene fit un magnifique recueil : *84 Charing Cross Road*. En ce temps-là, les chaînes de librairies n'existaient pas et pour vendre des livres, il était indispensable d'être érudit et passionné par ce beau métier !

Ronnie Scott, Marianne Faithfull et Dorothy Sayers...

Un autre endroit légendaire, toujours en activité, est sans aucun doute le Ronnie Scott's au début de Frith Street, en venant de Shaftesbury Avenue. C'est un haut lieu du jazz et du blues. D'ici, le jazz moderne se lança à la conquête de l'Angleterre, grâce à la fougue du saxophoniste Ronnie Scott que l'on peut entendre jouer sur l'introduction du *Lady Madonna* des Beatles. Lester Young, Zoot Sims, Georgie Fame ou plus récemment Van Morrison, passèrent sur la scène de ce club. Jimi Hendrix y donna un ultime concert, trois jours avant de mourir en septembre 1970.

Soho restera toujours un foyer de création artistique même si à cette époque se multiplient les sex shops. Aujourd'hui ce type d'établissement a quasiment disparu, et on peut remercier la communauté Gay qui par son dynamisme, son humour et sa bouillonnante créativité a réhabilité notre cher Soho.

Le fameux mur décrit par Marianne Faithfull dans son autobiographie

A l'emplacement de l'église Sainte-Anne, seule demeure la tour, le bâtiment ayant été détruit lors des bombardements. A l'intérieur furent répandues les cendres de Dorothy L. Sayers, l'une des grandes dames du roman policier anglais, membre éminent de la paroisse de 1952 à 1957. C'est elle qui créa le personnage de Lord Peter Wimsey, le dandy détective, évoqué au chapitre Mayfair.

L'anglophile se souviendra, non sans tristesse et nostalgie, que vers 1974, Marianne Faithfull, en rupture de carrière, passait ses journées assise sur un mur du jardin. La jeune femme blonde qui chantait *As Tears Go By* venait de se séparer de Mick Jagger. C'est pour elle que Jagger et Keith Richards avaient écrit ce premier titre produit par leur manager, Anthony Oldham. Dans son autobiographie intitulée *Faithfull*, Marianne se souviendra que dans ses jours de Soho, elle ne voulait même pas croiser le sourire des passants. C'est dans ce jardin qu'elle apprendra avec amertume la sortie de l'album *Sticky Fingers* dans lequel Mick Jagger interprète *Sister Morphine* la chanson qu'il avait composée pour elle. En 1979, elle refera surface avec l'album *Broken English*.

Bien entendu, je me souviens aussi que lors des grandes grèves de l'hiver 1979, les habitants du quartier entassaient leurs sacs-poubelles ici, faute d'éboueurs. Il neigeait et cette immense pyramide noire était vraiment impressionnante !

Chinatown...

De l'autre côté de Shaftesbury Avenue, commence un autre monde : Chinatown.

A la suite de la destruction de Limehouse en septembre 1940, les Chinois se sont installés autour de Gerrard Street. La légende londonienne et la presse populaire continuent à y situer les gangs chinois, les fumeries d'opium et les cercles de jeux clandestins.

C'est très exagéré ! Je n'y vois que des commerces asiatiques, des marchands de légumes, des épiceries et, bien entendu, des restaurants. Les souvenirs jonchent Gerrard Street. Sur le seuil du London China Town, on peut lire sur une mosaïque le nom Hôtel de Boulogne, un établissement qu'adoraient les militaires français en 1940. Dans l'une des chambres, en

1959, un ancien déserteur de la Légion tua sa femme d'un coup de hache. Au 43, vécut en 1687 le dramaturge John Dryden. Il aimait les tavernes, et détestait sa femme acariâtre à laquelle il dit un jour :« *Si vous devenez un livre, arrangez-vous pour que ce soit un almanach, car je pourrais ainsi vous changer tous les ans...* »

Gerrard Street : Le Nouvel An chinois

Le fantôme de Dryden hante encore l'endroit où se trouvait, en 1920, le Club 43 , salon littéraire que fréquentaient Sax Rohmer, J. B. Priestley, Joseph Conrad ou bien encore James Barrie. Autour du bar, les auteurs lisaient des extraits de leurs œuvres. Jean Ray s'en inspirera pour créer Le Club littéraire de Upper Thames dans *Le Livre des fantômes*.

Et puis, une balade à Soho se doit d'être préparée : en plus des livres déjà cités, lisez, pour vous mettre dans l'ambiance, le roman de Pascal Mérigeau, *Escaliers dérobés*. Cette histoire de manuscrit oublié est tout à fait évocatrice de ce Soho mythique des années soixante-dix, où les escaliers des maisons craquaient sous les pieds des prostituées et de leurs clients. Ces jeunes femmes faisaient de la publicité avec une petite carte de visite dans les bureaux de tabac ou les cabines de téléphone, en proposant des"leçons de français"ou des"problèmes de mathématique très difficiles".

Piccadilly...

Au coin de Great Windmill Street, mon regard se porte en direction de ce grand cabaret que fut le Windmill, ouvert en 1931 par Laura Henderson, septuagénaire passionnée de théâtre. L'établissement ne connut son heure de gloire que lorsque Vivian Van Damm en prit la direction artistique l'année suivante et en fit l'équivalent londonien des Folies Bergères. Stephen Frears a tiré de cette belle histoire le film *Mrs Henderson Presents...* avec Bob Hoskins et Judy Dench. Peter Sellers, comme Kenneth More, débuta ici avec succès. Au centre de la place se trouve la statue de l'ange de la Charité, communément appelée Eros et, dans un coin, The Criterion, l'un des nombreux restaurants de Marco Pierre White.

1. The Windmill — *3. Zavvi*

2. The Criterion — *4. Café Royal* 

C'est ici qu'au commencement de *Une étude en rouge*, le docteur Watson, accoudé au bar de ce prestigieux établissement, apprend, par l'un de ses anciens soldats, qu'un certain Sherlock Holmes cherche un locataire pour partager son appartement de Baker Street. La plaque qui commémorait cet événement a été volée dans les années soixante. Devant nous se dresse Zavvi, sur l'emplacement des anciens magasins Swan and Edgar que l'on peut voir dans *Le Rendez-vous de Sevenoaks* de Floc'h et Rivière ou dans *La Marque Jaune*.

Bien entendu, au début de Regent Street, l'ombre d'Oscar Wilde erre dans les salons du Café Royal, établissement prestigieux qu'aimaient fréquenter les grands noms d'autrefois. Un Français, Daniel Thévenon, ouvrit ce grand café en 1865. C'est pourquoi il ressemble tant à nos brasseries parisiennes, avec ses tentures et ses canapés profonds. Dans les caves s'y retrouvaient joueurs de billard ou loges maçonniques. Wilde y déjeunait chaque jour à treize heures. Armé de son esprit et de son talent, il semblait défier la vie, avant d'être martyrisé par l'hypocrisie victorienne. Ici, cet éternel esthète rencontra les peintres Whistler et Beardsley et le caricaturiste Max Beerbohm. Le grand Oscar s'y montrait en compagnie de son ami Bosie, Lord Alfred Douglas. Sans Wilde, Londres serait une ville moins passionnante à arpenter...

Un truand français à Soho...

Soho fut jadis, entre 1920 et 1950, l'un des hauts lieux du Milieu londonien. Avant la guerre de 39-45, quelques évadés du bagne de Cayenne faisaient la tournée des pubs. Les Anglais ne les embêtaient pas trop, les ligues religieuses dénonçaient les atrocités du bagne, tristement célèbre depuis l'affaire Dreyfus. Un bagnard évadé, Jim La Pêche, devenu souteneur, tua une fille qui l'avait trahi. Arrêté et condamné à mort, Jim fut pendu dans l'enceinte de la prison de Wandsworth. La presse fit ses gros titres sur ce truand français qui avait préféré la corde anglaise à un retour à Cayenne ! La lutte des gangs pour dominer la prostitution et la drogue était assez féroce. Il n'était pas rare de retrouver un cadavre sous un réverbère. Des truands comme Eddy Manning en 1922 ou les frères Messina ne supportaient pas que l'on se mêlât de leurs affaires. Scotland Yard luttait de toutes ses forces contre ces gangsters, patrons des boîtes de nuit et des maisons closes.

Les fantômes de Soho...

Les fantômes adorent faire la fête à Soho. Dans Meard Street, passage situé entre Dean Street et Wardour Street, d'une maison construite par Sir Christopher Wren sort, les nuits d'hiver, le spectre de Nell Gwynne, la maîtresse adorée de Charles II. Plusieurs témoins ont aperçu une ombre qui disparaissait dans un mur. Devant le magasin d'un photographe, il est possible de sentir l'odeur tenace de son parfum au gardénia.

Une jeune femme m'a assuré avoir croisé deux hommes qui portaient un cercueil, une nuit dans Brewer Street. Jadis, se tenait ici la firme Hodgkins and Barwell, l'entrepreneur de pompes funèbres le plus important de la ville de Londres. Une bombe allemande détruisit ce fort honorable commerce en octobre 1940.

Sur un banc de Golden Square, il n'est pas impossible de croiser le fantôme de l'acteur Charles Laughton qui regarde l'appartement où il vivait autrefois avec Elsa Lanchester, inoubliable interprète de *La Fiancée de Frankenstein* .

Et puis, bien sûr, il y a cette curieuse jeune femme aux longs cheveux blonds qui, à la sortie des pubs, vous demandera de l'accompagner le long de Old Compton Street, jusqu'au métro Leicester Square, avant de disparaître en fumée à l'angle de Frith Street. Elle fut victime, en 1962, d'un accident de Vespa, à cet endroit précis. A Soho, les fantômes et les ombres sont les bienvenus... Vous aussi !

Comment s'y rendre ?

Métro Piccadilly ou Leicester Square

A lire...

- **Soho in the Fifties.** *Daniel Farson. 1987*
- **Soho, History of London's Most Colourful Neighbourhood.** *Judith Summers. 1989*
- **Rock Music Landmarks of London.** *Graham Wickers. 2008*
- **L'Agent secret. (The Secret Agent)** *Joseph Conrad. 1907*
- **Les Confessions d'un mangeur d'opium. (Confessions of an English Opium Eater)** *.Thomas de Quincey. 1822*
- **Le Conte de deux villes. (A Tale of Two Cities)** *Charles Dickens. 1859*
- **Escaliers dérobés.** *Pascal Mérigeau. 1994*
- **84, Charing Cross Road.** *Helene Hanff. 1970*
- **The Story of the Shadows.** *Mick Read. 1998*
- **Rock'n'roll, I Gave You the Best Years of My Life.** *Bruce Welch. 1996*
- **Faithfull, an Autobiography.** *Marianne Faithfull. 1994*
- **The Black Plaque Guide to London.** *Felix Barker et Denise Sylvester-Carr* (Il s'agit d'un guide en anglais de tous les meurtres commis à Londres).
- **Vices privés, vertus publiques. (Public Parts and Private Places)** *Robin Cook. 1967*
- **Quelque chose de pourri au royaume d'Angleterre. (A State of Denmark)** *Robin Cook. 1970*

Librairies...

- **Foyles.** *n° 113-119 Charing Cross Road.*
- **Henry Pordes Books.** *n° 58-60 Charing Cross Road.*
- **Murder One.** *n° 76-78 Charing Cross Road.*
- **Any Amounts of Books.** *n° 56 Charing Cross Road.*
- **The Quinto Bookshop.** *n° 48 Charing Cross Road.*
- **The European Bookshop.** *n° 5 Warwick Street.*

Foyles est une immense librairie générale sur plusieurs étages, ouverte depuis 1906, mais elle est totalement indépendante.

Murder One se spécialise dans le livre policier. Excellente sélection de titres rares sur Sherlock Holmes.

Les autres sont remarquables dans le domaine du livre d'occasion. Donc, à visiter !

Spécialisée dans les langues européennes, The European Bookshop est la librairie qui offre, sur Londres, le plus grand choix de livres en français.

A voir...

- **Le Voyeur. (Peeping Tom).** *Réalisé en 1960 en couleur et cinémascope par Michael Powell avec Carl Boehm et Anna Massey. En faisant ce film, sur un scénario de Leo Marks, Powell signa la fin de sa carrière. Le film fut traîné dans la boue par les critiques britanniques, connut un insuccès public complet et ne dut sa survie dans l'histoire du Cinéma que grâce à Martin Scorcese et Bertrand Tavernier. Pendant des années, cette histoire de meurtrier cinéphile fut invisible. La sortie en DVD a su préserver les chaudes couleurs d'origine.*
- **Mrs Henderson Presents...** *Réalisé en 2005 par Stephen Frears avec Bob Hoskins et Judy Dench. L'histoire du vieux Windmill, témoin des nuits de Soho.*
- **Dr Jekyll and Mr Hyde.** *La meilleure version reste celle de 1932, réalisée par Mamoulian avec Frederic March. Ne négligeons pas non plus celle de Victor Fleming avec Spencer Tracy. Il existe aussi une excellente adaptation muette avec Lon Chaney.*
- **Le Testament du Docteur Cordelier.** *Saluons Jean Renoir qui réalisa sa version du livre de Stevenson, en 1960 avec Jean-Louis Barrault*

« We are all in the gutter,
but some of us are looking at the stars. »
Oscar Wilde

Piccadilly :

1. *Criterion*
2. *Zavvi*
3. *Café Royal*

Great Windmill Street :

4. *The Windmill*

Brewer Street :

5. *Ancienne maison du Chevalier D'Eon n°71*
6. *Lina Store*
7. *Randall & Aubin*
8. *Ancienne poissonnerie Richard's*
9. *Madame Jojo's*

Broadwick Street :

10. *Pompe à eau*
11. *John Snow*

Wardour Street :

12. *Hammer House*

Meard street :

13. *Maison de Nell Gwynne n° 14*

Old Compton street :

14. *Camisa and Son*
15. *The Two Is*
16. *Ancien Del Monico (Clone Zone) n°64*
17. *The Algerian Coffee Store*
18. *Pâtisserie Valérie*

Bateman Street :

19. *The Dog and Duck*

Frith Street:

20. *Hazlitt's Hotel*
21. *Maison de Mozart*
22. *Bar Italia*
23. *Jimmy's*
24. *Ronnie Scott*

Dean Street :

25. *Quo Vadis*
26. *The Crown and Two Chairmen*
27. *All Bar One*
28. *Groucho Club*
29. *The French House*
30. *Eglise Ste Anne*

Romilly Street

31. *Kettners*

Greek Street :

32. *Pâtisserie Bertaux*
33. *The Coach & Horses*
34. *L'Escargot*
35. *Soho Club*
36. *Wedgwood Mews*
37. *Pillars of Hercules*
38. *Gay Hussar*

Soho Square :

39. *St Barnabas House*
40. *Carlyle House*
41. *St Patrick*
42. *Eglise Protestante*

Denmark Street :

43. *12 Bar*
44. *Andy's Guitar*
45. *St Giles in the Fields*

Charing Cross Road :

46. *Foyle's*
47. *N° 84 Charing Cross Road*

China Town, Gerrard Street :

48. Ancien *Club 43 (Loon Fong Supermarket)*
49. Ancien *Hotel de Boulogne (London China Town)*

Warwick Street

50. *The European Bookshop*

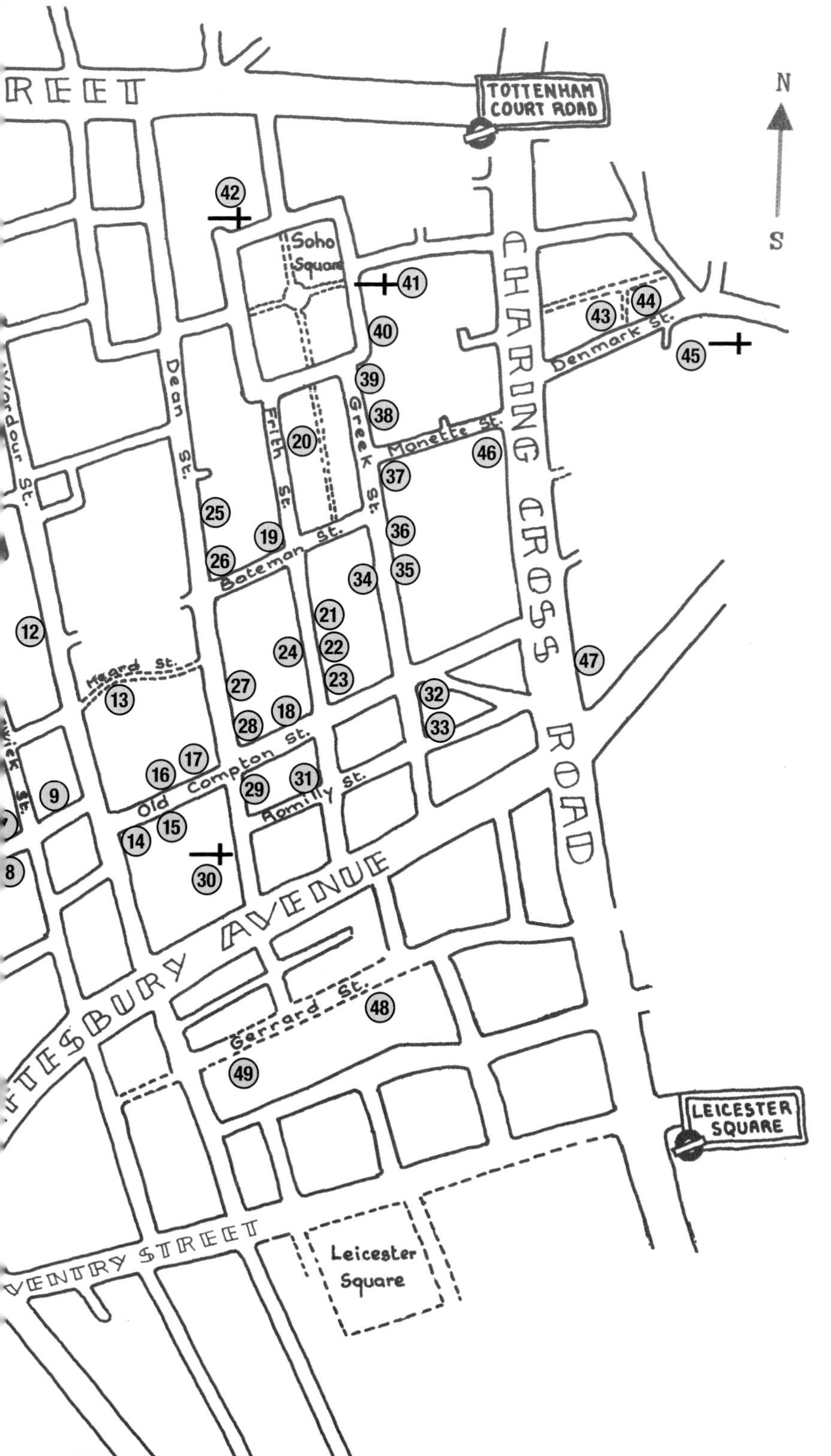

REET
TOTTENHAM COURT ROAD
N
S
Soho Square
Dean St.
Frith St.
Greek St.
ardour St.
Manette St.
Denmark St.
CHARING CROSS ROAD
Bateman St.
Heard St.
Old Compton St.
Romilly St.
FTESBURY AVENUE
Gerrard St.
LEICESTER SQUARE
Leicester Square
VENTRY STREET
9
12
13
14
15
16
17
18
19
20
21
22
23
24
25
26
27
28
29
30
31
32
33
34
35
36
37
38
39
40
41
42
43
44
45
46
47
48
49

Hampstead

A Hampstead mémoire...

« *For me, you were the one,*
I love you yesterday in Hampstead,
But yesterday's gone... »
Chad and Jeremy

Comment ignorer les charmes de Hampstead, ce coin de Londres où la ville se perd entre la campagne et les souvenirs ? Wilkie Collins, l'un des inventeurs du roman policier à l'époque victorienne, fait apparaître sa *Femme en blanc* dans la brume de Hampstead Road. Un amiral excentrique y faisait tonner le canon sur le toit de sa demeure. Sigmund Freud vécut là les dernières années de sa vie et il n'est pas rare d'y croiser un écureuil étonné devant les mimiques des touristes...

Je suis venu à Hampstead, voici trente ans, pour voir *Chantons sous la pluie* et *Le Corsaire Rouge* qui passaient à l'Everyman Cinema. En France, quelques années plus tôt, j'avais découvert le film de William Wyler tiré du livre de John Fowles *L' Obsédé* où un maniaque, interprété par Terence Stamp, enlève dans une rue du quartier la belle Samantha Edgar pour l'ajouter à sa collection de papillons. Il avait fait grand bruit à sa sortie, de même que le film de Preminger *Bunny Lake a disparu* dans lequel Laurence Olivier est un détective qui mène son enquête dans le décor rural de Hampstead...

Agatha Christie dans les couloirs du métro...

De tous les quartiers londoniens, Hampstead demeure à ce jour le plus champêtre, le plus beau également. J'y ai laissé de nombreux souvenirs heureux, dont le regard bleu d'une jeune femme regardant passer les nuages qui survolaient le Heath. C'était en septembre 1975... Avec ses superbes maisons dissimulées dans les bois et la verdure, ses landes de bruyères battues par les vents, ce quartier situé au nord de la ville, perché sur une colline au-dessus de Camden Town, ravira l'anglophile et le plongera directement dans une atmosphère digne des *Hauts de Hurlevent.* La station de métro s'enfonce jusqu'à soixante-trois mètres sous la surface de la rue. Pendant le Blitz de 1940, un orchestre de chambre distrayait les gens venus chercher refuge dans cet abri de premier choix. Agatha Christie vivait à deux pas de Flask Walk, rue étroite où se trouve la librairie du bouquiniste Keith Hawkes et un vieux pub, The Flask's Tavern. Agatha n'oubliait jamais son manteau de fourrure ni sa bouillotte pour se rendre à l'abri ; elle participait à l'effort de guerre en travaillant comme aide-laborantine dans un hôpital aujourd'hui démoli.

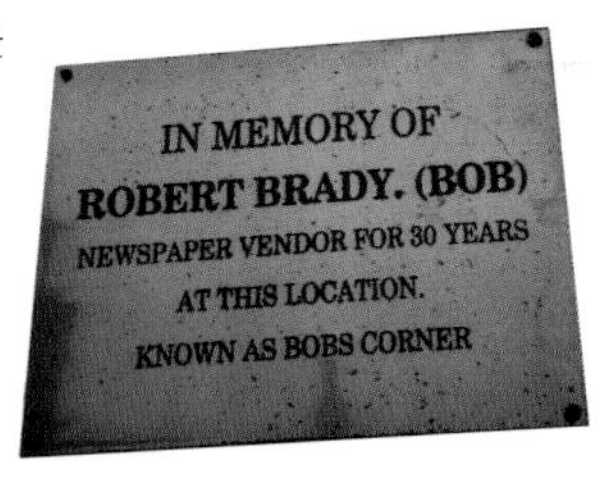

En mars 1941, les ménagères de Hampstead défilèrent dans la rue pour protester contre le marché noir et les profiteurs de guerre. Une plaque sur le mur de la station nous indique qu'ici, pendant plus de trente ans, Robert Brady vendit des journaux. D'où le nom de Bob's Corner donné à cet endroit.

Une source miraculeuse...

A Hampstead, au Moyen Age, un moinillon du couvent voisin de Holly Bush laissa échapper de ses pieuses mains une fiole, "flask" en anglais, qui en se brisant libéra deux larmes de la Vierge Marie. Jaillit alors du sol une source miraculeuse, très efficace pour soigner les maladies nerveuses. Au XVIIIe siècle, on venait de loin y prendre les eaux et se distraire dans les tripots où de grosses sommes d'argent changeaient de mains sous le regard avide des prostituées. Voyez le film de Stanley Kubrick *Barry Lyndon* et vous comprendrez aisément ce que fut Hampstead à cette époque...

Fantômes et compagnie...

Dans le prolongement de Flask Walk, voici Well Walk ; une fontaine de pierre laissant s'écouler un maigre filet d'eau nous rappelle ce qui reste de la source. En face, le pub The Well Tavern comptait parmi ses habitués William Thackeray et Charlotte Brontë. Un panneau à l'extérieur de l'établissement commémore ce passé glorieux. Ce pub serait hanté ; certains soirs d'hiver le visage d'une petite fille en pleurs apparaîtrait à une fenêtre.

Le peintre Constable vécut au numéro 40 avant de s'installer dans un cottage de Holly Bush. Au numéro 14 habitait Marie Stopes, fondatrice du planning familial. Cette chère Marie passait de nombreuses soirées à parcourir les collines dans le but de débusquer des couples d'amoureux auxquels elle proposait des moyens de contraception. Elle subira les foudres des puritains. Les bonnes âmes n'hésitaient pas à manifester sous ses fenêtres.

Parmi les habitants les plus célèbres de Well Walk, citons aussi les écrivains D. H. Lawrence, J. B. Priestley et E. M. Forster qui, dans son livre *La Route des Indes,* décrira Hampstead comme un « *faubourg artistique et cossu* ».

Un médecin mélomane...

A Burgh House, une maison bourgeoise construite en 1702, vivait le docteur Gibbons. Médecin des curistes et musicologue passionné, il aimait annoncer l'heure du couvre-feu en jouant du violon dans les rues. Une peau d'ours sur les épaules, il se faisait précéder d'un valet qui portait un candélabre. Sa demeure est devenue désormais le musée d'histoire locale. Dans le salon de thé, on vous sert, en sous-sol ou au jardin, de remarquables scones, accompagnés de confiture de fraise.

En remontant New End Square derrière un ancien hôpital se trouve un pub, fermé depuis plus de soixante ans. L'un des derniers propriétaires, un certain Jim la Pêche, s'illustra tristement en tuant une prostituée. A ce sujet, je vous renvoie au chapitre sur Soho où je vous parle de ce gangster français évadé du bagne de Cayenne…

Ruth Ellis tire sur son amant…

En 1955, un autre fait divers ensanglanta Hampstead. Ruth Ellis, une jeune femme de vingt-huit ans, vida le chargeur de son revolver sur son amant, le coureur automobile David Blakely, qui ne cessait de la tromper. Après avoir bu la moitié d'une bouteille de Pernod pour se donner du courage, elle le localisa au Magdala Tavern, dans South Hill Park, chargea un client de lui demander de sortir, puis elle l'abattit froidement. Pour la petite histoire, la première balle rata Blakely et finit sa course dans la main d'une passante. Cela se passait un lundi de Pâques. Ellis fut la dernière femme à être pendue en Grande-Bretagne, en juin 1955, dans l'enceinte de la prison de Holloway. Au mois de juin de l'année suivante, la loi abolissant la peine de mort était adoptée par le Parlement. Le cinéma consacrera deux films à Ruth Ellis dont le célèbre *Dance With a Stranger* en 1985 avec Miranda Richardson et Rupert Everett.

Robert Louis Stevenson…

L'observatoire de Hampstead

L'hiver, à Hampstead, le temps semble s'arrêter. De grosses lampes brillent aux fenêtres des maisons victoriennes. On pourrait se croire revenu au temps des becs de gaz et des fiacres. Au point culminant du quartier, à l'angle de Heath Street et de Hampstead Grove, se trouve le vieil observatoire créé par Thomas Cook en 1899. Il se visite toujours grâce à la Société Astronomique de Hampstead.

En juillet, la verdure et les fleurs envahissent les jardins. C'est le temps des fraises à la crème et des viandes grillées arrosées de Claret. En prêtant l'oreille, on peut même s'imaginer entendre Errol Garner jouer *Misty* au piano, comme il le faisait autrefois chez son ami l'imprésario Miles Barker. Je sais qu'au numéro 73, dans Elm Row, vivait Sir Henry Cole, cet ami du Prince Albert qui eut non seulement l'excellente idée de lancer la mode des cartes de Noël, mais fut également à l'origine du Victoria and Albert Museum. Je me souviens aussi qu'Enyd Blyton, la créatrice des *Club des Cinq*, partageait avec ses filles un minuscule cottage au bout d'Elm Row. Malheureusement, aucune plaque ne signale son existence. C'est à quelques pas de l'ancienne morgue de New End, devenue depuis le théâtre de Hampstead. Lorsque Robert Louis Stevenson habitait chez sa sœur sur la colline de Holly Bush, il aimait visiter ce lieu sinistre. Serait-ce là qu'il imagina l'intrigue de son roman londonien, *Docteur Jekyll et Mr Hyde* ?

Church Row et un cinéma d'autrefois...

Au bout de New End, une grande rue très passagère, Heath Street, nous conduira jusqu'à Church Row, en direction de la colline de Holly Bush. Avant d'atteindre le bas, nous croiserons un vieux cinéma, The Everyman, une salle inaugurée en 1922 par le dramaturge Noël Coward. C'est l'archétype du "cinoche" avec sa librairie et son café. Autrefois, j'y venais voir les films de Robert Altman ou les vieux classiques du cinéma français. Il présentait des séances de nuit le samedi soir et des films d'action le dimanche. C'était bien avant l'arrivée de la vidéo et du DVD, quand j'allais encore au cinéma.

Dans les élégantes maisons géorgiennes de Church Row vécut H. G. Wells, ainsi que Lord Alfred Douglas, Bosie, le grand amour d'Oscar Wilde. Sous la reine Victoria, l'amour et le plaisir étaient punis et Wilde, malgré son génie, fut victime de ce puritanisme. N'oubliez pas que dans les journaux, il y avait des publicités pour de curieux appareils qui servaient à attacher les mains des adolescents qu'auraient tentés les plaisirs solitaires...

Le Comte Dracula...

Church Row est une rue magnifique, bordée de hautes maisons géorgiennes ou de style régence, qui conduit au cimetière de l'église Saint-John, œuvre de Christopher Wren. Au fond du cimetière, entre les arbres, l'immense tombeau de Constable inspira à Bram Stoker la sépulture de Lucy, l'une des victimes du comte Dracula. Dans le roman, l'agent immobilier Jonathan Harker cède au comte une maison en ruine, Carfax House, dont les fenêtres s'ouvrent sur le Heath. Par une nuit venteuse de 1897, avant de délivrer la terre des vampires, le professeur Van Helsing vient retrouver ses amis le docteur Seward et Arthur Holmwood au pub The Jack Straw Castle au sommet du Heath. Puis, en leur compagnie, il ira enfoncer un pieu dans la dépouille de la belle Lucy pour la délivrer de l'emprise de Dracula

Bram Stoker adorait ce vieux cimetière perdu dans une végétation chaotique, livré aux renards et aux corbeaux, avec ses tombes et ses croix de granit. Lui-même, lorsqu'il ne dirigeait pas le Lyceum Theatre et la carrière de l'acteur Henry Irving, aimait flâner dans les ruelles du village. S'il trouva l'inspiration de *Dracula* au cimetière de Highgate, c'est à Hampstead qu'il situe la plupart des épisodes du roman.

Peter Pan et la jolie Kay Kendall, jeune actrice foudroyée...

Juste en face, on trouve l'autre partie du cimetière ; elle est consacrée depuis 1811. Kay Kendall, jeune actrice anglaise des années cinquante, morte d'une leucémie, y a sa dernière demeure. Epouse de Rex Harrison, elle connut la célébrité pour son rôle de douce jeune fille dans le film *Genevieve* en 1953. Non loin d'elle reposent l'acteur Anton Walbrook, star des années trente très connu pour avoir plusieurs fois interprété le mari de la reine Victoria, le politicien travailliste Hugh Gaitskell, le comédien et dramaturge George du Maurier et, bien sûr, deux des enfants Llewellyn Davies pour lesquels, en 1903, l'écrivain James Barrie inventa le personnage du mythique *Peter Pan*, le petit garçon qui ne voulait pas grandir. Sur la pierre tombale, on peut lire les prénoms de George et de Michael. Le premier fut tué pendant la guerre de 14-18, l'autre, à l'âge de vingt-trois ans, se noya avec un ami dans une retenue d'eau près d'Oxford. N'oublions pas que Sir Gerald du Maurier, le fils du dramaturge, joua au théâtre le tout premier capitaine Crochet.

La famille du Maurier possédait une grande demeure, 28 Hampstead Grove, où Daphné, jeune adolescente, commençait à écrire des nouvelles. En 1934, après avoir publié une biographie de son père Gerald, elle quittera Londres pour la maison familiale de Cornouailles. C'est là qu'elle écrira ses romans dont le plus beau, selon moi, reste *Rebecca.*Les guides officiels de Hampstead insisteront sur les beautés architecturales de l'église Saint-John ; je leur préfère les ombres qui parcourent son cimetière…

De Gaulle, le peintre Romney et un très vieux pub…

Sur la route qui longe le cimetière et monte à Holly Bush Hill se trouve l'église Saint-Mary avec son clocher d'inspiration espagnole. Fondée en 1816 par l'abbé Morel, ce lieu de culte garde le souvenir du général de Gaulle qui y entendait la messe chaque matin lorsqu'il habitait Frognal. De Gaulle vivra à Hampstead entre 1940 et 1942.

Pendant la Révolution, quelques nobles immigrés fréquentaient le quartier. Parmi les paroissiens, on pouvait alors compter Talleyrand, Chateaubriand et le comte d'Artois, criblé de dettes, qui, pour échapper à ses créanciers, ne pouvait sortir que la nuit.

Autour de Holly Bush se trouvent la maison du peintre Romney et Fenton House, une demeure qui abrite, parmi une collection extraordinaire d'instruments de musique, le clavecin de Haendel. En artiste éclairé du XVIIIe siècle, Romney adorait peindre les jolies femmes. Son portrait de Lady Hamilton, maîtresse de Nelson, en est le plus bel exemple. Comme Gainsborough ou Reynolds, Romney aimait les yeux verts, les sourires et la beauté féminine. Les boiseries des salles du pub The Holly Bush, il y a peu de temps encore, étaient éclairées au gaz. Il faut noter qu'ici, certains soirs pluvieux, des clients affirment avoir été servis par le spectre d'une serveuse habillée à la mode du XIXe siècle. La curieuse apparition passe en souriant au travers d'un mur avant de se perdre dans la ruelle attenante au pub.

Et Mary Poppins descendit du ciel…

En continuant vers le Heath, on s'enfonce dans Admiral's Walk pour découvrir Admiral's House, une maison en forme de bateau conçue par l'architecte Gilbert Scott pour un officier de marine, nostalgique de son navire. Walt Disney s'en inspirera pour tourner des scènes de *Mary Poppins*. Souvenez-vous du vieux capitaine Boom qui fait tirer le canon, tous les jours à midi. Dans un petit coin, le cottage de John Galsworthy, prix Nobel de littérature en 1932, évoque le souvenir de *La Saga des Forsyte* qui inspira plusieurs feuilletons télévisés.

L'air pur de Hampstead...

Selon la légende, le vent de Hampstead ne se contente pas d'entraîner Mary Poppins dans les airs, il repousse également les nuages de la Grande Peste de 1665. Comme le décrit Daniel Defoe dans *Le Journal de l'année de la Peste,* la psychose de l'épidémie s'était emparée de Londres. On fuyait vers Chelsea, Hackney ou Hampstead. Les hommes d'affaires et les juges désertaient la City. A cette époque, le tribunal de Londres siégea dans Judge's Walk. Sur le Heath, vaste étendue boisée parsemée de clairières et d'étangs, rôde le souvenir du bandit Dick Turpin, originaire de l'Essex. Chevauchant sa fidèle Black Bess, il attaquait les diligences à la tête de sa bande de malfaiteurs. Son repaire se trouvait au pub The Spaniards situé sur la route de Highgate. Les dimanches d'hiver, son grand feu de cheminée risque de vous attirer dans la spirale sans fin du passé. Ici, la chaleur et la bière vous abriteront de la pluie et de la civilisation. Alors, vous saluerez Dickens, qu'inspira sans doute l'atmosphère de ce pub lorsqu'il écrivit *Les Aventures de M. Pickwick.* On imagine bien le héros et ses compagnons, une bière à la main, disputant une partie de whist...

Ecrivains et peintres célèbres...

Constable peindra le ciel voilé de Hampstead qui semble plonger sur les flèches des églises lointaines depuis les hauteurs du Heath. Les nuages et les couleurs délavées du ciel anglais le fascinaient. Il aimait deviner les fumées de la City sous la brume, respirer la campagne mouillée après l'averse. De cet endroit béni des artistes, Turner venait également contempler Londres.

Sur le Heath, un gibet effrayait les passants ; pendant plus de cinq ans, le squelette de Francis Jackson, un sinistre meurtrier, s'y balança au vent.

D. H. Lawrence se baignait nu dans un étang du Heath, Oscar Wilde venait chercher l'aventure autour de Parliament Hill, tandis que ce curieux scientifique amateur de William Arbuger essayait de conserver des gigots d'agneau dans l'eau fétide de ce qui deviendra "The Leg of Mutton Pond". Il pensait que les eaux de cette mare étaient d'une grande pureté. Pour le prouver, il y laissa un gigot pendant trois jours, puis le fit rôtir et le mangea. Si l'on en croit l'histoire, Arbuger ne fut même pas malade.

En automne, les cerfs-volants s'élèvent dans le ciel au-dessus de la colline de Parliament Hill. En été, on peut y savourer les joies de la baignade, mais attention ! Il existe un étang réservé aux dames et un autre, aux messieurs ! D. H. Lawrence s'en souviendra lorsqu'il écrira *Femmes amoureuses.* Lawrence habitait un cottage au lieu-dit "The Vale of Health".

En pleine Bataille d'Angleterre, un pilote en difficulté posa son Spitfire sur une grande étendue herbeuse et quelle ne fut pas sa surprise lorsqu'un policier lui apprit qu'il avait non pas atterri dans le Kent mais à Hampstead Heath, à quelques miles seulement de Piccadilly !

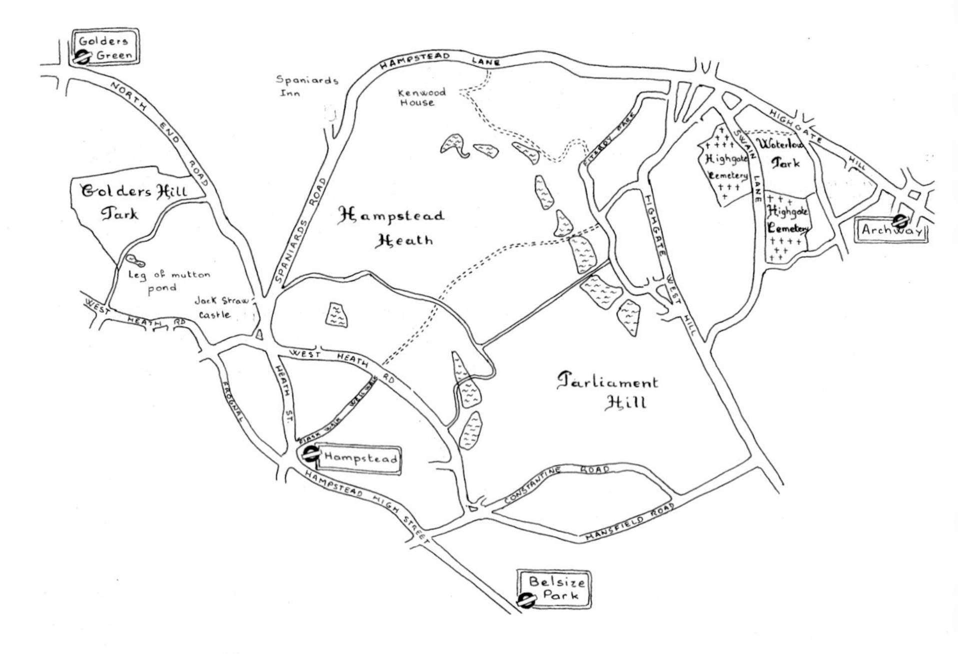

La révolte des paysans…

En bordure du Heath, Charles Dickens rédigea, entre deux verres, plusieurs chapitres de *La Petite Dorritt* au Jack Straw Castle, ancien pub à la façade en bois blanc. En 1381, après une troisième levée d'impôts jugée inique, les paysans en colère conduits par leur chef Walt Tyler, alias Jack Straw, s'y rassemblèrent pour attaquer la ville. "Jack Straw" devint ainsi un nom générique pour désigner un paysan.

Pour l'anecdote, ce fut derrière le Jack Straw Castle, au numéro 8 d'une petite rue nommée Wildwood Road, qu'avant de suivre ses parents en Amérique naquit et vécut jusqu'à l'âge de sept ans l'actrice Elizabeth Taylor.

Cette balade historique, littéraire et spectrale doit de se terminer à Kenwood House, splendide maison de campagne que l'architecte Robert Adam rénova en 1758 pour Lord Mansfield, ministre de la Justice du roi. En 1765, Mansfield faillit être victime de la révolte des Londoniens qui n'admettaient pas que le Parlement ait voté certaines lois trop favorables aux catholiques. Excité par Lord Gordon, le peuple en colère voulut incendier sa maison. Heureusement, le patron du pub The Spaniards réussit à enivrer les révoltés facilitant ainsi leur arrestation.

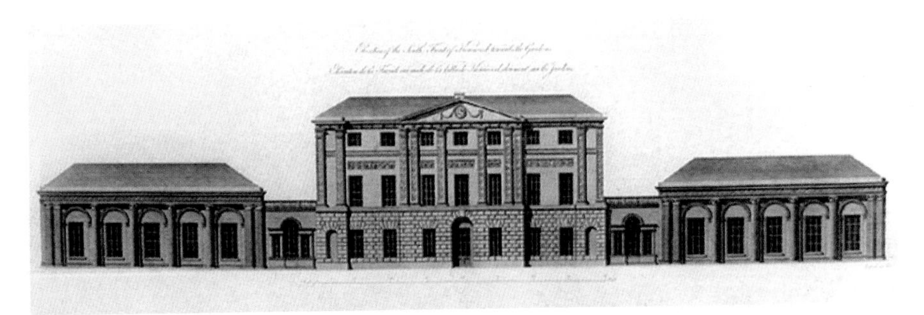

On trouve à Kenwood House de très beaux jardins et une collection de peintures grandioses consacrée aux peintres anglais déjà évoqués ainsi qu'à quelques maîtres flamands. La bibliothèque de Lord Mansfield est extraordinaire. L'entrée de ce petit paradis est gratuite. Dans les jardins furent tournées quelques scènes de *Coup de foudre à Notting Hill.*

Enfin, c'est dans une demeure entourée d'un grand jardin, au lieu-dit "Keats Grove" que le poète John Keats composa son poème *Ode to a Nightingale*. Le premier visiteur de cette maison, devenue un musée en 1922, sera Thomas Hardy qui écrira par la suite le poème *At a House in Hampstead.*

Fuyant l'Autriche occupée par les nazis, Sigmund Freud s'installera dans une maison de Maresfield Gardens. Ses descendants y ont conservé le fameux divan sur lequel s'allongeaient ses patients viennois. Freud résidera à Hampstead jusqu'à sa mort en septembre 1939. C'est sa fille Anna qui, dans son testament rédigé en 1982, prendra la décision de faire de la coquette maison de son père un musée.

Croyez-moi, il faut voir Hampstead, s'y promener et repartir avec des feuilles mortes sous la semelle de ses chaussures

Hampstead est vraiment un quartier jonché de beaux souvenirs. Un bon conseil, visitez-le aussi la nuit. Alors que sur la colline de Holly Bush s'allument les réverbères, la valse aux belles histoires peut commencer. Il fait bon également arpenter les rues de Hampstead au printemps, sous les caresses d'une pluie fine, lorsque, à travers les premières feuilles des arbres, se révèlent au regard les vieilles maisons.

Comment s'y rendre...

Métro Hampstead sur la Northern Line.

A lire...

- **L'Obsédé. (The Collector)** *John Fowles. 1963*
- **Mary Poppins.** *P.L. Travers. 1934*
- **Peter Pan.** *James Barrie. 1904*
- **Femmes Amoureuses. (Women in Love)** *D.H. Lawrence. 1920*
- **La Route des Indes. (A Passage to India)** *E.M. Forster. 1924*

A voir...

- **L'Obsédé. (The Collector)** *1966 William Wyler avec Terence Stamp et Samantha Egar*
- **Bunny Lake a disparu. (Bunny Lake is Missing)** *1964 Otto Preminger avec Laurence Olivier et Carol Linley.*
- **Coup de foudre à Notting Hill. (Notting Hill)** *1998 Roger Michell avec Hugh Grant et Julia Roberts.*
- **Genevieve.***1953 Henry Cornelius avec Kay Kendall et Kenneth Moore.*
- **Dance with a Stranger.** *1982. Mike Newell avec Miranda Richardson et Rupert Everett.*
- **Peine capitale. (Yield to the Night)** *1956 Jack Lee Thompson avec Diana Dors. Comme le titre précédent, il s'agit d'un film sur l'affaire Ruth Ellis, film de très grande qualité, presque un documentaire.*

Pour les curieux :

- **Hampstead Observatory** *Lower Terrace, Near Whitestone Pond*
- **A la découverte des chauves-souris et autres vampires**
  Il s'agit d'une marche nocturne qui, par une belle soirée d'été, peut-être fascinante ! Les amateurs suivront un guide, armé d'un détecteur de chauves-souris, qui leur fera découvrir ces curieux habitants, au fil des rues et des bois du quartier... Ainsi, vous pourrez rendre un vibrant hommage au comte Dracula !
- **Freud Museum** *20 Maresfield Garden NW3*
  Métro: Finchley Road

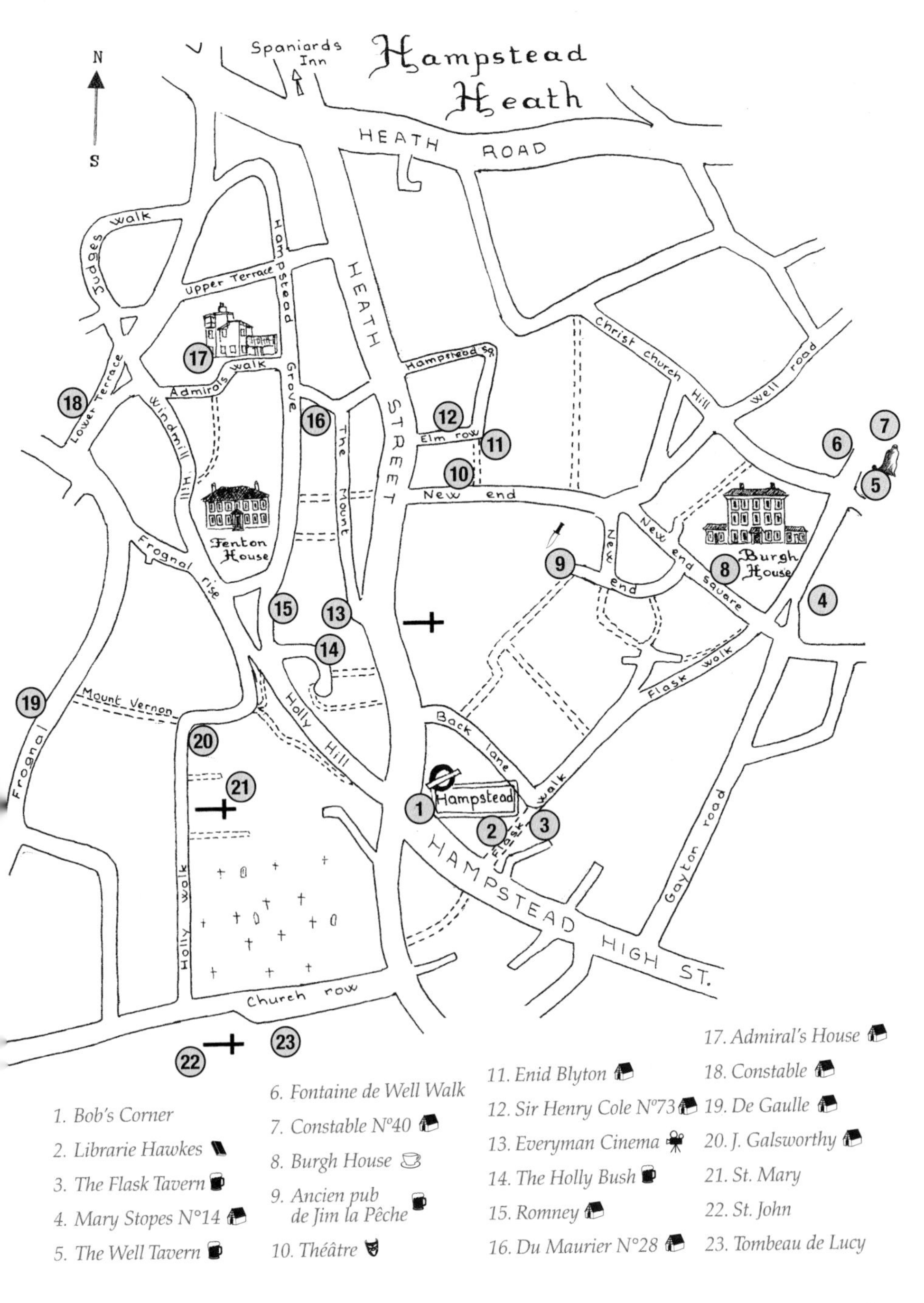
N
S
Spaniards Inn
Hampstead Heath
HEATH ROAD
Judges walk
Upper Terrace
Hampstead Grove
HEATH STREET
Christ church Hill
Well road
Hampstead sq.
Lower Terrace
Admirals walk
Windmill Hill
Elm row
The Mount
New end
Fenton House
New end
New end Square
Burgh House
Frognal rise
Flask walk
Mount Vernon
Holly Hill
Back lane
Frognal
Hampstead
Flask walk
Gayton road
Holly walk
HAMPSTEAD HIGH ST.
Church row
1. Bob's Corner
2. Librarie Hawkes
3. The Flask Tavern
4. Mary Stopes N°14
5. The Well Tavern
6. Fontaine de Well Walk
7. Constable N°40
8. Burgh House
9. Ancien pub de Jim la Pêche
10. Théâtre
11. Enid Blyton
12. Sir Henry Cole N°73
13. Everyman Cinema
14. The Holly Bush
15. Romney
16. Du Maurier N°28
17. Admiral's House
18. Constable
19. De Gaulle
20. J. Galsworthy
21. St. Mary
22. St. John
23. Tombeau de Lucy

Highgate

Highgate : frissons garantis ...

« *Out in the country, far from all the soot and noise of the City*
There's a village green... »

Ray Davies-The Kinks-The Village green preservation society-1968

Il y aura tout juste trente ans, un samedi après-midi d'avril, j'avais acheté un livre de poche dans lequel l'auteur, Sean Manchester, racontait ses démêlés avec les êtres de la nuit et les morts-vivants. Il était convaincu qu'un vampire attaquait, à la fermeture du cimetière, les passants attardés. Son livre était passionnant. Il s'agissait d'un vrai roman d'horreur dans un style qui n'aurait rien à envier à Stephen King. Adolescent, je savais qu'existait au nord de Londres un cimetière mystérieux. A Paris, on l'évoquait entre deux séances de cinéma au Midi-Minuit, une salle du boulevard Poissonnière spécialisée dans les films d'épouvante. Le cinéaste français Jean Rollin y avait tourné quelques scènes de ses longs métrages, dont le fameux *Baiser du Vampire*. Ce livre, *The Highgate Vampire*, eut le mérite de me révéler son nom !

Comme j'adorais ce genre de littérature, je m'étais mis en tête de visiter ce coin perdu de la campagne londonienne. Je savais le lieu à l'abandon et facile à pénétrer. C'était bien avant que le cimetière ne soit racheté par l'association "The Friends of Highgate" et qu'un cerbère en jupon ne vous oblige à faire la visite accompagné par un guide qui se contentera de vous raconter la version officielle de l'histoire de ce jardin des morts que John Betjeman appelait "Le Walhalla victorien". Se rendre à Highgate aujourd'hui est une expérience, même si les guides du cimetière sont plus forts en botanique qu'en bonnes anecdotes !

Dick Turpin et son cheval fantôme...

Depuis les collines de Hampstead, on aperçoit au loin le vieux village de Highgate, marqué par la flèche de l'église où repose le poète Samuel Taylor Coleridge, auteur du *Dit de l'ancien marinier*. Du bois de Kenwood, un chemin balisé qui passe en contrebas de Kenwood House vous y conduira. A l'automne, méfiez-vous des flaques d'eau et de la boue. L'autre manière, moins aventureuse, d'arriver à Highgate consiste simplement à suivre Highgate Road, qui passe devant le Spaniards Inn, ce vieux pub flanqué d'un poste d'octroi qui jadis contrôlait l'entrée des personnes et des marchandises dans Londres. Cet établissement fut ouvert, en 1588, par un marin espagnol, rescapé du naufrage de l'Invincible Armada. Quand Espagnols

et Portugais voulurent envahir l'Angleterre d'Elizabeth I, l'amiral Francis Drake, favorisé par une violente tempête, repoussa les envahisseurs et leurs vaisseaux sur les brisants. Arrêtez-vous ici et découvrez les boiseries et le long bar en acajou de cet ancien relais de diligence. Peut-être y entendrez-vous l'histoire du bandit Dick Turpin et de son cheval fantôme Black Bess qui, les soirs d'hiver, galope toujours dans la campagne environnante.

Le grand chasseur de spectres qu'est Peter Underwood, ancien président du Ghost Club of Great Britain, a longuement écrit sur ce genre de phénomène. Il sait la petite fenêtre au ras du sol par où passe l'ombre de Turpin qui tente de semer ses poursuivants. Le bandit aimait se cacher dans les caves qui communiquaient avec un souterrain débouchant dans la forêt. Je vous souhaite de fréquenter cet endroit en hiver lorsque crépite un bon feu de cheminée, attisé par le vent du Heath.

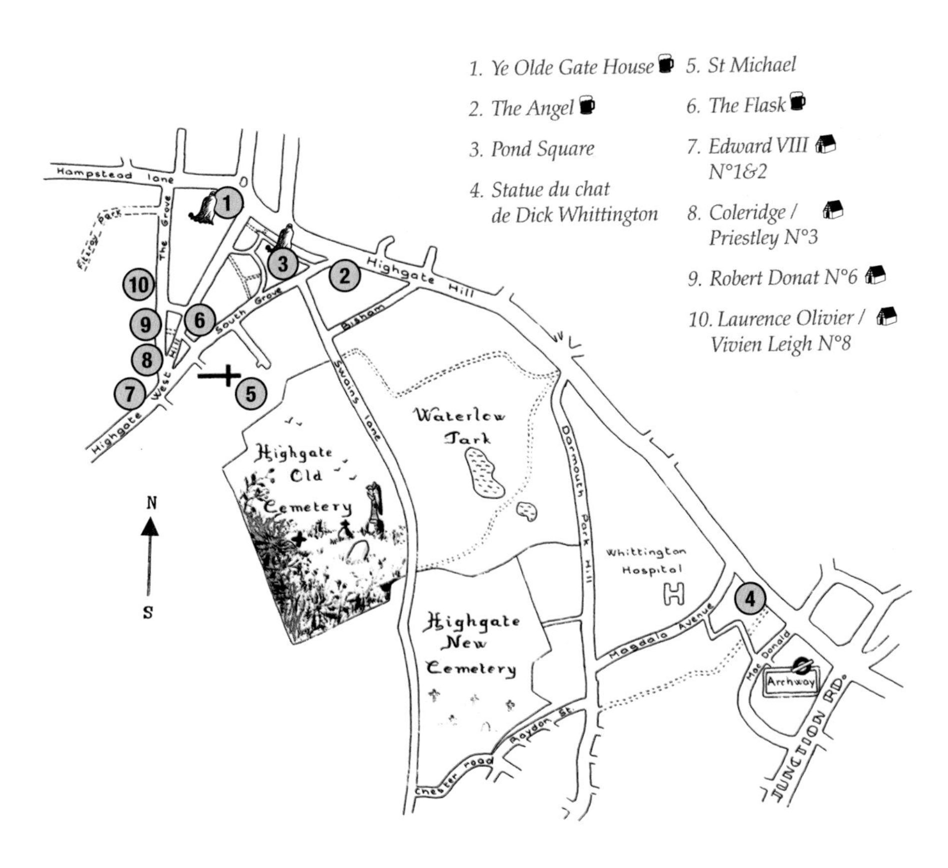

Après quelques bonnes bières, il vous suffira de poursuivre la route pour arriver au village, en passant devant Highgate Public School, vénérable établissement qui eut pour élève Harold Pinter, scénariste et dramaturge, prix Nobel de littérature en 2005.

Le poète John Betjeman fréquentera lui aussi le collège de Highgate. A l'âge de dix ans, il offrit un recueil de poésies à T. S. Eliot. On pouvait le voir, à la sortie des classes, carnet et crayon à la main, parcourir le Heath, guettant le ciel nuageux à la recherche d'inspiration. Betjeman saura, comme personne au XXe siècle, chanter Londres, ses quartiers et sa banlieue. C'est chez un marchand de jouets du village que sa mère achètera Archibald, ce nounours qui ne le quittera jamais.

Un fantôme bruyant...

Nous suivons la lisière des bois qui constituaient jadis la grande forêt du Middlesex, vaste domaine, donné par Guillaume de Normandie à son frère, l'évêque Odo de Caen, d'où le nom de "Caen Wood" déformé au fil du temps en "Kenwood".

Un vieil ami m'a raconté qu'un ermite vivait jadis dans ces bois. Son puits dispensait une eau miraculeuse, censée guérir les maladies de peau.

A l'entrée du village de Highgate, un pub, Ye Olde Gate House, marque le vieux poste de garde où les généraux de Cromwell préparèrent l'attaque de Londres. On dit que le pub est hanté par le spectre d'une vieille femme, Mother Marnes, qui fut tuée ici avec son chat par des voleurs. Elle apparaît derrière le bar, le visage recouvert d'un voile noir. Ce fantôme provoque des chutes d'assiettes et brise les verres ; les portes claquent sans aucune explication.

Tout se calme lorsqu'un enfant ou un animal entre dans le pub. Je me souviens d'un soir de janvier, lorsqu'un fort courant d'air s'engouffra dans la salle du pub et fit trembler le feu de cheminée. Ma voisine se contenta de me faire remarquer qu'il ne fallait pas s'inquiéter, car « notre fantôme adore s'amuser » . Après tout, qu'attendre d'autre dans un endroit où s'assirent, autour d'un verre, aussi bien Lord Byron que Charles Dickens ?

Francis Bacon, une nuit d'hiver...

Autrefois sur Pond Square, il y avait une mare. Une nuit de l'hiver 1626, le philosophe et scientifique Francis Bacon passa par ces lieux en compagnie d'un ami médecin avec qui il fit le pari que des glaçons pourraient conserver, plusieurs jours, un poulet mort. A minuit, les deux compères s'en allèrent quérir un poulet chez un paysan qui le tua et le vida. Bacon s'empressa ensuite de se diriger vers la mare gelée ; il cassa de la glace, en bourra le volatile et attendit que le froid fasse son travail. On ne sait qui gagna le pari mais, au bout de trois bonnes heures, Francis Bacon attrapa un coup de froid. Le paysan lui proposa de dormir dans son lit et l'humidité des draps finit de l'achever. Sir Francis Bacon décéda deux jours plus tard.

Depuis, certaines nuits glaciales, au cœur d'une violente averse, on peut voir un poulet, sans tête, courir autour de la mare aujourd'hui disparue...

John Dee, l'astrologue de la reine Elizabeth I, avant d'habiter Mortlake, vécut dans un cottage, à l'orée du village. Mathématicien, astronome, féru d'ésotérisme, il possédait un miroir avec lequel il invoquait les esprits. On peut voir cet objet au British Museum. L'écrivain Peter Ackroyd, grand spécialiste de Londres, consacrera un magnifique roman au Docteur John Dee. Dans *Les Cercles de l'épouvante,* le Belge Jean Ray écrira une nouvelle faisant référence à ce fameux miroir magique, intitulée *Le Miroir noir*. Je vous en conseille vivement sa lecture.

La Cérémonie des Cornes...

Une cérémonie curieuse se déroula jusqu'au début du XIXe siècle au pub The Flask. Il s'agissait de la cérémonie du "serment sur les cornes". Pour obtenir l'autorisation de franchir les portes des pubs de Highgate, un voyageur, pris au hasard à la descente de la diligence, devait jurer sur une paire de cornes de cerf que, pendant son séjour, il s'engageait à :

- offrir une bière aux patrons de tous les pubs du village,
- ne manger que du pain noir au lieu du pain blanc, du veau et non du poulet,
- ne boire que de la bière à forte teneur d'alcool,
- ne pas embrasser les servantes, mais leurs maîtresses...

Après l'énoncé de ces bonnes résolutions, il prêtait serment et, coiffé des cornes, s'en allait de pub en pub, accompagné d'une bande de joyeux drilles. On venait de tout Londres pour participer à ce chahut car la coutume devint vite une fête avec repas, libations et joutes diverses. Aujourd'hui, ce type de réjouissance a disparu. Mais le Flask a conservé ses airs campagnards.

Samuel Taylor Coleridge...

De l'autre côté de la rue, se trouve un espace vert, The Grove, bordé de grosses maisons bourgeoises, entourées de jardins. Au numéro 3 vécut, chez ses amis Ann et James Gillman, le poète romantique Samuel Taylor Coleridge. Fatigué de ses séjours dans la région des lacs auprès de son ami Wordsworth, rongé par la tuberculose, il essayait de trouver ici la paix entre deux quintes de toux. Les soirs d'été, il se rendait au sommet de la colline de Highgate pour, selon ses mots, « *contempler l'océan londonien, chargé d'églises, dont les flèches ressemblaient aux mâts des bateaux* » . A sa mort, en 1834, dans une grande déchéance physique, il sera enterré à l'intérieur de l'église de Highgate.

Beaucoup plus tard, en 1947, un autre écrivain, J. B. Priestley, vivra également au numéro 3, après le succès de sa pièce *Les Bons Compagnons*. Au numéro 6, habita longtemps l'acteur Robert Donat, l'inoubliable interprète d'*Au revoir Monsieur Chips*

et des *Trente-neuf Marches*, le film d'Alfred Hitchcock. Non loin, le numéro 8 abrita les amours tumultueuses de Laurence Olivier et de sa femme, Vivian Leigh, la Scarlett O'Hara d'*Autant en emporte le vent.*

Une autre demeure similaire appartient à la reine. C'était ici, au numéro 1&2, que son oncle, Edouard VIII, recevait Mrs Simpson, sa future épouse pour qui il allait abdiquer et prendre le titre de Duc de Windsor.

Un cimetière fort troublant...

Face au Grove, Swains Lane, une rue en pente abrupte descend jusqu'à Camden Town. On la repère grâce à un pylône qui sert au radioguidage des taxis londoniens. Les milliers de cochons, "swines", qui la descendaient, après avoir été vendus au marché de Highgate, lui ont donné son nom. C'était la rue qu'empruntaient à pied, à cheval ou en Bentley, les cortèges funèbres. Les deux cimetières qui se font face sont vastes, étranges et sauvages. Il n'est pas rare d'y rencontrer des renards ou des chiens égarés. Bien souvent, les visiteurs se trouvent face à un renard qui se contentera de les observer, avant de disparaître entre les sépultures et la végétation. Une façade néo-gothique, sortie droit d'un film d'horreur, nous ouvre les portes de la partie Ouest du cimetière. On s'attendrait à ce que le garde ressemblât à Christopher Lee ! Vers 1970, cette partie était ouverte à tous les vents. Des originaux, en sortant des pubs, adoraient jouer à s'y faire peur, tirant au lance-pierres sur les statues, ouvrant une tombe au hasard pour s'amuser, voire exorciser un vampire. Quelques nécrophiles finirent sur les bancs du tribunal après la découverte macabre dans le coffre de leur voiture d'un corps mutilé, un pieu enfoncé dans la poitrine.

Depuis le rachat de la nécropole par la société des Friends of Highgate en 1975, tout serait redevenu normal, les serrures ferment et les indésirables n'ont plus droit de cité. Le cimetière est devenu un vaste jardin secret, parsemé de catacombes et orné de tombes extraordinaires, un endroit où désormais les profanateurs de sépultures sont bannis. Néanmoins, des témoins n'ont pas oublié, un soir de 1969, le regard de ces trois jeunes filles terrorisées qui assurèrent à qui voulait l'entendre qu'elles avaient croisé un vampire et vu s'ouvrir des tombes. Enfin, reste le mystère de cette sépulture, cachée dans les catacombes, qui demeure entièrement murée. Et que dire de ces cadavres d'animaux, vidés de leur sang que l'on découvre parfois au petit matin ?

C'est en tout cas dans ce cimetière que l'écrivain irlandais Bram Stoker trouva une partie de son inspiration pour écrire son *Dracula* en 1895. Il se promenait un soir d'hiver à Highgate, lorsqu'il aperçut un homme en cape penché sur une tombe... Habitant Chelsea, Bram Stoker se rendait dans ces lointaines banlieues pour rendre visite à Ellen Terry, l'inoubliable interprète de *Peter Pan* qui vivait à Hampstead Heath.

Une nécropole à la mode victorienne…

Autrefois, tradition oblige, on enterrait les morts autour des églises et ce n'est que depuis l'époque victorienne, pour des raisons de surpopulation, que Londres connaît la vogue des grands cimetières.

Highgate est sorti de l'imagination de l'architecte Stephen Geary, fondateur de la Société des Cimetières Londoniens et instigateur des"sept magnifiques nécropoles londoniennes" : Old Brompton, Kensal Green, Norwood, Tower Hamlets, Nunhead, Abney Park et, bien sûr, Highgate. Conçue comme un jardin d'agrément avec une vue magnifique sur la ville, la nécropole a ouvert ses portes en 1839 et la terre fut consacrée par l'évêque de Londres. Les futurs utilisateurs pouvaient choisir l'emplacement de leur tombe, ainsi que le panorama qu'ils souhaitaient avoir !

A cette époque, la tombe devait refléter le statut social, ce qui explique la taille imposante de certains monuments comme celui de Joseph Beer, un grand patron de presse. Cet endroit deviendra rapidement un lieu de promenade dominicale. Très vite, on comptera trente mille sépultures de style baroque ou gothique, contenant en moyenne trois corps chacune. Dans un souci de respect des croyances religieuses ou philosophiques, deux chapelles seront construites : la première réservée aux anglicans, la seconde aux autres religions.

Lorsque la partie Est sera mise en service en 1854, un ingénieux système hydraulique d'ascenseurs et de tunnels permettra de faire passer les cercueils de la chapelle au nouveau cimetière, en passant sous la route. Ce qui frappe en visitant la vieille ville des morts, c'est qu'elle se trouve sur une colline verdoyante. La végétation semble tout englober dans un désordre de buissons, de grands cèdres et de sycomores géants dont les racines déstabilisent parfois les tombes.

Le symbolisme mortuaire est fascinant. Pour représenter la mort, les Victoriens utilisaient des torches renversées, des mains, des urnes voilées, des colonnes coupées. On est ému par les agneaux en pierre qui décorent les tombes d'enfants. En ce temps-là, les maladies comme la variole ou la tuberculose faisaient des ravages. Les femmes mouraient souvent brûlées, à cause des robes longues ou des crinolines qui s'enflammaient au contact d'une bougie. A cette époque, les familles plaçaient des clochettes à l'intérieur du cercueil, au cas où le défunt aurait été toujours en vie. Nul doute que pendant la cérémonie funèbre, les proches du mort devaient tendre l'oreille. Edgar Allan Poe était un auteur en vogue et sa nouvelle *L'Enterré vivant* avait terrorisé la bonne société !

Des défunts très excentriques…

L'histoire des morts de Highgate est sans fin. Les anges de pierre et les colonnes brisées surgissent des fourrés. Ici, un lion dort sur une sépulture en souvenir de George Wombwell, célèbre dompteur. Là, un chien repose au pied de Thomas Sayers, champion de boxe à poings nus. Deux trompettes entrecroisées marquent la tombe de James William Selby, un conducteur de diligence qui battit, en 1845, le record de vitesse aller-retour, en sept heures et quinze minutes, entre Londres et Brighton. On dut le dégeler avec de l'eau bouillante.

Dans un coin se trouvent les tombes de Michael Faraday, l'inventeur de l'électricité, Thomas Ashford, simple pompier mort dans un incendie ou encore la sage-femme française de la reine Victoria. En fait, Highgate n'appartient qu'à ses chers disparus et ils sont nombreux : Beatrix Potter, son éditeur Frederick Warne, Julius Beer, propriétaire de *The Observer*, la famille Dickens, ce général Loftus qui avait exigé dans son testament que sa famille vienne déjeuner chaque dimanche à l'intérieur de son tombeau, William Foyle, co-fondateur de la librairie Foyles. Une tombe en forme de fusée spatiale inspira à H.G. Wells sa machine à remonter le temps.

Enfin, parmi les nombreuses allées, il en existe une réservée aux meurtriers, suicidés, et autres excommuniés. Ceux-ci étaient toujours mis en terre au crépuscule, au moment où les grilles du cimetière étaient closes.

L'allée égyptienne et ses catacombes...

Au milieu d'une clairière, nous tombons sur l'impressionnante allée égyptienne, au portail digne de figurer dans les aventures d'*Indiana Jones*. Le cinéaste Alain Resnais la photographia en 1947 pour préparer le tournage des aventures d'*Harry Dickson*, projet qui ne vit malheureusement jamais le jour. Elle est bordée de catacombes. Le cercle du Liban, surmonté d'un cèdre, abrite encore des sépultures. L'une d'elles, toujours fleurie, recèle le corps de Radclyffe Hall, auteure dont les amours lesbiennes firent scandale dans les années vingt et qui s'attira les foudres de la justice avec son roman *Le Puits de solitude*. Honneur à l'éditeur Jonathan Cape qui osa braver la loi et ses interdits en publiant ce magnifique roman d'amour.

Dans la bande dessinée de Rivière, Carin et Borile, *Meurtre sur la Tamise*, le héros Victor Sackville poursuit un espion qui essaie de fuir vers les catacombes. Bonte et Croquet se serviront aussi de l'allée égyptienne dans *Le Vampire du West End*, l'une de leurs extrapolations graphiques des aventures de Sherlock Holmes. Aujourd'hui, le vieux cimetière ressemble de plus en plus à un décor de film ou de bande dessinée. C'est vrai, à Highgate, flotte un petit air malicieux d'Hollywood sur Tamise !

Dante Rossetti, une nuit d'orage...

Dante Gabriel Rossetti, poète et peintre, membre du groupe des préraphaélites fut le héros d'un fait divers qui défraya la chronique en 1869 et qui se déroula par une nuit d'orage au cimetière. Sa femme, Elizabeth Siddal, la *Beata Beatrix*, était le modèle favori de Swinburne. Elle meurt en 1862 d'une overdose de laudanum. Fou de douleur, Rossetti la fait enterrer à

Highgate. Avant que le cercueil ne soit scellé, Dante y dépose son dernier livre de poésie. Quelques années plus tard, son agent littéraire, Charles Augustus Howell, réussit à le convaincre de se rendre à Highgate, de nuit, pour exhumer le cercueil et l'ouvrir afin de récupérer son livre. L'expédition eut lieu le 5 octobre 1869, sous un vent violent. On avait allumé un feu. A la lueur des flambeaux et des torches, Rossetti embrassa Elizabeth dont le corps avait été remarquablement conservé. La légende veut que les cheveux d'or de celle qui servit de modèle à *La Dame du lac* aient poussé. Le livre sortit sous le titre *Poèmes d'outre-tombe*... Une rumeur persistante attribue à Bram Stoker l'initiative de cette curieuse cérémonie accomplie par Rossetti ! Ils auraient été tous les deux membres d'une société secrète, la Golden Dawn.

Bien sûr, des films d'horreur seront tournés à Highgate, dont quelques scènes de *L'Abominable Docteur Phibes* avec Vincent Price ou encore *Une messe pour Dracula* de Peter Sasdy.

Le nouveau cimetière...

Dans la partie Est, le nouveau cimetière, sont enterrés l'écrivain George Eliot, auteure du *Moulin sur la Floss,* et celui qui, pour les Anglais, reste le véritable inventeur du cinématographe, William Friese-Green, mort en 1921. Il y a aussi la tombe de l'acteur shakespearien Sir Ralph Richardson. Karl Marx y repose avec toute sa famille, son gendre Henri Longuet et sa bonne. Les cendres de Marx furent découvertes sur une étagère de la bibliothèque municipale de Camden Town avant d'être transférées au cimetière.

On y retrouve Lukas Heller, scénariste des *Douze Salopards* et de *Qu'est-il arrivé à Baby Jane ?* de Robert Aldrich ou Carl Mayer, l'auteur du scénario du *Cabinet du Docteur Caligari* que tourna Murnau à Berlin en 1915. Y repose également le comédien Michael Redgrave. Enfin, les fans de Sherlock Holmes ne manqueront pas de s'arrêter quelques instants devant la tombe d'un certain Adam Worth, criminel qui inspira à Conan Doyle le personnage du sinistre Professeur Moriarty.

Certains soirs de décembre, si le passant attardé entend le son des cloches de la vieille chapelle du cimetière, il est alors temps de partir...

D'étranges phénomènes...

Les amateurs d'occultisme et de phénomènes étranges croient fermement que divers revenants hantent les nuits de Highgate. Ne passez pas trop près des grilles du cimetière Ouest, une main décharnée pourrait vous pincer ; ne quittez pas les allées car, derrière les tombes, rôde le spectre d'une femme en pleurs à la recherche de ses enfants noyés, sans compter que vous risqueriez d'apercevoir un vampire, dont la cape trouée brille étrangement

au clair de lune. A moins d'être féru de nécromancie, fuyez ces lieux perdus, les soirs de brouillard, oubliez les tombes qui pourraient s'ouvrir… Au moindre froissement de feuilles mortes, quittez Highgate en traversant Waterlow Park, où Godard filma Anne Wiazemsky dans *One Plus One*, pour ressortir dans Highgate Hill, en direction de la station de métro Archway. Sur votre chemin, vous passerez devant la statue du chat de Dick Whittington, trois fois Lord Maire de Londres. Ce personnage devenu légendaire est le héros de nombreuses pièces de théâtre destinées aux enfants. Maire à partir de 1342, il fit face à de nombreuses épidémies, à une crise économique et à plusieurs révoltes. Whittington était réputé pour ses œuvres de charité. Il fit construire l'un des premiers grands hôpitaux londoniens, ainsi que des asiles pour les indigents. D'ailleurs, en face de la statue, se trouve en hommage à ses bienfaits le Whittington Hospital ! Les matins d'hiver, il n'hésitait pas, toujours accompagné de son chat, à distribuer du pain aux mendiants.

C'est à cet endroit précis de la colline de Highgate qu'il entendit les cloches de la City le rappeler pour revenir gouverner la ville une dernière fois et que son chat se mit à le prier de reprendre son fauteuil de maire.

Comment s'y rendre ?

Hormis la route ou les bois, depuis Hampstead, le métro reste le meilleur moyen de gagner Highgate. Il vous suffira de descendre à la Station Archway, sur la Northern Line, puis de remonter jusqu'au village.

A lire...

- **Dracula.** *Bram Stoker. 1895*
- **The Highgate Vampire.** *Sean Manchester. 1975*
- **Le Moulin sur la Floss. (The Mill on the Floss)** *George Eliot. 1860*
- **Le Puits de solitude. (The Well of Loneliness)** *Radclyffe Hall. 1928*
- **L'Incendiaire de Highgate. (Highgate Rise)** *Anne Perry. 1991*
- **The English Highwayman, A Legend unmasked.** *Peter Haining. 1991*
- **Un lieu incertain.** *Fred Vargas. 2008*
- **Permanent Londoners.** *Judi Culberston et Tom Randall. 1991 Il s'agit du meilleur ouvrage sur les cimetières londoniens*
- **Les Cercles de l'épouvante.** *(Avec la nouvelle sur le docteur John Dee,* **Le Miroir Noir** *) Jean Ray. 1965*
- **Le Récital des anges (Falling Angels).** *Tracy Chevalier. 2001*
- **The Collected Poems.** *John Betjeman. 1993*

A voir...

- **L'Abominable Dr Phibes.** *(The Abominable Dr Phibes) 1971 Robert Fuest avec Vincent Price*
- **Une messe pour Dracula. (Taste the Blood of Dracula).** *1970 Peter Sasdy avec Christopher Lee et Peter Cushing*
- **La Boîte magique. (The Magic Box)** *1951 John Boulting avec Robert Donat. Une vie assez romancée de Friese-Green, l'inventeur anglais du cinéma.*
- **Dick Turpin.** *Série télévisée de 1979 avec Richard O'Sullivan*
- **Carry on Dick.** *1974 Gerald Thomas. Comédie à l'anglaise sur Turpin*

Fleet Street

Fleet Street : d'une rivière à un livre !

« Dans les imprimeries de Fleet Street une merveilleuse histoire se racontait plus chargée de mystère que la nuit. »

Pierre Mac Orlan

Sous Londres des cours d'eau vont se jeter dans la Tamise ; la rivière Lea qui finit sa course dans l'ancien bassin des docks de Limehouse, la Wandle dont les eaux longent les cuves du brasseur Youngs à Wandsworth, l'Effra qui file sous Brixton. Quant à la Fleet, elle prend naissance dans l'étang de Kenwood à Hampstead, passe sous Camden Town, le quartier de King's Cross, le vieux Clerkenwell, les terres de Farringdon et d'Holborn, pour finir sa course au pont de Blackfriars, sous les caves d'un pub au décor Art nouveau, The Blackfriars.

La Fleet a longtemps été un canal navigable à l'époque de Wren et de la reconstruction de Londres après le Grand Incendie de 1666. Jadis, les gosses s'y baignaient. En fin de journée, des odeurs nauséabondes pénétraient jusque dans les imprimeries du voisinage. Plus tard, les rivières londoniennes furent peu à peu recouvertes afin de lutter contre les épidémies de choléra. Aujourd'hui, la Fleet n'est plus qu'un égout.

C'est après avoir dévoré *La Marque Jaune* que je me suis mis à parcourir Fleet Street. Il me fallait voir les lieux où se déroulaient une bonne partie des aventures du Colonel Blake et du Professeur Mortimer.

J'espérais retrouver ainsi la dose de mystère qui manquait à ma vie quotidienne. Romans policiers ou fantastiques et bandes dessinées sont d'inépuisables sources de rêve. Sans mes lectures, je serais facilement passé à côté du vrai Londres. Les cars de touristes ont tendance à filer vers la cathédrale Saint-Paul et à négliger ces arrière-cours où les auteurs de romans noirs situent d'étranges crimes. Bien entendu, c'est par un sombre soir d'hiver qu'il faut aborder l'ancienne rue de la presse…

Une prison redoutée : la Fleet...

Sur les bords de cette rivière se tenait une redoutable prison. Du temps de Dickens, on y enfermait les débiteurs indélicats. Immortalisée par les *Pickwick Papers,* la chapelle de la prison était connue pour les mariages clandestins qu'y célébrait un prêtre peu regardant sur l'âge des prétendants. Le gîte et le couvert étaient à la charge des prisonniers qui avaient la possibilité de négocier le prix de leur séjour en ces lieux, directement avec le gouverneur de la prison. Certains gardiens allaient jusqu'à les menacer des fers, s'ils ne leur donnaient pas d'argent. Les détenus les moins fortunés devaient mendier leurs repas en passant la main à travers une grille qui donnait sur la rue. Les indigents étaient logés dans les cellules les plus insalubres, près des égouts. Les prisons du XVIIIe siècle acceptaient les visiteurs qui, contre monnaie sonnante et trébuchante, venaient voir les criminels.

L'un d'entre eux, William Share, eut son heure de gloire en 1785. Share était à la tête du sinistre gang londonien des profanateurs de sépultures. Il faisait déterrer les cadavres des cimetières paroissiaux pour les vendre à la Faculté. Aucun cercueil ne lui résistait, même fermé par une serrure d'acier, comme celui qui est exposé à l'église Saint-Bride. Il tenait un compte précis de ses ventes. Avides de récits macabres, les visiteurs se pressaient aux portes de la prison et le couvraient de cadeaux en échange d'une anecdote. La file de curieux pouvait atteindre près de cinq cents mètres. Pour son exécution, on lui offrit un habit à parements d'or et un noble n'hésita pas à lui prêter son carrosse pour qu'il se rende sur le lieu de sa pendaison.

Un autre criminel, chef d'une bande de petits pickpockets, Salomon Ikey, sera enfermé ici avant d'être envoyé finir ses jours dans un bagne d'Australie. Il sera immortalisé par Dickens sous les traits de Fagin dans *Oliver Twist.* Elizabeth Browning qui avait ouvert un hospice de vieillards en 1765 dans la City y fut pendue pour avoir tué plusieurs de ses jeunes servantes à coups de fouet. Elle passa ses derniers jours à la Fleet sous les quolibets des visiteurs. Le matin de son exécution, elle déclara au bourreau : « *Je préfère la corde à toutes les réflexions haineuses que j'ai entendues ici...* » .

L'Imprimerie...

Dès le Moyen Age, Fleet Street reliait Ludgate Circus à Temple Bar. Sa plus vieille église, Saint-Bride, date du VIe siècle et fut plusieurs fois reconstruite. Dans la crypte se trouve la magnifique collection de gâteaux de mariage du pâtissier William Rich. Pour les confectionner, il prit pour modèle la flèche de l'église, conçue par Wren.

On peut aussi y voir la première presse à bras inventée par l'imprimeur Caxton.

Fleet Street est associée au monde de la Presse et de l'Edition. Sa renommée commence le jour où l'un de ses habitants, Richard Pynson, diplômé de l'Université de Paris, ouvre une imprimerie en 1456. C'est ici que furent publiés de nombreux textes juridiques ainsi que les *Contes de Canterbury* du grand Chaucer.

En 1500, Pynson avait déjà imprimé plus de trois cent soixante-quinze ouvrages. A sa mort, Thomas Berthelet le remplace et devient Imprimeur du Roi. Il sera par la suite l'un des tout premiers libraires du pays. Son atelier se trouvait près du petit cimetière de St Bride. Il publiera les travaux de son oncle Sir Thomas More, chancelier d'Henry VIII. Parmi les grands noms des pionniers de l'édition, on doit citer John Butler, Wynkyn de Worde, John Bryddel of Salisbury qui n'hésitèrent pas à publier des textes dangereux pour les pouvoirs religieux et royaux sous les presses du *Sun.*

Les années passent, Richard Totell s'installe sur le parvis de l'église Saint-Dunstan et ouvre les presses The Hand and Star. En 1599, William Jaggard édite plusieurs poèmes d'un certain William Shakespeare, sous le titre *The Passionate Pilgrim.* Le 11 mars 1702, l'imprimeur Edward Mallett faire paraître le premier quotidien britannique, *The Daily Courant,* qui sous l'égide de John Bucley deviendra le *Morning Chronicle.*

Les tavernes journalistiques et Daniel Defoe

Les journalistes fréquentaient les tavernes de Fleet Street, comme The Cock Tavern. Les employés du journal satirique le *Punch* se réunissaient quotidiennement dans un autre pub qui garde encore le nom du journal. Ils n'hésitaient pas à braver le pouvoir royal en exposant les nombreux scandales politiques. Les mondes de la presse et de la politique se mêlaient dans les tavernes où coulait la bière, brassée à l'arrière des pubs.

Parfois, les pickpockets leur apportaient des portefeuilles remplis de précieux documents. L'un deux, George Barrington, qui avait la réputation d'être le meilleur indicateur de Londres, apporta en 1770 des papiers fort compromettants pour la réputation d'un premier ministre aux mœurs plutôt légères. A l'époque, pour devenir chroniqueur, il suffisait de savoir lire, écrire et… ferrailler ! Il va sans dire qu'alors les personnes mises en cause par les pamphlétaires n'hésitaient pas à les provoquer en duel. Les affrontements se déroulaient au petit jour dans le cimetière de l'église Saint-Bride. Daniel Defoe appartenait à la lignée des grands chroniqueurs. Malin comme un diablotin, il rapporta pendant des années avec une grande fidélité les débats parlementaires tout en déjouant les pièges de la censure royale. De ses balades dans les bouges et de son séjour en prison pour avoir insulté l'Eglise anglicane, il tirera un roman, *Moll Flanders,* l'histoire d'une héroïne picaresque qui attaquait les diligences. Dans *Le Journal de l'année de la Peste* publié en 1722, il nous donne une approche toute journalistique du fléau qui frappa Londres en 1665. Bien sûr, il ne faut pas oublier *Robinson Crusoé* qu'il écrivit à l'âge de soixante ans et lui apportera une gloire éternelle !

Dernières nouvelles d'avril 1750...

Une véritable panique souffla sur Londres lorsque plusieurs crieurs de journaux annoncèrent aux passants qu'une comète allait bientôt frapper la ville et provoquer un tremblement de terre. Comme au temps de la peste, les Londoniens fuirent la capitale. En quelques heures, les maisons et les salles de presse furent désertées. Tout comme aujourd'hui, les titres devaient interpeller et effrayer les lecteurs. Si aucune catastrophe naturelle n'était annoncée, les Français pouvaient alors faire les frais de l'imagination des journalistes. On les accusa par exemple de préparer une invasion de l'Angleterre pour soutenir Charles Stuart. Les nouvelles étranges fascinaient également le public. Que de monstres à deux têtes ou de fantômes sanguinolents ne sont apparus sous la plume de rédacteurs peu scrupuleux !

Ye Olde Cheshire Cheese

Le Blitz de septembre 1940 détruira le quartier mais épargnera un pub, Ye Olde Cheshire Cheese, situé dans une ruelle sombre, Vine Office Court. Voltaire, Thomas Payne et, à une époque plus récente, Churchill et Paul Morand le fréquentèrent. Un étrange perroquet régnait sur les lieux et accueillait les clients par des bordées d'injures qu'il était capable de décliner en neuf langues différentes ! Churchill, alors jeune journaliste, s'amusait à lui chatouiller les pattes avec ses gants, ce qui le rendait encore plus furieux.

Ce volatile, du doux nom de Polly, eut à sa mort en 1926 l'honneur de la chronique nécrologique du *Times*. Vous pourrez l'admirer sous une cloche de verre, empaillé, posé derrière le bar de la salle du fond ; il a encore l'air de toiser les clients avec défiance !

Amateurs de plafonds bas, de hautes cheminées et de murs chargés de souvenirs, il faut absolument vous rendre au Ye Olde Cheshire Cheese. Cet établissement, ouvert le dimanche, sert de la bière depuis 1667. C'est un coin inégalé du vieux Londres.

L'écrivain G. K. Chesterton, connu pour les aventures policières de l'abbé Brown, avait coutume une fois l'an de se déguiser en Docteur Johnson. Poudré et portant perruque, il venait au pub depuis sa villa de Notting Hill pour rendre hommage le temps d'une soirée au père du dictionnaire. A cette époque, un menu unique composé d'un pâté d'huîtres, d'une tranche de rosbif et de fromage, était servi à tous les convives. A la fin du repas, on fumait la pipe, en dégustant un verre de porto.

A partir de 1890, le pub va recevoir une curieuse société littéraire, comme les aiment les auteurs anglais. Il s'agit du Rhymers Club qui comptait parmi ses membres Oscar Wilde et Yeats. Assis autour d'une table, au premier étage, ils s'amusaient à composer des rimes. On leur servait un gros pudding à base de rognons de bœuf, de fruits de mer et de champignons. Un hôte de marque était invité à faire le service, après avoir coupé le pâté. En 1895, sortant des locaux de son journal *The Daily News*, Conan Doyle sacrifia à la tradition.

Charles Dickens ne manquait pas de prendre son souper dans la petite salle, de préférence au coin de la cheminée. Si les murs de cet endroit historique pouvaient parler, nous apprendrions que ce bon Dickens rencontra ici même quelques-uns de ses héros de papier. Imaginez que sortent de l'ombre Pip, M. Pickwick ou encore Lucy Manette. J'aime Dickens, cet écrivain qui attira le regard des nantis sur la misère populaire et révéla le scandale des mauvais traitements infligés aux pauvres. Dans *Le Conte de deux villes*, c'est dans ce pub que se rend Charles Darney dès son acquittement après une accusation de haute trahison. Il y retrouve Sydney Carton pour partager avec lui un dîner bien mérité.

Jusqu'en 1980, cet établissement à la lumière tamisée faisait de son mieux pour dissuader les femmes de le fréquenter. D'ailleurs elles n'avaient strictement pas le droit de se faire servir au bar ! Pour apporter une pierre supplémentaire à ce noble édifice, il faut savoir que sous le bar principal se trouve la crypte de l'ancien couvent des Pères Blancs d'où partent de vieux souterrains qui déboucheraient au-delà de Greenwich…

Le barbier démoniaque et le chat du Dr Johnson…

A quelques mètres, dans Gough Square, se trouve la maison du Docteur Johnson et dans une autre ruelle, Hen and Chickens Court, l'emplacement du salon de coiffure de Sweeney Todd, le barbier meurtrier qui tuait ses clients et faisait disparaître leurs corps dans les pâtés de viande de sa maîtresse, Mrs Lovett… Il choisissait avec soin sa clientèle et les inconnus de passage avaient sa préférence. Par un système assez ingénieux, le chaland était occis sur le fauteuil, puis son corps basculait à travers une trappe qui s'ouvrait sur la cave de l'excellente cuisinière. Todd sera arrêté après qu'un morceau de doigt, mal cuit, fut trouvé dans un pâté. Sweeney Todd sera pendu à Tyburn et sa maîtresse connaîtra l'humidité de la prison de Newgate. Tim Burton en a tiré un film avec Johnny Depp, *Sweeney Todd, le barbier démoniaque de Fleet Street.*

Au 17 Gough Square, l'ancienne demeure du docteur Samuel Jonhson, lexicographe, essayiste et poète, se visite. En souvenir de cet impitoyable chroniqueur de la vie londonienne, ses admirateurs ont érigé sur le square la statue de son chat Hodge. Son ami James Boswell détestait l'animal et n'admettait pas que Samuel Jonhson se rendît le matin très tôt au marché afin d'acheter des huîtres pour son chat. Si Hodge a disparu, un autre félin, Lily, surveille les lieux, feignant de dormir sur le rebord de la cheminée. Le gros dictionnaire de la langue anglaise, son œuvre maîtresse, repose près d'une pipe et d'un pot à tabac.

Nostalgie à la une, Edgar Wallace et King Kong…

Fleet Street n'est plus qu'un quartier bon à distraire les anglophiles nostalgiques. On se souvient qu'au numéro 121 se tenait le *Daily Express*, propriété de Lord Beaverbrook, et qu'au 135 il y avait le *Daily Telegraph* ; sur un mur, le passant découvre une vieille publicité pour le *Manchester Guardian.* La grosse pendule publicitaire du *Daily Mail*, sous laquelle passent Blake et Mortimer, a disparu. Le numéro 22 garde la trace de la maison d'édition de

John Murray qui publia Conan Doyle. La librairie Symmonds, aujourd'hui Wildy and Sons, où travaillait Orwell au moment de la parution du livre *1984* a fermé ses portes. Mais El Vino, le bar des avocats n'a pas quitté le 47. On pourrait presque y rencontrer, à l'issue d'une audience criminelle, Sir Wilfred Roberts, l'avocat des causes perdues, mis en scène par Agatha Christie dans la pièce *Témoin à charge*. Sur Fleet Street erre encore la silhouette de George Bernard Shaw qui, en 1889, écrivit quelques articles sur les crimes de Jack L'Eventreur.

Tout aussi importante est celle d'Edgar Wallace, journaliste, écrivain, amateur de cigares et de coups fumants. Alors patron du *Mail*, il aurait offert en 1926 une grosse somme d'argent au détective privé chargé de l'affaire Christie, en lui demandant de mettre tout en œuvre pour que l'on ne retrouvât pas Agatha Christie, mystérieusement disparue du côté de Harrogate... Surnommé "le roi du thriller" par ses compatriotes, Mr Wallace ne supportait pas d'être détrôné par Miss Christie au Panthéon des maîtres du roman policier.

Son premier roman *Les Quatre Justiciers* parut en 1905. Edgar Wallace écrira de nombreux scénarios de films, dont celui de l'immortel *King Kong* de 1932. Sur le mur d'une banque de Ludgate Circus, à l'endroit où, enfant, il vendait des journaux aux passants, une plaque lui rend hommage.

Au 85 Fleet Street, au cours des bombardements de 1940, les journalistes de l'Agence Reuter, montés sur le toit de l'immeuble, faisaient leurs reportages en observant les avions nazis qui rasaient les toits. A Bush House, temple de la BBC, d'audacieux reporters décrivaient le Blitz, eux aussi en direct, depuis les terrasses. Les Français Libres possédaient un journal, *La France*, qui paraîtra jusqu'en 1945. Un film américain de 1941, *Confirm or Deny* avec Don Ameche et Joan Bennett, est un excellent document sur les bombardements de Fleet Street, vécus à travers le quotidien d'une grande agence de presse.

Les Templiers et le Code Da Vinci...

Dan Brown, auteur du livre *Da Vinci Code*, saura utiliser le décor londonien et l'église du Temple située dans un entrelacs de petites rues dans le quartier des avocats. Dissimulée entre Fleet Street et la Tamise, cette église ronde, consacrée en 1185, fut le repaire des Chevaliers du Temple. Elle fut conçue sur le modèle de l'église du Saint-Sépulcre à Jérusalem.

Ce fut, jusqu'à la dissolution de l'Ordre, le quartier général des moines-soldats qui portaient une croix rouge sur une tunique blanche. Dans ce lieu de culte aux allures de forteresse, reposent dans la nef dix chevaliers de pierre, scellés à même les dalles du sol. Rien ne manque à leur costume, ni la cotte de mailles, ni l'épée, ni le bouclier.

C'est ici que Robert Langdon et Sophie Neveu sont, dans le roman, lancés sur une fausse piste par Sir Leigh Teabing.

Gageons que Temple Church, vu le succès du roman, ne manque pas de visiteurs ! Ajoutons que Robert et Sophie continueront leur quête dans les couloirs lugubres de la station de métro Temple et qu'ils poursuivront leurs investigations à la bibliothèque de l'Institut de recherches religieuses de King's College University, avant de retrouver leur ennemi devant la tombe de Sir Isaac Newton à l'abbaye de Westminster… Je reproche à Dan Brown de ne pas les avoir conduits vers Devereux Court pour une rapide visite du pub The Devereux Arms construit sur le site de Essex House, ancienne propriété royale, tombée en désuétude, qui deviendra The Grecian, un salon de thé où, vers 1720, les financiers échangeront de nombreux titres bancaires.

Dan Brown aurait sans doute pu entraîner ses héros à l'intérieur du George, un autre établissement qui fait face au palais de Justice et à la statue du Docteur Johnson. Le George's est un très vieux pub aisément reconnaissable à ses bas-reliefs de moines paillards et de chats. A l'intérieur, les soirs de pluie, on pourrait presque se croire revenu à l'époque victorienne, tant la lumière orangée des vieilles lampes fait briller les cuivres des pompes à bière. Un peu plus loin, nous arrivons au domaine de Twinings, le célèbre marchand de thé.

Rue légendaire, Fleet Street n'appartient qu'à ses ombres. En hiver, avec une dose de fraîcheur, de pluie ou de brume, parmi les cris des porteurs de dépêches ou le bruit des Hackney Cabs, on pourrait presque s'attendre à croiser le jeune Winston Churchill de retour de la guerre des Boers portant son dernier papier à Lord Beaverbrook !

A voir...

- **The Tale of Sweeney Todd.** *Film de télévision réalisé en 1998 par John Schlesinger avec Ben Kingsley*
- **Sweeney Todd : The Musical.** *1979, musique de Stephen Sondheim sur un livret de Hugh Wheeler*
- **Confirm or Deny.** *1941. Archie Mayo*
- **Le Détective du Bon Dieu (Father Brown)** *1954. Robert Hammer avec Alec Guiness*
- **Témoin à charge (Witness for the Prosecution)** *1957. Billy Wilder avec Charles Laughton et Marlène Dietrich*
- **Da Vinci Code.** *2006 Ron Howard*

A lire...

- **The Life of Dr Johnson** *James Boswell. 1791*
- **Le Journal de l'année de la Peste (The Journal of the Plague)** *Daniel Defoe. 1722*
- **Robinson Crusoe.** *Daniel Defoe. 1719*
- **Les Quatre Justiciers. (Four Wise Men)** *Edgar Wallace. 1905*
- **The Dark Eyes of London.** *Edgar Wallace. 1924*
- **Edgar Wallace, The Biography of a Phenomenon.** *Margaret Lane. 1964*
- **Father Brown**. *GK Chesterton. 1911*
- **L'Abbé Brown : La Croix de saphir.** *BD de François Rivière et Yves Urbain.*
- **Le Conte de deux villes. (A Tale of Two Cities)** *Charles Dickens. 1859*
- **Da Vinci Code.** *Dan Brown. 2003*
- **Dr Johnson's London.** *Liza Picard. 2003*

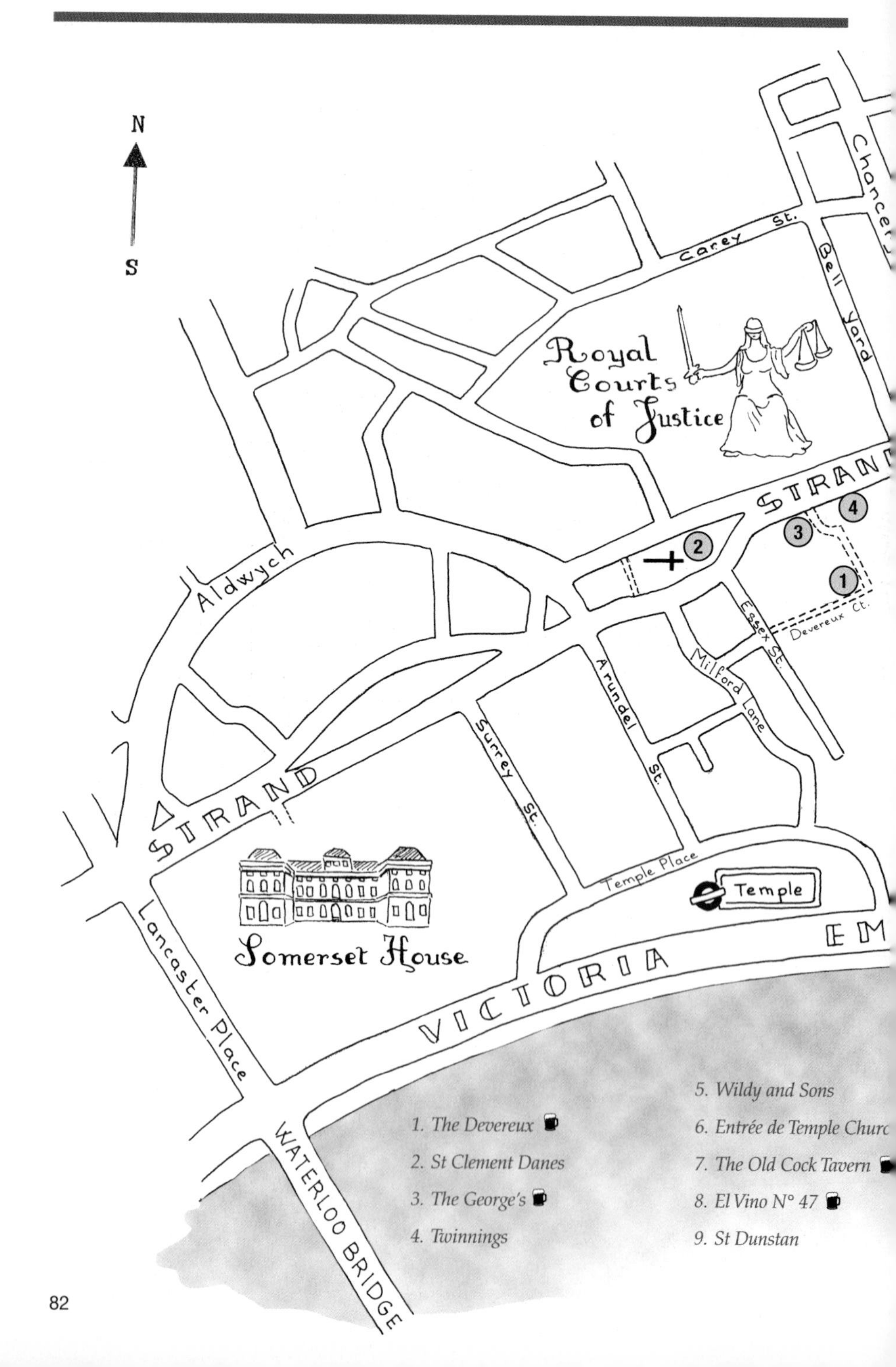
N
S
Royal Courts of Justice
Carey St.
Chancery
Bell Yard
STRAND
Aldwych
Essex St.
Devereux Ct.
Milford Lane
Arundel St.
Surrey St.
STRAND
Temple Place
Temple
Somerset House
Lancaster Place
VICTORIA EM
WATERLOO BRIDGE
1. The Devereux
2. St Clement Danes
3. The George's
4. Twinnings
5. Wildy and Sons
6. Entrée de Temple Churc
7. The Old Cock Tavern
8. El Vino N° 47
9. St Dunstan

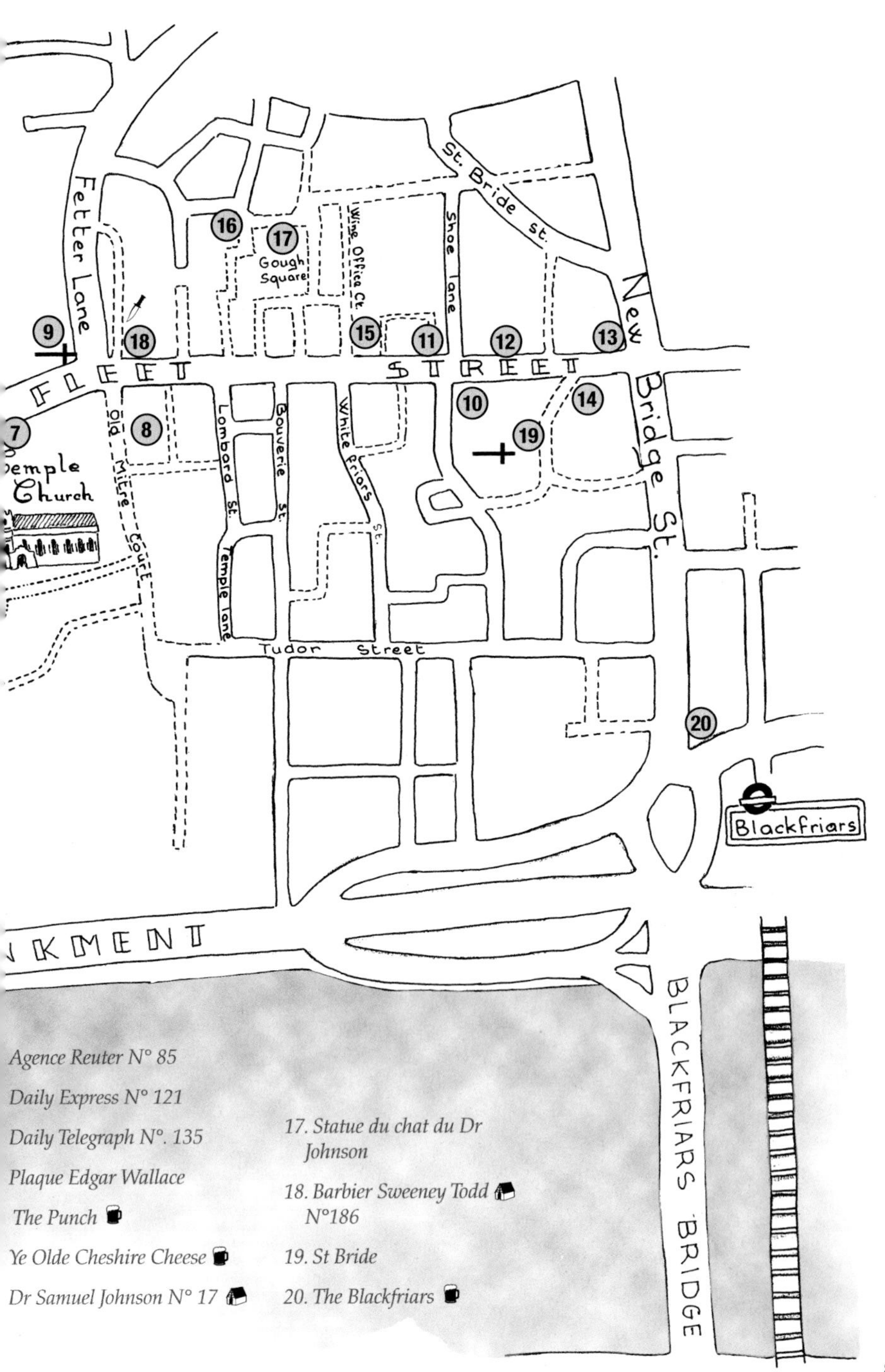
Fetter Lane
Gough Square
Wine Office Ct.
Shoe Lane
St. Bride St.
New Bridge St.
FLEET STREET
Temple Church
Old Mitre Court
Lombard St.
Bouverie St.
White Friars St.
Temple Lane
Tudor Street
Blackfriars
KMENT
BLACKFRIARS BRIDGE
Agence Reuter N° 85
Daily Express N° 121
Daily Telegraph N°. 135
Plaque Edgar Wallace
The Punch
Ye Olde Cheshire Cheese
Dr Samuel Johnson N° 17
17. Statue du chat du Dr Johnson
18. Barbier Sweeney Todd N°186
19. St Bride
20. The Blackfriars

La City

La City : mystères et traditions !

« *Marley was dead : to begin with...*
Old Marley was as dead as a door-nail »
Charles Dickens, *A Christmas Carol*.

J'adore la vieille City avec son dédale d'arrière-cours et de venelles oubliées. Dans ce "mile carré" qui possède son propre gouvernement, avec à sa tête un Lord Maire et sa force de police, après dix-neuf heures, les rues deviennent désertes, les pubs se vident et les derniers passants se hâtent vers le métro. Alors s'ouvrent les portes d'un monde mystérieux qui peut se permettre d'oublier les financiers et les touristes. Les ombres de la peste et du Grand Incendie reviennent s'étendre sur les anciens cimetières. Le fantôme de Christopher Wren, l'architecte du roi Charles II, parcourt le domaine reconstruit par ses soins. Les vieilles pierres craquent et soupirent d'aise, Dickens s'apprête de nouveau à rencontrer Oliver Twist et, d'une maison située 19 College Hill, sortent Dick Whittington et son chat, deux vieux amis dont je vous parle au chapitre sur Highgate !

La vieille dame de Threadneedle Street...

Malgré mon manque d'intérêt pour l'univers de la finance et de la banque, j'éprouve une grande tendresse pour les anecdotes qui émaillent ce quartier.

J'essaie d'y revenir seul pour rencontrer les quelques fantômes qui, pendant le jour, reposent à l'ombre imposante de la sévère façade de la Banque d'Angleterre. Celle-ci fut surnommée "la vieille dame de Threadneedle Street" en souvenir d'une marchande de fil et d'aiguilles qui prenait les ordres des premiers agents de change et les mettait à l'abri dans son nécessaire de couture. Cette banque fut créée en 1694 par un certain William Paterson pour aider les souverains à lever des emprunts afin de financer leurs guerres. Elle recèle bien des secrets derrière son périmètre de hauts murs. Plusieurs tentatives de vols à main armée pour piller l'or de cette noble et secrète institution mettront leurs auteurs sous les verrous. Dans les souterrains bien protégés dorment les trésors du dernier Tsar, des collections de tableaux ou des lettres trop compromettantes pour voir le jour.

Selon Conan Doyle, c'est dans l'une de ces caves que le docteur Watson place, dans une cassette, les récits des enquêtes de son ami Sherlock Holmes, comme on peut le voir au début du film de Billy Wilder *La Vie privée de Sherlock Holmes.* Dans un autre film, *Hold-up à Londres,* Jack Hawkins dirige une bande de militaires en rupture de régiment qui ont décidé d'attaquer la banque. Le réalisateur John Guillermin, dans *Le Jour où l'on dévalisa la Banque d'Angleterre,* avec Aldo Ray et Peter O'Toole, s'inspire d'un fait divers de 1910 où s'illustrèrent les Irlandais de l'Irish Republican Army qui avaient creusé un tunnel à partir d'un égout de Lombard Street.

Bien entendu, la banque a son fantôme, en la personne de la sœur d'un employé faussement accusé de vol qui s'y suicida. Cette dame en deuil, Sarah Whitehead, revient hanter les lieux à la recherche de son frère. De son vivant, après la disparition de ce dernier, elle venait chaque jour demander de ses nouvelles au concierge de la banque. En désespoir de cause, elle mettra fin à ses jours en se jetant dans un bassin des docks de Wapping.

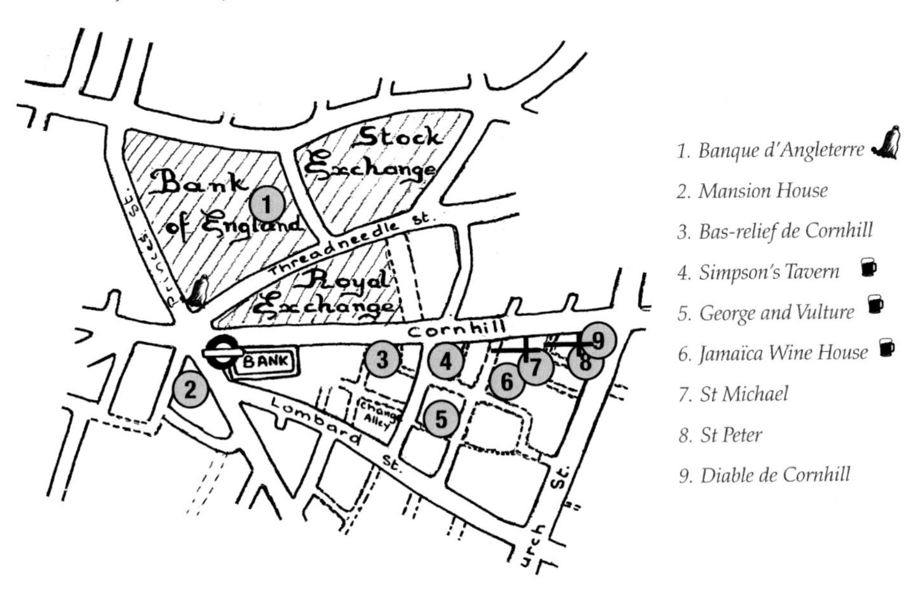

Les mystères de la station de métro Bank…

Le métro de Londres est l'une des plus belles réussites de l'époque victorienne.

Soutenue par des entrepreneurs et architectes de talent, comme Stephenson, Brunel et Balzagette, l'idée du métropolitain fut cependant fort critiquée. Lors d'un meeting en plein air, le pasteur Cuming déclara devant la foule que si le projet du métro se réalisait le diable, qui comme chacun sait vit sous terre, se vengerait sur les Londoniens et détruirait leur ville. Cela n'empêcha pas l'homme d'affaires Charles Pearson de réaliser son rêve en finançant le"train souterrain".

La Metropolitan Line fut inaugurée en janvier 1863. Les autres lignes suivirent, en dépit de nombreux accidents. Il fallut détourner les cours des rivières souterraines comme la Fleet, la Westbourne et la Tyburn. Des pluies torrentielles firent grossir ces cours d'eau qui inondèrent les chantiers et des maisons entières s'effondrèrent sur les ouvriers.

Des bouches d'air avalaient les fumées des locomotives et les rejetaient à l'air libre. Les Londoniens s'en alarmèrent. Un banquier de la City paya alors des publicités dans la presse pour vanter les bienfaits de ces émanations qui ne pourraient que s'attaquer à l'épais brouillard londonien, voire le repousser ! Un maître de forges, John Edwards, osa même organiser des réunions sur le parvis de la Banque d'Angleterre pour dénoncer ces médecins qui parlaient des risques de bronchite et de tuberculose associés à la poussière de charbon.

A la station Bank, centre névralgique du métro, se croisent District, Central et Northern Lines ainsi que le Docklands Light Railway. La station Bank est un véritable labyrinthe souterrain dont les travaux furent plusieurs fois interrompus à cause des charniers de la Grande Peste qui furent mis à jour en creusant les tranchées. Sous les lignes passent des égouts où courent des rats pourchassés par les patrouilles spécialisées du métro. On y trouve des salles vides qui servent de décors à des films d'horreur comme *Creep,* mettant en scène une jeune femme qui s'endort sur un banc après le dernier métro, avant de se sauver dans les couloirs et les tunnels se croyant poursuivie par un tueur. Dans *End of the Line,* remarquable petit film de 1974, les descendants d'ouvriers emmurés, devenus cannibales, dévorent les passants attardés.

Il existe plusieurs portes qui semblent condamnées, dont une qui conduirait directement à la Tamise. En 1940, une bombe explosa sur un quai de cette station et tua cent dix-sept personnes. Depuis, plusieurs employés du métro refusent d'y travailler en fin de soirée, de peur d'y entendre l'écho des voix plaintives qui semblent sortir des murs carrelés. Un gardien aurait vu une femme en gris se tenir au milieu des rails de la District Line. Enfin, rares sont les personnes qui acceptent d'entrer dans un petit entrepôt où l'on stocke du matériel, car soudain l'air y devient glacial et un spectre sans tête joue avec les nerfs des ouvriers de service.

Un métro sans fantôme ne serait pas le métro londonien !

La Peste et le Grand Incendie...

Dans la nuit du 1er janvier 1665, vers huit heures du soir, une comète traversa le ciel londonien et causa une grande frayeur à la population. Les prédicateurs annoncèrent que la vengeance du ciel allait s'abattre sur une ville qui, depuis la restauration de Charles II, vivait dans la débauche. L'un de ces religieux, Salomon Eagle, s'en alla nu de taverne en taverne, prêchant tous les buveurs, avant de s'immoler sur le tertre de Tower Hill.

La colonne du Monument commémore le Grand Incendie qui détruisit Londres. Le 2 septembre 1666 à deux heures du matin, une lanterne, renversée accidentellement par l'apprenti d'un boulanger de Pudding Lane, provoqua la plus grande destruction, le Blitz excepté, que Londres ait jamais connue. En quatre jours, attisé par un vent violent, l'incendie dévasta treize mille deux cents maisons et quatre-vingt-neuf églises. Il n'y eut cependant que douze morts. On tenta de faire porter le chapeau aux Français, ces farouches catholiques qui avaient juré fidélité au Pape. L'un deux, Robert Hubert, aurait été vu jetant une torche par la fenêtre du boulanger. Sans preuve tangible, il fut jugé coupable, puis pendu et écartelé à Tyburn.

Le printemps de l'année précédente avait vu la Grande Peste qui dura jusqu'en septembre et fit près de cent mille victimes.

Poussée par les vents chauds du mois de mai, l'épidémie s'attaqua à la City et à l'East End, quartiers alors les plus peuplés. La saleté des venelles et le complet manque d'hygiène favorisèrent le développement de l'épidémie. Les Londoniens étaient habitués aux bandes de rats qui parcouraient les égouts et les rues. En juillet 1665, on enterrait chaque semaine près de huit mille victimes. Sur les portes des maisons touchées par le fléau, les autorités faisaient inscrire « *Seigneur, ayez pitié de cette maison* » , suivi d'une croix rouge, interdisant à tous les passants de s'en approcher. Des feux brûlaient au coin de chaque rue pour purifier l'air. Les marchands de tabac firent fortune le jour où le médecin du roi déclara que fumer était le meilleur remède contre l'épidémie.

John Lawrence, le Lord Maire, ordonna d'abattre les animaux domestiques. Une véritable chasse s'engagea dans les rues : quarante mille chiens et deux cent mille chats passèrent de vie à trépas !

De peur de se voir interdire de quitter leur maison, les Londoniens ne déclaraient pas les malades, se contentant de se débarrasser des cadavres la nuit, en les jetant dans la Tamise. Dans *Le Journal de l'année de la Peste,* Daniel Defoe décrit la folie qui s'était emparée de la ville. Londres était devenue silencieuse. Les pubs et autres établissements de plaisir connaissaient un couvre-feu sévère dès vingt heures. Des moribonds étaient enterrés encore vivants et leurs corps recouverts de chaux vive. Le maire, les juges et les notables fuyaient vers Hampstead, Hackney ou Chelsea, quartiers encore épargnés par la maladie. Les fossoyeurs creusaient jour et nuit devant les piles de cadavres en souffrance. Une véritable égalité face à la mort régnait; quelle que soit leur position sociale, les victimes partageaient toutes la fosse commune. Aujourd'hui, le piéton de la City marche sans le savoir sur les tombes des anciens pestiférés.

En souvenir de l'épidémie, chaque année, dès son élection, le Lord Maire, accompagné des échevins se met au balcon de sa résidence, Mansion House, pour symboliquement purifier l'air avec une branche d'acacia bénite. Pour retrouver l'atmosphère de ces années funestes, il faut voir le film d'Otto Preminger, tiré du roman de Kathleen Windsor, *Ambre,* véritable saga du règne de Charles II.

Le Blitz...

Le samedi 7 septembre 1940, le soleil brillait. Vers cinq heures de l'après-midi, des vagues de bombardiers nazis déversèrent leur chargement mortel sur les docks et la City. Le 12 septembre une bombe tomba sur le parvis de la cathédrale Saint-Paul mais n'explosa pas. Dans la nuit du 10 mai 1941, la vieille City de Christopher Wren rendit l'âme sous un déferlement d'explosions apocalyptiques. Beaucoup de magnifiques églises, ou de lieux mythiques disparurent cette nuit-là et ne sont plus aujourd'hui que des souvenirs, par exemple Paternoster Row, cette rue bordée de librairies où les bibliophiles du monde entier venaient chiner.

De ces jours de deuil, il reste le film *London can take it !* du réalisateur Humphrey Jennings qui, avec son équipe, tourna en direct sous les bombes.

Je me souviens qu'à l'été 1964, il y avait encore des terrains interdits d'accès au public, des immeubles éventrés et des cratères de bombes dans lesquels stagnaient les eaux sales des dernières pluies. La City n'avait pas encore trouvé son visage actuel.

Bunhill Fields...

Au hasard des ruelles apparaissent de petits cimetières, comme celui de Bunhill Fields où reposent trois grands artistes : Daniel Defoe, John Bunyan et William Blake. Bunyan était le fils d'un rémouleur. Il s'engagea dans les armées de Cromwell, connut la prison à la restauration de la monarchie et écrivit *Le Voyage du pèlerin*. Blake, peintre et poète, était un visionnaire. Grand mystique, il composa des sonnets basés sur la *Bible* dont le fameux *New Jerusalem*. Il écrivit dans *Le Mariage du Ciel et de l'Enfer* : *« Les prisons sont bâties avec les pierres de la Loi et les bordels avec les briques de la religion »* .

Nul doute que sa dernière demeure serait Bunhill Fields où l'on enterrait les dissidents, tous ceux qui n'appartenaient pas à la religion anglicane. J'avoue que se promener dans les allées de Bunhill Fields, un après-midi d'automne, est une expérience inoubliable. Sous le regard des nuages qui planent au-dessus du paysage, avec les envols de feuilles mortes, on entre facilement au cœur d'un de ces films d'épouvante tournés en noir et blanc, entre 1930 et 1940, à Hollywood chez Universal.

On s'attendrait même à ce que le gardien du cimetière ait le regard trouble de Boris Karloff ou qu'il claudique comme Bela Lugosi. A chaque fois que je veux me souvenir des séances de cinéma de ma jeunesse, je file écouter le vent dans ce vieux et digne cimetière.

En face, de l'autre côté de City Road, les curieux pourront visiter la chapelle où, au XVIIIe siècle, le prédicateur John Wesley prêchait avec véhémence en faveur des pauvres et des exclus. C'est devant la statue de Wesley que Margaret Thatcher recevra une volée de tomates et d'œufs pourris, un jour de 1982, de la part d'une foule exaspérée par sa politique ultralibérale !

Le fantôme de Scrooge…

En traversant les arrière-cours, on découvre un monde où le temps semble s'être arrêté. Des pubs discrets, comme le George and Vulture dans Castle Court, continuent à abreuver les petits marquis de la finance. Je retrouve Simpson's Tavern que fréquentaient Charles Dickens et John Ruskin. On vous y sert encore les pièces d'agneau qui ravissaient M. Lloyd ; il y déjeunait pendant que sa femme recevait les agents de change dans sa "coffee shop".

Des murs de Simpson's Tavern sort le fantôme de Scrooge, le héros du *Conte de Noël* de Dickens. On devine Scrooge, la veille de Noël, faisant des écritures au fond d'un bureau sombre et glacial, le feu de cheminée mort depuis longtemps, avec à ses côtés, son commis Bob Cratchit impatient de retrouver sa famille qui l'attendait dans une masure de Camden Town. Scrooge logeait à quelques pas de son bureau, dans une maison haute, près du clocher de l'église Saint-Michael. Il devait neiger et, sur la Tamise gelée, il y avait sans doute des baraques foraines.

La neige étouffait les rires et les cris. Scrooge détestait voir les gens s'amuser. Il ne faisait pas grand cas des pauvres qui dormaient dans les encoignures de portes. Dans sa chambre poussiéreuse allait lui apparaître, dans la nuit, Jacob Marley, son ancien associé, qui lui enverra successivement les trois fantômes qui bouleverseront sa vie. Je me souviens d'avoir parcouru ces allées une veille de Noël au moment où les pubs déversaient leur quantité de fêtards qui se hâtaient le long de Lombard Street pour essayer d'attraper le dernier métro. La pipe à la bouche, je me serais facilement pris pour un écrivain victorien.

Un autre personnage de Dickens, M. Pickwick, prend pension au George and Vulture qui s'appelle alors Thomas's Chop House. Les agents de change se réunissaient dans les "coffee shops". Entre deux tasses de café, ils concluaient leurs affaires. Londres ne se mettra vraiment au thé qu'à partir du règne de Victoria. The Jamaïca Wine House, pub sombre et garni de boiseries, reste le dernier témoin de ce temps passé. En 1750, déjà, les commerçants venaient y déposer les lettres et les paquets qu'ils destinaient à la Jamaïque. Chaque semaine, un marin venait les ramasser. La grosse lanterne qui pend au-dessus de l'entrée de l'établissement fonctionnait jadis à l'huile de tripes !

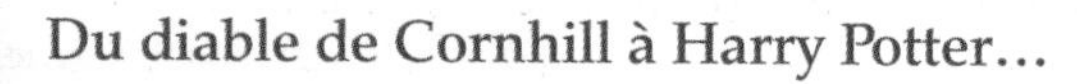

Du diable de Cornhill à Harry Potter…

En remontant Cornhill, on voit la silhouette d'un diable perché sur le pignon d'une maison attenante à l'église Saint-Peter. Sa présence me rappelle l'histoire de cet architecte William Rentz qui, à la suite d'un différend avec son voisin le curé, décida d'installer des sculptures de diables sur son toit pour mieux le provoquer. Toujours dans cette rue, sur une porte en bois figure un bas-relief racontant l'histoire de Cornhill. C'est ici que se trouvait l'éditeur Smith and Elder qui publiera les œuvres de Charlotte Brontë et de ses deux sœurs, Emily et Ann.

La silhouette du Lloyd's Building, conçu par Richard Rogers, écrase le vieux marché victorien de Leadenhall aux piliers de couleur crème et bordeaux, surmontés du dragon de Saint Georges. Nous sommes loin de l'époque où sévissaient en ces lieux les bandes de petits voleurs à la tire, évoqués dans *Oliver Twist.* Ici, les étals de volaille sont peu à peu remplacés par des bistrots. Au fil des marchés, plus de trente-deux mille oies y furent sacrifiées ; cependant, à l'époque victorienne, l'une d'entre elle, Old Tom, mascotte du marché, échappa au massacre et pendant trente-huit ans mordit les fesses des garçons bouchers.

Dans ces lieux on sert encore des anguilles en gelée et des plats d'huîtres qui ne sont malheureusement plus apportées de Colchester par ces charmantes jeunes femmes aux yeux bleus, surnommées les "OystersGirls" . Autrefois, l'huître était un plat populaire. Au cours de fouilles, il arrive que les archéologues découvrent des dizaines de coquilles alignées les unes à côté des autres sous le sol du marché. Il y a quelque temps encore, des boucheries proposaient toujours du gibier et du sanglier. Cette époque est révolue. Triste Londres !

Le pub The Lamb Tavern servit de décor au film *Brannigan* où John Wayne se lance dans une bagarre mémorable. Côté littérature et cinéma, nous ne sommes pas loin du monde magique d'Harry Potter. Le cinéaste Chris Colombus, qui a adapté en 2001 le premier livre de J. K. Rowling *Harry Potter à l'école des sorciers,* a situé l'entrée du chemin de traverse dans Bull's Head Passage, exactement devant ce qui est aujourd'hui non pas le pub "Le Chaudron Baveur" mais le magasin d'un opticien. A travers les brumes, certains soirs, vous pourrez pénétrer dans ce lieu magique et découvrir comme Harry et Hagrid les boutiques des sorciers et y faire vos emplettes, voire retirer des espèces à la banque Gringotts. Mais attention à ne pas trop traîner aux abords de l'Allée des Embrumes…

Le Poltergeist de Cock Lane…

Cock Lane est une petite rue perpendiculaire à City Road. Tout Londres vint y observer en février 1762 un curieux phénomène d'esprit frappeur. Une jeune fille de douze ans prétendait entendre des bruits et des grattements dans les murs, une main invisible projetait de la vaisselle à travers la cuisine, d'étranges ectoplasmes descendaient l'escalier de la cave. Devant les visiteurs médusés, une voix s'exprimait par l'intermédiaire de la petite Elizabeth, celle de Fanny, une ancienne locataire qui se plaignait d'avoir été empoisonnée par son compagnon. Les parents d'Elizabeth n'hésitèrent pas à faire payer un droit d'entrée pour que les amateurs de mystère puissent rencontrer leur fille et entendre les esprits. On pouvait ainsi la voir, les mains sous les draps, en train de demander des réponses à l'esprit frappeur jusqu'au jour où le prêtre de la paroisse obligea Elizabeth à poser ses mains sur le lit. Les bruits cessèrent et la supercherie fut découverte...

1. *Monument*
2. *Pudding Lane*
3. *The Ship*
4. *The Ship Tavern*
5. *The Glass House (Le Chaudon Baveur)*
6. *Lloyd's Building*
7. *The Lamb Tavern*
8. *The George and Vulture*

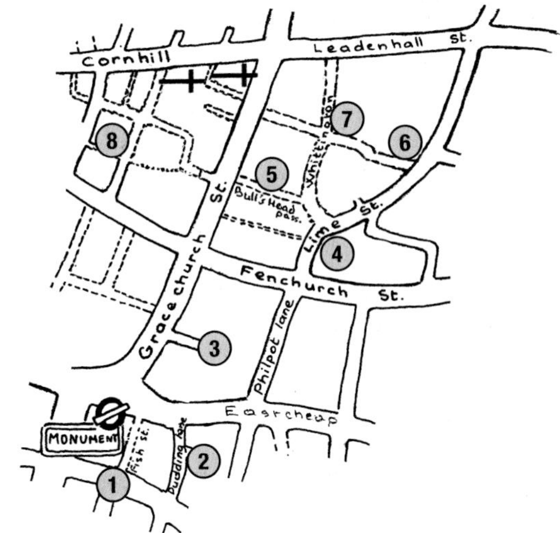

Un criminel hors pair...

En 1790, la terreur régnait dans les rues de la City. Personne n'osait plus s'attarder à la nuit tombée dans les coins mal éclairés. A cette époque, en raison du manque d'éclairage dans les rues, on se faisait souvent raccompagner chez soi par un porteur de torches. Les propriétaires des tavernes clouaient des volets sur leurs fenêtres. Celui que la presse surnomma "Le Monstre de Londres" s'en prenait aux femmes qu'il piquait avec un objet pointu. Certains soirs, il se contentait d'effrayer les gens en appuyant son visage contre les fenêtres. Les gazettes parlèrent d'un loup-garou ou d'un vampire ! Plus de cinquante victimes furent blessées par ce drôle d'individu. Les témoins qui affirmaient l'avoir perçu le décrivaient comme un être malfaisant, habillé d'une cape rouge, dont les pieds traînaient sur les pavés en provoquant des gerbes d'étincelles... Pour la presse, il devint " Jack aux pieds d'acier ". L'hystérie gagna la ville entière et ce personnage que la police n'arrivait pas à arrêter fit l'objet de plusieurs chansons et pièces de théâtre.

La police, sous la pression de l'opinion, finira par trouver un coupable en la personne d'un certain Rhynwick Williams, reconnu par un témoin, qui finira ses jours enchaîné à un mur de la prison de Newgate, protestant de son innocence ! En 1857, un phénomène semblable se reproduira dans le même quartier. On parlera cette fois d'un criminel qui se serait déplacé avec des ressorts aux pieds. La police ne réussira jamais à l'arrêter.

Newgate et ses spectres...

Aujourd'hui, le tribunal The Old Bailey a remplacé la sinistre prison de Newgate, démolie en 1903. Bon nombre de criminels connus franchirent la porte de la prison. L'un deux, Jack Sheppard, réussira à s'en évader trois fois en 1723. Les détenus riches jouissaient d'un certain confort, les gardiens pouvant leur procurer des meubles, un bon lit et des repas cuisinés dans un pub voisin. Pour les autres, il ne restait que brouet et paille humide. Les médecins refusaient de s'y rendre de peur d'attraper la variole, surnommée"la fièvre de Newgate". Jusqu'en 1783, les condamnés étaient pendus au gibet de Tyburn, actuellement Marble Arch. La nuit avant l'exécution, le condamné entendait sonner le glas de l'église du Saint-Sépulcre, aujourd'hui en ruine. Le bourreau frappait toutes les heures à la porte de la cellule en psalmodiant : « *La mort arrive, je l'ai rencontrée en chemin, elle n'est pas loin !* ». Ultime faveur, on lui donnait un bout de chandelle pour pouvoir lire la Bible ! Pour se rendre au gibet, le condamné, revêtu de ses meilleurs habits, allait mettre plus de trois heures, tant la foule était dense. Il devait faire un arrêt obligatoire devant l'église de Saint-Giles, proche de Charing Cross Road, où le bourreau lui offrait ses deux dernières pintes de bière. Une fois pendu, après avoir descendu Oxford Street porté par les aides du bourreau, son corps était remis aux médecins pour dissection.

En 1783, on abandonna Tyburn et les exécutions eurent lieu devant la prison. Parfois, il arrivait que l'on exécutât plus de vingt personnes sur l'immense gibet qui avait été monté la veille. Les corps des suppliciés étaient alors enterrés, recouverts de chaux vive, sous la prison. Les passants qui s'attardent, certaines nuits brumeuses, autour de l'ancien site de Newgate, risquent de voir le fantôme du chien noir du bourreau disparaître dans un mur de l'église du Saint-Sépulcre. Une légende tenace voulait qu'il se nourrît de la chair des suppliciés. Il arrive aussi qu'une procession spectrale sorte du mur du Old Bailey et se dirige vers le cimetière de la cathédrale Saint-Paul. Un vieil ami m'a raconté qu'il ne s'agissait que des bons moines qui veillaient jadis sur les condamnés. Dickens écrivit plusieurs articles sur la prison, dont un dénonçant les exécutions publiques. A la fin du roman *Les Grandes Espérances*, le forçat Magwitch, bienfaiteur secret du jeune Pip, y est enfermé en attendant la mort.

Les cloches de Bow

L'église de Bow Lane, que l'on doit au talent de Wren, fut le refuge des proscrits. Ceux qui fuyaient la justice royale pouvaient se prévaloir de l'immunité que l'église leur conférait une fois son porche franchi. En 1680, l'un d'entre eux surnommé "l'araignée"finira ses jours dans la flèche. Il n'avait pas payé d'impôts depuis plus de dix ans. Même en l'enfumant, la police ne réussit pas à le faire descendre. Son corps momifié sera découvert au moment du Blitz.

Si vous naissiez à portée du son des cloches de St Mary-le-Bow, vous passiez pour un "Cockney", un vrai membre du Londres populaire.

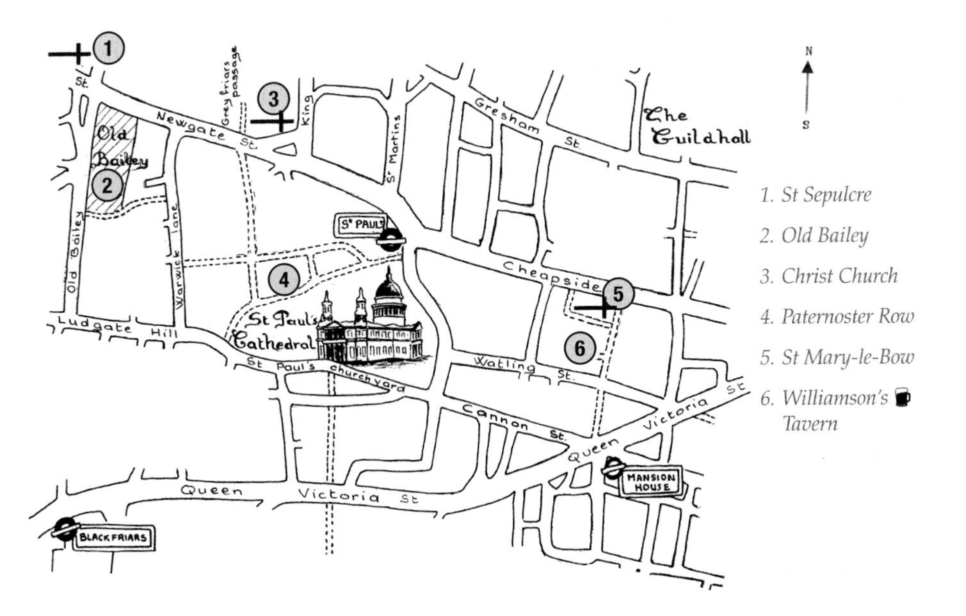

Au fond de Groveland Court se dissimule The Williamson's Tavern. En 1895, il était obligatoire d'y fumer la pipe, les non-fumeurs n'y étaient pas admis.

Aujourd'hui les fumeurs de la City sont obligés de se réfugier sous les porches. A l'automne 1888, l'inspecteur Abberline de Scotland Yard suivit jusque dans ce pub l'homme qui fut sans doute le redoutable Jack l'Eventreur.

Dernière curiosité, face à la gare de Liverpool Street, au 202 Bishopsgate, se tient un très vieux pub malheureusement modernisé depuis quelques années, le Dirty Dick. Il eut pour client Nathaniel Bentley, un riche dandy du quartier qui y avait commandé son repas de noces. Le jour du mariage, il apprit que sa fiancée avait péri la veille dans un naufrage au large de Douvres. Bentley, fou de douleur, s'enferma chez lui, se fit livrer le gâteau de mariage et ne sortit plus pendant deux ans. En entrepreneur avisé, le patron du pub donna une grande publicité à cette affaire et transforma une pièce de son pub en y mettant des objets hétéroclites et les restes du fameux repas qui n'eut jamais lieu. Charles Dickens dans *Les Grandes Espérances* se serait inspiré de cette anecdote pour créer le personnage de la vieille Mrs Haversham qui, dans sa robe de mariée, passe ses jours attablée devant les reliefs de son repas de noces.

Même si le brouillard londonien ne hante plus les nuits de la City, on peut toujours y revivre ces histoires !

Comment s'y rendre...

Station Bank ou Monument.

A voir...

- **Hold-up à Londres. (The League of Gentlemen)** *1960 Basil Dearden avec Jack Hawkins*
- **Le Jour où l'on dévalisa la Banque d'Angleterre. (The Day They Robbed The Bank Of England) .** *1961 John Guillermin avec Aldo Ray*
- **Les Grandes Espérances. (Great Expectations)** *1946 David Lean avec John Mills et Valérie Hobson*
- **Brannigan.** *1975 Douglas Hickox avec John Wayne en detective*
- **Scrooge.** *1951 Brian Desmond Hurst avec Alistair Sim*
- **Scrooge, The Musical.** *1970 Ronald Neame avec Albert Finney et Alec Guiness*
- **Creep.** *2004 Christopher Smith*
- **Death Line.** *1972 Gary Sherman avec Donald Pleasance et Christopher Lee*
- **London Can Take It.** *1942 un documentaire réalisé par Humphrey Jennings*

A lire...

- **Un Conte de Noël (A Christmas Carol).** *Charles Dickens 1843*
- **Les Grandes Espérances (Great Expectations).** *Charles Dickens 1860*
- **Le Mariage du Ciel et de l'Enfer. (The Marriage of Heaven and Hell)** *William Blake 1793*
- **The London Monster : Terror on the Streets in 1790.** *Jan Bondeson*
- **Harry Potter à l'école des sorciers (Harry Potter and The Philosopher's Stone).** *JK Rowling 1997*
- **London at War.** *Philip Ziegler 1995*
- **Ambre (Forever Amber).** *Kathleen Windsor 1944*

photo: Flore Cornuet

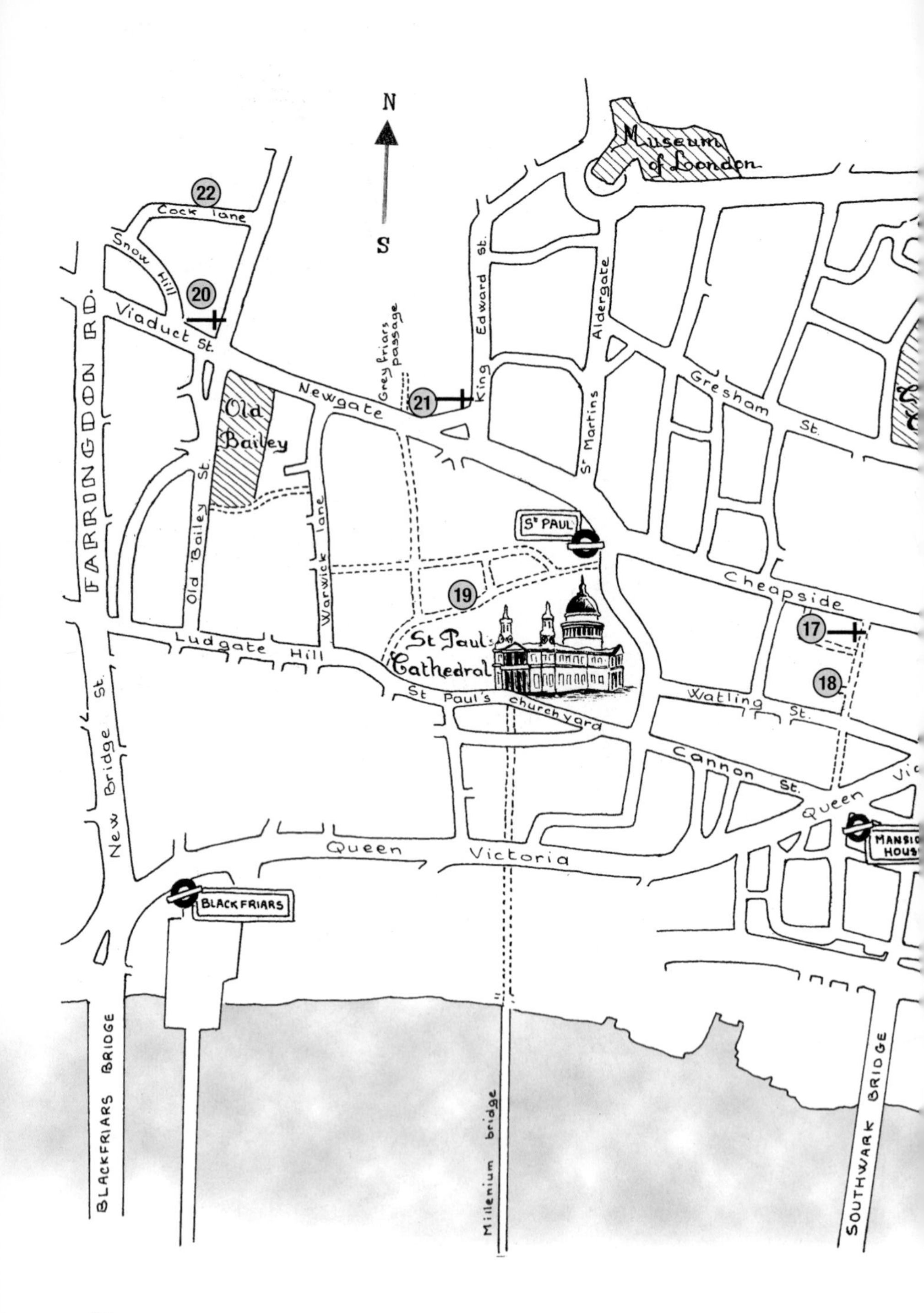
N
S
Museum of London
22
Cock lane
Snow Hill
20
Viaduct St.
FARRINGDON RD.
Old Bailey
Newgate
Grey friars passage
21
King Edward St.
Aldergate
St Martins
Gresham St.
Old Bailey St.
Warwick lane
St PAUL
19
Cheapside
17
18
Ludgate Hill
St Paul's Cathedral
St Paul's churchyard
Watling St.
Cannon St.
Queen
New Bridge St.
Queen Victoria
BLACKFRIARS
MANSIO
HOUS
BLACKFRIARS BRIDGE
Millenium bridge
SOUTHWARK BRIDGE

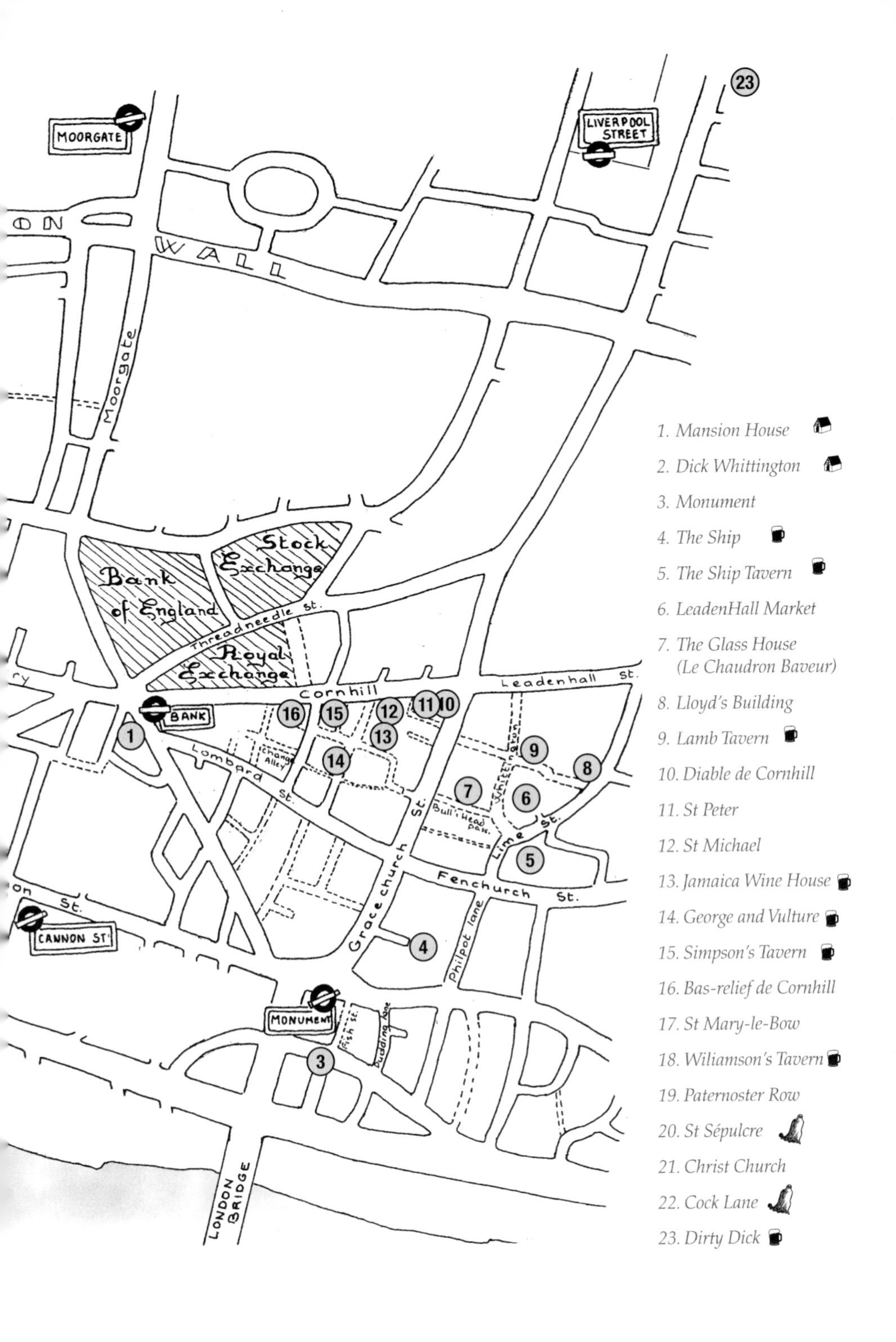

23
MOORGATE
LIVERPOOL STREET
WALL
Moorgate
Stock Exchange
Bank of England
Threadneedle St.
Royal Exchange
Cornhill
Leadenhall St.
BANK
Lombard St.
Change Alley
Whittington
Bull's Head pass.
Lime St.
Gracechurch St.
Fenchurch St.
Philpot lane
CANNON ST
MONUMENT
Fish St.
Pudding lane
LONDON BRIDGE
1. Mansion House
2. Dick Whittington
3. Monument
4. The Ship
5. The Ship Tavern
6. LeadenHall Market
7. The Glass House (Le Chaudron Baveur)
8. Lloyd's Building
9. Lamb Tavern
10. Diable de Cornhill
11. St Peter
12. St Michael
13. Jamaica Wine House
14. George and Vulture
15. Simpson's Tavern
16. Bas-relief de Cornhill
17. St Mary-le-Bow
18. Wiliamson's Tavern
19. Paternoster Row
20. St Sépulcre
21. Christ Church
22. Cock Lane
23. Dirty Dick

East End

L'East End et les docks : tueurs, pirates, immigrés et dockers...

« *J'errais dans Londres à l'heure où le brouillard se confond avec la nuit dans les quartiers populaires où les personnages que je cherchais devaient aimer se dissimuler...* »

Sous la lumière froide... Pierre Mac Orlan

A Londres, il existe encore des quartiers dont le nom seul évoque la peur et la pauvreté. Les faits divers sanglants qui s'y rattachent semblent appartenir au vieux folklore londonien, tant ils ont défrayé la chronique ! Pierre Mac Orlan, auteur de *Quai des brumes*, les découvrit dans sa jeunesse et les racontera plus tard dans ses livres. Dans ces coins oubliés, au fil du temps, des secrets se sont accumulés sous de vastes nappes de brouillard. Derrière la façade d'une vieille salle de spectacle traînent des spectres. Ici, les ombres vous guettent ! Films et livres s'en sont donné à cœur joie pour nous décrire l'East End, ses immigrants et ses criminels. Lorsque Jack l'Eventreur ne frappe plus les prostituées, les frères Kray prennent la relève ; mais entre-temps, les bombardiers d'Hitler auront détruit le Londres populaire et ses traditions.

L'East End est un ensemble de quartiers qui commence aux portes de la City, une fois passé Aldgate, et qui se termine sur les berges de la rivière Lea, pour disparaître ensuite dans les marécages de Walthamstow. Au nord, le Regent's Canal borde l'East End et au sud, la Tamise le sépare des palais de Greenwich.

Quartiers pauvres, mais quartiers hautement pittoresques, toutes les paroisses de l'East End tiennent une grande place dans la mémoire des anglophiles.

Sherlock Holmes, dans *L'Homme à la lèvre tordue*, et plus tard son collègue le détective américain Harry Dickson, fréquentent ces paysages composés de bassins de docks, de ruelles mystérieuses, de pubs glauques et de taudis où vivotent des êtres tout aussi indispensables à l'imagination fébrile de journalistes spécialisés dans le méchant fait divers qu'au développement économique de l'Empire britannique !

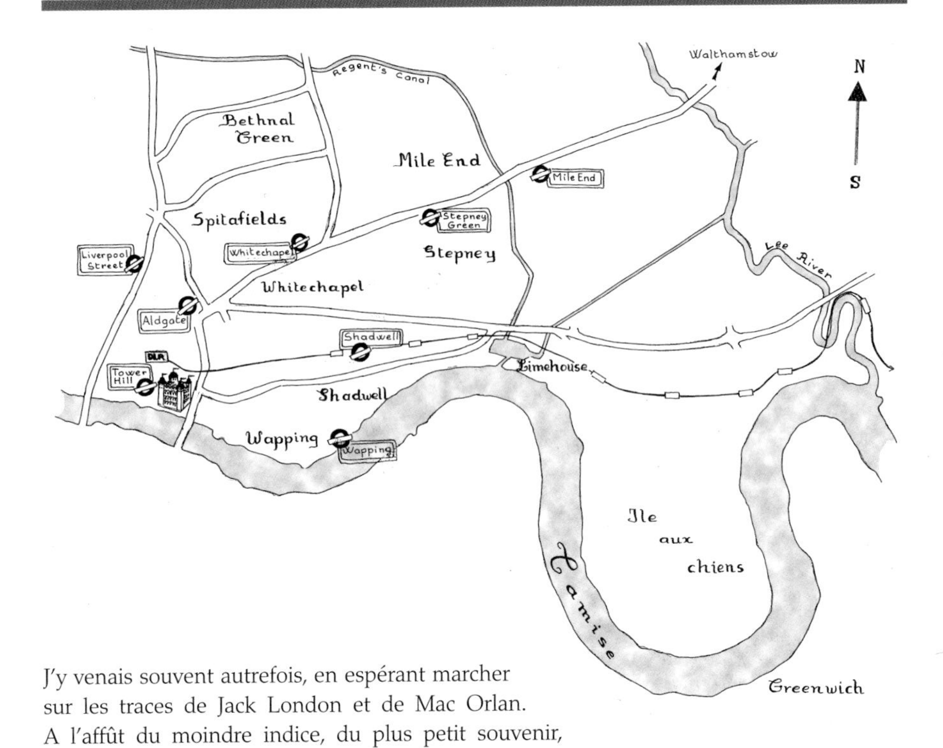

J'y venais souvent autrefois, en espérant marcher
sur les traces de Jack London et de Mac Orlan.
A l'affût du moindre indice, du plus petit souvenir,
j'essayais de retrouver les héros de mes romans préférés.
Aujourd'hui encore, j'aime toujours arpenter ces quartiers qui m'ont ouvert les portes du mystère. A moi de vous les raconter et à vous d'imaginer qu'un brouillard épais joue avec un fin crachin parfumé au houblon…

Terreur, angoisse et liberté…

Grâce aux dessins de Gustave Doré, aux pages de Dickens et aux vieilles photos, nous connaissons les ruelles boueuses, les rangées de masures, les gamins miséreux qui jouent dans les rues et ce brouillard jaune et gras, semblable nous dit l'écrivain fantastique belge Jean Ray à « *une jonque qui remonte un fleuve de Chine* ».

Ce Jean Ray, né à Gand en 1887, arpentera les ruelles de Londres dès l'âge de huit ans. Il évoquera, au fil de ses histoires, une ville pleine de terreur et de nuits angoissantes. Fortement inspiré par Dickens, Jean Ray saura comme personne faire de Londres une ville terrifiante, mais si attachante ! Citons quelques-unes de ses œuvres comme Les *Contes du whisky, Les Derniers Contes de Canterbury* ou encore son remarquable *Livre des Fantômes*. Songez que dans *Les Contes du whisky*, il évoque aussi bien la faune des usuriers de Whitechapel que la vie tranquille des boutiquiers de Bethnal Green. Vous pourrez lire plus loin le récit de la vie exceptionnelle de Jean Ray.

Depuis les raids de l'aviation allemande qui détruisirent les taudis lors des nuits du Blitz, l'East End a bien changé. Il a été reconstruit, restauré, mais il reste toujours peuplé d'immigrés. Depuis 1972, les gens du Bangladesh ont investi le quartier de Brick Lane. Avec son nom écrit en anglais et en bengali, ce quartier, au cœur de Whitechapel, est devenu le plus bel exemple d'un nouveau Londres multiculturel. Ici, vous croiserez des femmes en tchador, des filles en jeans, des bars à la mode, des magasins qui vendent des saris et des reproductions en plastique de La Mecque, des pubs modestes, et vous respirerez un air de liberté qui n'existe nulle part ailleurs !

Whitechapel et Spitalfields...

La balade commence devant la station de métro d'Aldgate East. Nous sommes dans Whitechapel High Street, qui tire son nom d'une chapelle en pierre blanche, construite au XIIIe siècle.

De 1660 à 1927, une grande foire agricole s'y déroulait ; les paysans de l'Essex venaient y vendre leurs produits et en particulier le foin destiné aux nombreux chevaux de la capitale. Des relais de poste et des pubs encadraient cette artère que Daniel Defoe décrivait comme « *sale et populaire* ». Plus tard, Dickens y fera arriver la diligence, tirée par un attelage de huit chevaux, de laquelle descend le légendaire Mister Pickwick.

En 1881, l'Abbé Barnett, inquiet de l'isolement culturel que connaissait sa paroisse, créa la Whitechapel Art Gallery pour « *faire découvrir à ses paroissiens les merveilles de l'art contemporain* » . En 1939, y sera exposé le tableau *Guernica* de Picasso. Ce musée, avec sa façade Art nouveau, attire aujourd'hui les amateurs d'art du monde entier. Ce même abbé ouvrira Toynbee Hall, une université populaire destinée à donner des cours du soir. Ce lieu deviendra par la suite un club politique animé par les ouvriers du quartier.

En revenant sur nos pas, un porche, marqué du sceau de Salomon, indique l'entrée de Gunthorpe Street, passage étroit devenu célèbre depuis le meurtre sanglant, en août 1888, de Martha Tabram, une des victimes de celui que la presse surnommera Jack l'Eventreur. Jean-Pierre Croquet, grand spécialiste du roman policier, a consacré à ce personnage un chapitre qui vous contera en détail l'histoire d'un criminel dont on vient juste, une fois de plus, de découvrir l'identité... Dans Brushfield Street, face au célèbre marché de Spitalfields on découvre le pub The Gun, ouvert en 1782. Sur un mur, une plaque nous informe que dans la cave de cet établissement vivait un certain Georges Chapman, coiffeur de son état, qui fut pendu pour avoir empoisonné ses trois femmes successives. Serait-il aussi l'assassin des prostituées de Whitechapel ? Nous n'en savons rien mais, en tout cas, par temps de pluie, cet établissement typique et bas de plafond, avec son long bar en cuivre, ce lieu glauque à souhait et ignoré des touristes, m'intrigue et me plaît. Etudiants, hommes d'affaires et ouvriers aiment s'y retrouver autour d'une pinte de la célèbre bière Taylor and Walker, la plus ancienne marque londonienne. Le vieux marché couvert de Spitalfields, établi sur l'ancien terrain d'exercice des artilleurs du roi Henri VIII, qui "faisaient cracher les canons" (to spit the gun). Aujourd'hui, cet ancien marché victorien ne propose plus que des objets d'artisanat, de la nourriture biologique, des livres neufs et des tableaux. Jadis, je fréquentais ici la librairie Magpie Bookshop qui vendait de nombreuses publications sur l'East End.

George Orwell, les huguenots et les herbiers de Maître Culpeper

Un peu plus loin, existait à l'époque victorienne, un asile de nuit qui appartenait à un entrepreneur de pompes funèbres. Ce dernier faisait dormir des sans-abri dans ses cercueils neufs pour le modeste prix de quatre shillings. Lorsqu'en 1935 Georges Orwell dormait au hasard des asiles de nuit, dans le but d'écrire *Dans la dèche à Paris et à Londres*, il fréquenta ce lieu de misère, éclairé par des lampes qui fonctionnaient encore à la graisse de phoque.

Brick Lane est l'une des grandes artères du quartier. Les ateliers de fabrication de briques des huguenots lui ont donné son nom. Dès 1685, à la Révocation de l'Edit de Nantes, des protestants français, venus de Tours et de Lyon, s'installèrent sur les terrains de Spitalfields qui nous entourent. L'un d'eux, le pasteur Fournier fut, en 1730, à l'origine du Grand Temple, décoré d'un magnifique cadran solaire, à l'angle de Brick Lane et de Fournier Street. Ce lieu de culte deviendra successivement une synagogue, une mosquée et aujourd'hui un temple sikh.

Au XVIIe siècle, plus de vingt mille personnes travaillaient dans l'industrie de la soie, sous la haute protection des monarques anglais. Du Londres huguenot, il reste des maisons marquées de la fleur de lys, le long de Princelet Street, Fournier Street ou de Wilkes Street. On les reconnaît à leurs gros volets en bois, à la simplicité du style géorgien qui leur donne fière allure et à la grande taille des fenêtres des greniers qui devaient laisser passer un maximum de lumière lorsque travaillaient les tisserands. Cette industrie finira par s'éteindre en 1916.

L'un des habitants du quartier, dont la renommée a franchi la barrière du temps, est l'herboriste Nicholas Culpeper qui, au XVIIe siècle, soignait toutes les maladies avec les herbes qu'il récoltait dans les prés des environs. Aujourd'hui encore il est possible d'acheter son almanach *La Médecine par les herbes*.

Deux peintres à Spitalfields...

Parmi les célébrités actuelles du quartier, citons les deux peintres Gilbert et Georges qui vivent dans l'une de ces maisons hautes. Je les croisais souvent au Bengal Cuisine, mon restaurant favori de Brick Lane. Quel plaisir c'était de les observer, vêtus du même costume de tweed, portant la même cravate autour du cou, identiques jusqu'à la pointe des chaussures. On aurait dit Dupond et Dupont ! Ces deux génies de l'art moderne, dignes du grand Andy Warhol, symbolisent bien la renaissance qui souffle sur l'East End d'aujourd'hui.

Dans Commercial Road, en quittant le marché, s'impose à nos yeux Christ Church, une église de Nicolas Hawksmoor, construite entre 1714 et 1729. Un petit cimetière huguenot la jouxte. En remontant la rue, nous passons devant le Ten Bells, le pub où Jack l'Eventreur rencontra sa dernière victime, Mary Kelly. En empruntant une courte allée, Puma Court, bordée de petits cottages et de quelques commerces, nous voilà dans Princelet Street.

Des Juifs oubliés...

Ici dorment aussi les souvenirs de ces Juifs qui ont succédé aux huguenots.

Au numéro 19 de cette rue se trouvaient une vieille synagogue et le mystérieux logis de David Rodinsky, un Juif orthodoxe passionné par la topographie londonienne et dont la chambre restera fermée plus de trente ans après sa mort. En effectuant des travaux, des ouvriers mirent à jour cette pièce, un matin de mai 1997. Ce personnage avait été aperçu pour la dernière fois, à Whitechapel, un soir de novembre 1962 ! Redécouverte par Rachel Lichtenstein et Iain Sinclair, cette histoire fera l'objet d'un livre à succès, *La Chambre de Rodinsky.*

La synagogue de Rodinsky

J'ai eu un choc le jour où j'ai pu pénétrer dans ces lieux. Je revois, baignant dans un mélange de lumière et de poussière, la vieille synagogue abandonnée avec ses galeries, le cabinet sacré où jadis reposaient les rouleaux de la Torah. Parcourant la maison en toute liberté, grimpant les vieux escaliers, je les ai tous retrouvés, ces immigrants qui ont, les uns après les autres, fait Whitechapel. Derrière la maison, il y avait un jardinet, planté d'un cerisier...

Sur un mur de l'immeuble voisin, une plaque bleue nous signale le lieu de naissance de Miriam Moses, la première femme élue maire de Stepney en 1931.

Il n'était pas rare que des familles de dix personnes partagent une seule pièce. Chaque été, les épidémies de choléra faisaient trembler ces gens, dont beaucoup ne parlaient que le yiddish. Le cœur du Londres juif battait dans ces venelles, enchevêtrement d'arrière-cours où se mêlaient ateliers, échoppes de chapeliers, magasins de fourreurs, fabriques de casquettes, chichement éclairés par la lueur tremblante d'une pauvre lampe à gaz. Les plus folles légendes couraient, comme celle sur ce Golem, créature fabriquée dans l'antre d'un mystérieux rabbin de Fleur de Lis Street qui devait protéger les Juifs de Whitechapel contre leurs ennemis. De maigres feux brûlaient dans les cheminées. Il faisait froid, la misère salissait les murs comme dans la bande dessinée de Loisel, *Peter Pan*. Les bonnes œuvres organisaient des soupes populaires pour secourir les pauvres ; mais les soirs de Shabbat, on mettait les nappes blanches sur les tables, avant d'allumer les bougies du rituel. Toute la semaine, ces immigrés avaient mis de côté la somme nécessaire pour récupérer le chandelier à sept branches, déposé chez le prêteur sur gages qui, dans sa boutique reconnaissable à l'enseigne aux trois boules dorées, connaissait la situation financière de chaque personne franchissant le pas de sa porte.

Souvenirs d'un vieux Juif de Whitechapel...

En 1975, l'un des derniers Juifs du quartier m'avait reçu dans une petite synagogue, située au fond d'une cour de Fashion Street :

« Ici, jusqu'en 1940, il y avait des rabbins, des hommes à la tête remplie des souvenirs de leur petit village de Pologne. Ils n'oubliaient pas qu'on les en avait chassés. Alors le vendredi soir, pour mieux se souvenir, ils embrassaient avec fougue les rouleaux de la Loi Sacrée. Même les plus misérables mettaient un point d'honneur à poser une nappe blanche sur une pauvre table branlante, parfois sur une caisse vide... Quand on se promenait le vendredi soir, on voyait les nombreuses bougies qui brillaient derrière les fenêtres.

Le samedi matin, chacun mettait ses meilleurs habits pour se rendre à la synagogue, puis les plus fortunés allaient manger chez Bloom's, le grand restaurant juif de Whitechapel High Street, où on leur servait des carpes farcies, comme au pays...

Les serveurs connaissaient bien leurs clients ; le patron les obligeait à acheter eux-mêmes un certain nombre de plats qu'ils devaient placer auprès de leurs habitués en faisant très attention à réaliser un petit bénéfice. En cas de mauvaise journée, ils ne rapportaient rien à la maison... Les gens étaient vraiment pauvres, mais lorsqu'un voisin faisait une tarte aux pommes, il s'assurait qu'il y en aurait assez pour la famille d'à côté... »

Dans Whitechapel, en 1895, vivaient ici près de trente mille Juifs ! Plus aucun de leurs commerces ne subsiste aujourd'hui. Seule l'enseigne du vieux Katz, le marchand de cordages, est encore lisible ; au début de Fashion Street, le magasin de tissus de Samuel Rozanski est fermé. Il sera le dernier à baisser son rideau de fer en juin 1999. Je serai là ce dernier jour. Samuel se contentera de m'entraîner devant l'ancienne grande synagogue et de me dire : « *Ce soir tu as vu mourir le vieux Whitechapel* ! »

Bientôt même son enseigne disparaîtra, comme celle des anciens bains turcs où les habitués se retrouvaient le dimanche matin.

Renouveau de Whitechapel...

Le long de Brick Lane fleurissent les restaurants orientaux, peu onéreux et souvent excellents. Depuis les années soixante-dix, les réfugiés du Bangladesh se sont installés à la place des Juifs. Ces derniers sont partis vers Mill Hill, Hampstead ou Golders Green. Les nouveaux immigrés vivent au sein de communautés très fermées. Ils maintiennent la tradition populaire de l'East End et subissent la vindicte des racistes comme lors de l'attaque à la bombe de l'été 1999. Contrairement à celle que posa le même criminel dans un pub de Soho, celle-ci ne fit heureusement que des dégâts matériels.

Autour de Brick Lane se tient, chaque dimanche, un vaste marché à la brocante et à la ferraille, en lieu et place de l'ancien marché où, jusqu'en 1939, les marins de passage essayaient de fourguer des marchandises rapportées de leurs voyages. Il y avait également le marché aux animaux qui permettait à des gosses qui n'avaient jamais quitté Whitechapel de découvrir des espèces uniquement visibles au cinéma. Le plus connu des marchands animaliers était un certain Salomon Burke ; dans son échoppe on trouvait aussi bien un perroquet, un tigre ou des alligators !

Au café The Happy Inca, un Péruvien proposait des spécialités juives. Aujourd'hui, c'est au Beigel Bake, ouvert toute la nuit, qu'on vous sert cafés et bagels au saumon, sous l'œil inquisiteur de la vieille et haute cheminée de la brasserie Truman. A minuit, j'y traque les spectres…

Petticoat Lane et les anguilles de Tubby Isaac…

Un autre marché se tient aussi tous les dimanches, celui de Petticoat Lane. Jadis, on venait de loin pour y acheter à bas prix des vêtements d'occasion. Aujourd'hui, ce n'est qu'un marché, bruyant et sans intérêt, d'objets et de fringues de mauvaise qualité, mais tradition oblige, on peut toujours déguster les crevettes et les anguilles en gelée de Tubby Isaac, au stand même où, en 1890, ses ancêtres débutèrent. Je me souviens qu'il y avait le long de Whitechapel High Street de petits restaurants qui proposaient des anguilles au vert, accompagnées d'un pâté de viande et d'une épaisse purée de pommes de terre. C'était il y a plus de trente ans…

Les petites marchandes d'allumettes, Jenny Marx et l'Armée du Salut…

Les souvenirs littéraires et politiques jonchent cette partie de l'East End. En se promenant dans ces lieux chargés d'histoire, nous reviennent en mémoire Thomas de Quincey et son livre *Les Confessions d'un mangeur d'opium,* Jack London qui écrivit en 1902 *Le Peuple des Abysses,* Georges Orwell, cité plus haut, Sir Arthur Conan Doyle, Charles Dickens ou Daniel Defoe. Plus près de nous, n'oublions pas le très moderne Iain Sinclair, grand spécialiste de romans ésotériques londoniens.

Bien entendu, nous aurons une pensée émue pour les acteurs politiques et syndicaux qui participèrent aux luttes sociales afin de bâtir un monde meilleur. Aux Pankhurst, mère et filles, et à leurs suffragettes qui luttèrent pour donner le droit de vote aux femmes. A Jenny Marx, fille de Karl, qui, durant l'été 1888, aida les petites fabricantes d'allumettes de l'usine Bryant and May à obtenir des salaires plus élevés et de meilleures conditions de travail. Saluons également le docteur Barnardo qui ouvrit des orphelinats où les gosses des rues apprenaient un métier et le colonel Booth qui, lassé des ravages de l'alcoolisme et de la misère, créa l'Armée du Salut au 220 Whitechapel Road, en juillet 1865. Naître Cockney à portée du son des cloches de l'église St Mary-le-Bow ne suffisait pas à vous éloigner des vicissitudes de la vie.

Les curieux seront ravis d'apprendre que Staline, exilé à Londres en 1907, habitait au 75 Jubilee Street. Le soir, il rejoignait Trotski et Lénine dans les arrière-salles enfumées des pubs de Commercial Road pour d'interminables réunions politiques devant un auditoire russe.

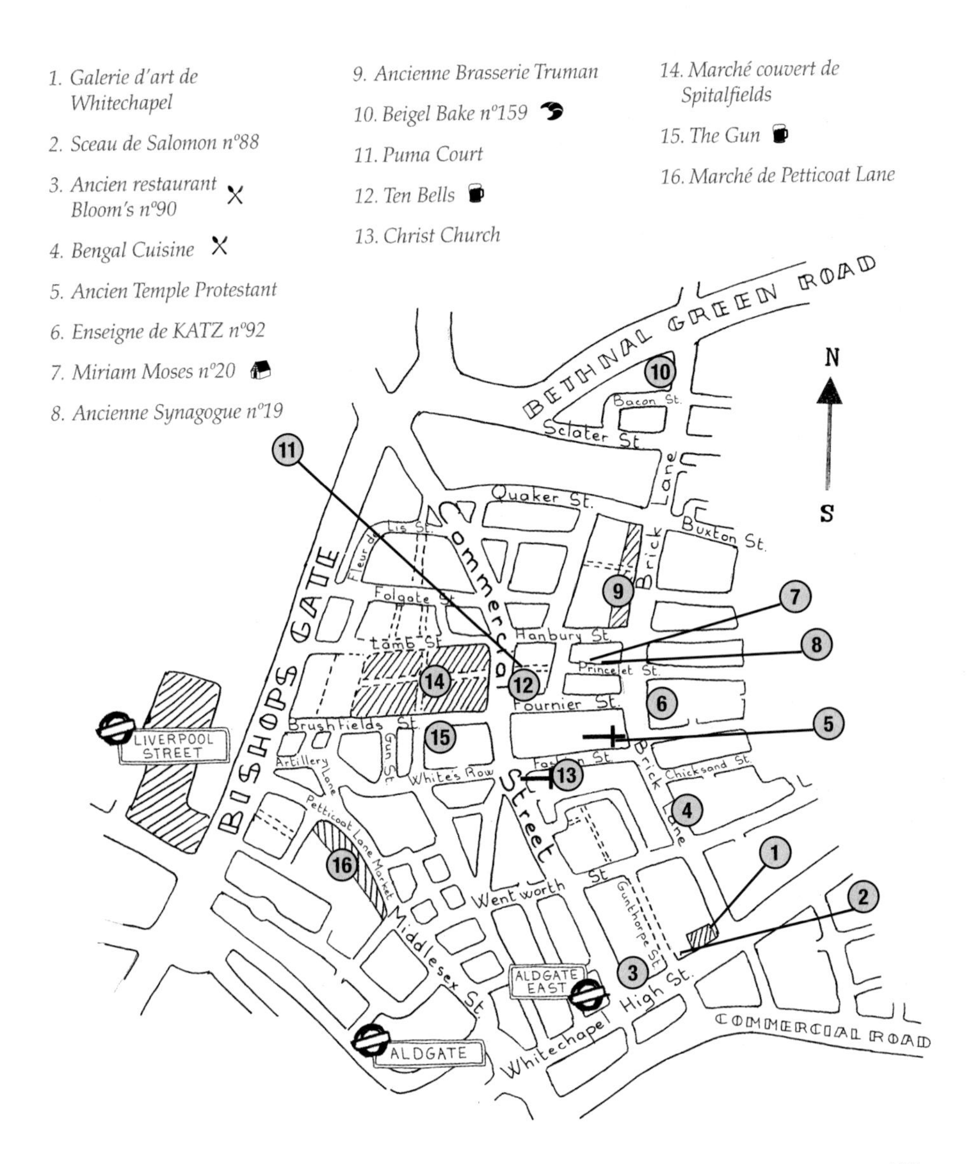

Elephant Man...

On imagine, un soir de 1884, la silhouette de Joseph Merrick, l'homme éléphant, le visage masqué, déambulant dans ces venelles, après s'être enfui de la sinistre baraque foraine où il était exhibé à la foire de Bethnal Green avec d'autres "freaks" comme la femme à barbe ou l'homme-tronc. Il fut sauvé par un médecin du London Hospital, le docteur Treves, qui le soigna et lui redonna sa dignité. David Lynch en fit un film exceptionnel, entièrement tourné en noir et blanc.

Les épidémies de choléra, comme celle de 1865, provoquée par un cygne mort qui bouchait une conduite d'eau, frappaient durement le quartier et remplissaient les lits de cet hôpital qui était aussi le dernier refuge des prostituées atteintes de maladies vénériennes et des alcooliques en dernière phase. Dans la crypte de St Philip's Church, la chapelle du London Hospital, qui se trouve dans Newark Street, on peut voir une exposition de souvenirs consacrée à la véritable histoire de Merrick.

Les frères Kray...

Au début de Cambridge Heath Road, Whitechapel High Street se perd dans Mile End Road. On dépasse une mosquée et, plus loin, sur le trottoir de gauche, le pub The Blind Beggar où eut lieu le meurtre du gangster Georges Cornel, abattu par Ronnie Kray, l'un des bandits les plus redoutés du quartier. Cela se passait le 8 mars 1966, un mauvais soir d'hiver. Du juke-box sortait la voix de Scott Walker qui chantait son succès *The sun ain't gonna shine anymore.* L'infortuné Cornel fut tué d'une balle par Ronnie Kray pour l'avoir traité de « sale pédéraste » . Je sais que pendant des années, le patron du pub aimait montrer l'impact du projectile sur son plafond.

Les frères Kray exerçaient racket et chantage sur Londres. Pourtant, à la mort de Ronnie et de Reggie Kray, la foule de leurs voisins et nombreux admirateurs fit une haie d'honneur sur le passage du corbillard. Les Kray, champions du 9mm et de l'escroquerie, ne supportaient ni la trahison, ni la concurrence des autres gangs, comme celui de la famille Richardson qui tenait sous sa coupe le sud de la Tamise.

Cependant, à cette époque, aux dires de quelques anciens, les gens ordinaires pouvaient laisser les portes de leur maison ouvertes et ne risquaient pas de se faire voler leur portefeuille en faisant leurs courses. Reggie et Ronnie Kray, nés dans un modeste logis de Valance Road, sont restés, aux yeux de certains, de véritables héros populaires.

Small Faces, pop music, photographes et acteurs...

Deux autres enfants de l'East End virent le jour entre Whitechapel et Stepney : Steve Marriott, le fondateur des Small Faces et Peter Green, le guitariste légendaire du groupe Fleetwood Mac.

Ils débutèrent dans les pubs le samedi soir et fréquentèrent adolescents le Troxy, l'immense salle de Commercial Road, dont il ne reste que la façade abîmée par les intempéries. Ce cinéma ouvrit ses portes en 1933 avec la première londonienne de *King Kong* et les referma pour sa dernière séance en 1959 avec le *Dracula* de Terence Fisher ! Deux acteurs de cinéma naquirent entre Whitechapel et Bow ; il s'agit de Michael Caine et de Terence Stamp. Ils étaient issus d'un milieu ouvrier, tout comme les photographes de mode David Bailey et Terence Donovan, originaires de Stepney, qui dominèrent le Londres des Sixties. Ils avaient connu l'horreur des bombardements, le rationnement mais également la solidarité qui régnait alors chez les familles du quartier. C'était l'époque des courses de lévriers, des paris sur les matchs de boxe clandestins et des marchandises volées que l'on vendait à la sauvette au hasard des pubs…

Les cloches de Whitechapel Road…
Peter le Russe et Winston Churchill…

En redescendant Whitechapel High Street, voici sur votre droite la façade et les murs austères d'une vieille fonderie de cloches datant de 1420. C'est ici que furent fondues bon nombre de cloches, dont celle de la Liberté de Philadelphie, les bourdons de l'abbaye de Westminster et bien entendu la grosse cloche de Big Ben.

On se souviendra que le 3 janvier 1911, au milieu de Sidney Street, le russe Peter le Peintre et quelques anarchistes tinrent en échec Scotland Yard pendant un siège de trois jours. Après une série de vols à main armée et d'assassinats crapuleux, une poursuite s'ensuivit entre police et bandits, des marais de Tottenham à un taudis de Whitechapel situé au numéro 100 Sidney Street. Au cours du siège de nombreux coups de feu de Mauser furent échangés. Pour venir à bout des séditieux, Winston Churchill, ministre de l'Intérieur, vint diriger en personne l'assaut final ! Trois ans plus tard, la jeunesse de Whitechapel allait mourir dans d'autres combats...

Ainsi va cette partie de l'East End, où lumières et ombres se croisent en des lieux qui, avec leurs bonimenteurs et leurs héros bien-aimés, restent des terrains propices à de fortes doses de nostalgie et ne laisseront jamais le promeneur indifférent.

Paul Morand, écrivait en 1937, dans son livre *Londres* :

« *Lorsque le fog descendait sur Whitechapel, la fabrique à anecdotes se mettait à fonctionner... Alors, en écoutant parler les anciens, je me croyais parti sur les pages d'un bon livre d'aventures...* »

De la Tour de Londres à l'Ile aux Chiens...

A la sortie de la station de métro Tower Hill, s'imposent à notre regard les remparts de la Tour de Londres, qui semblent surgir d'une vignette de *La Marque Jaune* et le mythique Tower Bridge ! Qui ne garde en mémoire la phrase magique d'Edgar Pierre Jacobs ?

« *Minuit sonnait sous le ciel d'Angleterre, tout alourdi de pluie ...* »

Sinistre est la Tour...

Entrons, par la porte mystérieuse du passé, dans cette forteresse dont l'origine remonte à Guillaume le Conquérant, alors duc de Normandie. Il édifia la Tour dès 1066 pour contrôler la ville. De nombreux crimes eurent lieu dans cet édifice. En 1482, deux cents Juifs y furent pendus, accusés d'avoir frappé de la fausse monnaie. Les petits princes y furent étouffés en 1485 sur ordre de Richard III, dans une chambre de la "Bloody Tower". On y tortura aussi Guy Fawkes, le chef du complot des poudres. Rois et reines d'Angleterre avaient coutume d'éliminer leurs rivaux sur le tertre de Tower Hill. Anne Boleyn, la jeune Lady Jane Grey, Thomas More, finirent leurs jours sur le square où l'herbe refusait de pousser.

Après tant de morts violentes, la Tour nous semble être devenue, au fil des ans, le lieu de prédilection des apparitions spectrales.

Pendant la guerre, le chef nazi Rudolf Hess fut enfermé dans cette prison. Il devait entendre le bruit rapproché des bombes allemandes qui frappaient les docks. Sans doute, se mit-il à espérer que poussent les ailes des gros corbeaux qui marchaient sous sa fenêtre, car cela aurait été, selon la légende, le signe annonciateur de la fin de la monarchie britannique ! A la même époque, des espions nazis furent fusillés dans les fossés près de la fameuse Porte des Traîtres sous laquelle passaient les condamnés. Le dernier, Josef Jakobs, affronta le peloton d'exécution en août 1941.

La Cérémonie des clés, tradition vieille de cinq cents ans, continue de se dérouler chaque soir, à la tombée de la nuit, au moment de fermer la porte principale de la Tour et de remonter le pont-levis. L'officier responsable se voit remettre les clés qu'il gardera toute la nuit dans ses appartements.

Mais laissons la Tour aux manuels scolaires et suivons le parcours balisé qui longe le vieux chemin du dock de St Katharine. En passant, on notera le mur du Londres romain et les terrains de tennis de la garnison de la Tour, situés dans les anciennes douves, aujourd'hui asséchées.

Le bassin de Londres...

Le gigantesque Tower Bridge, dont le tablier peut s'ouvrir afin de permettre aux bateaux de pénétrer dans le bassin de Londres, The London Pool, fut érigé en 1894.

Nous entrons dans les St Katharine's Docks où se trouvent des bâtiments, conçus par l'ingénieur Thomas Telford, dans lesquels étaient entreposées des cargaisons d'ivoire, de fourrures et de tabac.

Le cinéphile se souviendra qu'ici, sur le petit pont de fer, Richard Widmark essaie de rattraper Nastassja Kinski dans *Une fille pour le Diable* adapté d'un roman de Dennis Wheatley.

Un pub, The Dickens Inn, ouvert depuis 1976 par un descendant de Dickens, attire de nombreux touristes, avides de rapporter chez eux une photo de ce qu'ils croient être un vestige du Londres victorien. Dommage qu'ils ne puissent pas aussi emporter une nappe de brouillard ! En fait, il s'agit d'un vieil entrepôt de voiles et de cordages où l'auteur des *Grandes Espérances* venait rendre visite à son beau-père, Christopher Huffam. Dickens aimait l'atmosphère du port. Il savait que d'ici partaient les grands navigateurs qui tentèrent de découvrir le passage du Nord-ouest vers l'Asie, comme Martin Frobisher, Willoughby ou Borough. Les deux derniers périrent dans leurs navires, prisonniers des glaces.

Dickens dénonça le travail de ces gosses qui trimaient dans les baraquements en poussant des ballots de marchandises. A cause des plafonds très bas, les maîtres des docks employaient des enfants, de petite taille, pour garnir les entrepôts.

L'horloge du dock est remarquable ainsi que les deux statues d'éléphants qui surmontent les portes donnant sur East Smithfield. Cette rue, prolongée par The Highway, est mal aimée des gens de mer depuis qu'en décembre 1811 John Williams, un marin, se suicida dans sa cellule après avoir été accusé du meurtre crapuleux d'une famille d'épiciers. Coupable, il le fut pour les autorités judiciaires et l'opinion publique. Non seulement son cadavre fut enterré à la croisée de quatre routes, mais le pasteur local lui enfonça un pieu dans le cœur, sort réservé aux suicidés. Le fossoyeur s'arrangea pour que sa tête dépasse de la tombe, afin que les chevaux puissent l'écraser à coups de sabot. La romancière P. D. James a tiré de ce fait divers le livre *Les Meurtres de la Tamise*.

La bataille de Cable Street...

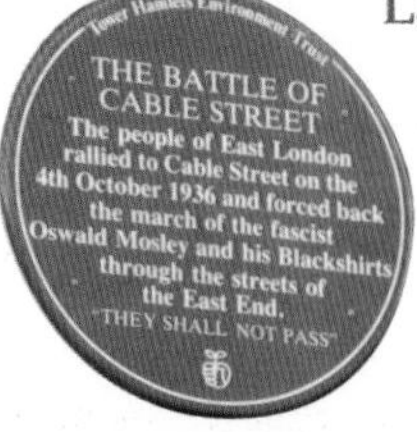

Plaque commémorative de la bataille de Cable Street sur une maison de Dock Road

Nous voici à quelques pas de Cable Street où, le dimanche 4 octobre 1936, les fascistes en chemises noires de Sir Oswald Mosley, leader du British Union of Fascists, furent arrêtés de manière plutôt musclée par les ouvriers et les commerçants juifs du quartier. Ancien député conservateur, puis travailliste, Mosley était devenu fasciste, après sa rencontre avec Mussolini. Il décida de terroriser les Juifs, en organisant une manifestation géante pour tenter de traverser l'East End et d'asseoir, par ce geste, son autorité sur la classe ouvrière. Mal lui en prit : les barricades s'élevèrent et il dut reculer sous la protection de la police, avant d'annuler la manifestation. Une plaque, sur une maison de Dock Street, commémore sa défaite et une peinture murale sur l'ancienne mairie de Shadwell célèbre la mobilisation des habitants du quartier en ces heures tragiques.

Les mystères de Wellclose Square...

En continuant dans Cable Street, nous retrouvons l'étrange Wellclose Square. Conçu par Christopher Wren en 1688, il aurait été construit suivant les plans d'un temple maçonnique. Il est vrai que Wren, comme James II qui exonéra les habitants du square de plusieurs impôts locaux, appartenait à la Grande Loge Unie d'Angleterre. Sous une maison du square se trouve un tunnel qui donnerait accès à de vastes salles où se réunissaient jadis les francs-maçons du rite écossais. Un autre souterrain conduirait directement à la Tour de Londres, dont le gouverneur est toujours le gérant des terrains de Wellclose Square. Il y avait aussi une prison qui sera démolie en 1911. Il faut se souvenir que c'est dans une maison de ce square que vivait en 1725 Swedenborg. Ce philosophe suédois, mystique et visionnaire, était élève du rabbin Samuel Falk qui enseigna aussi à Cagliostro. Je me souviens du Green Parrot Club, un petit pub aujourd'hui démoli, dont le patron se vantait de posséder chez lui des souvenirs de Swedenborg...

Wilton's Music Hall

Le Wilton's Music Hall, situé à l'extrémité de Graces Alley reste le dernier témoin d'un temps révolu, celui des spectacles de vaudeville de l'époque victorienne. Sur ses planches se produisirent Charlie Chaplin, Stan Laurel ou encore ce Dan Leno qui interpréta des rôles d'enfants malicieux jusqu'à un âge avancé. L'historien de Londres, Peter Ackroyd, lui consacra le roman *Le Golem de Londres*. Le premier Cancan y fut banni dès sa création, pour atteinte aux bonnes mœurs ! Ici débuta un chanteur, Champagne Charlie, qui avait l'habitude d'interpréter des chansons grivoises en buvant du champagne, d'où son nom de scène.

En visitant ce vieux théâtre, on peut encore admirer son décor magnifique avec ses galeries, sa fresque de danseuses, les ombres des immenses chandeliers et la verrière qui laisse passer une douce lumière qui baigne les fauteuils d'orchestre. On imagine bien les soirées à l'époque de John Wilton, le fondateur du théâtre, avec la fumée des pipes et des cigares des matelots en bordée qui flottait au-dessus de la scène.

La façade n'a jamais été restaurée et reste authentique avec sa peinture écaillée, chahutée par la pluie et les ans. C'est tout à fait l'atmosphère que Chaplin a reconstituée dans son film *Les Feux de la rampe*.

Enfin, on peut remercier le poète John Betjeman, passionné de victorianisme, d'avoir fait campagne avec Laurence Olivier, Ralph Richardson et bien d'autres, afin de sauver cette salle de spectacle de la démolition.

Les fantômes des jongleuses, chanteuses et clowns peuvent désormais y dormir en paix.

Les flibustiers de Wapping…

Une fois dans les docks, nous nous engagerons dans Wapping High Street, une ancienne rue de bordels et de tavernes où officiaient, avant chaque campagne, les sergents recruteurs de la marine de Sa Majesté. Combien de pauvres matelots, au lendemain d'une beuverie, furent réveillés à coups de pieds aux fesses, à bord d'un navire de guerre ! Dans cette rue, armateurs et capitaines pouvaient acheter tout ce qui était nécessaire à leur profession : uniformes, lanternes, sextants, sabres d'abordage et longues-vues. Charpentiers de marine, calfats, gréeurs possédaient leurs ateliers ici. Rien que dans la rue principale, on comptait trente-six pubs et une vingtaine d'hôtels. Wapping était alors connu sous le sobriquet de Sailortown, la ville des marins.

Selon les propres paroles de Daniel Defoe, « *rares étaient les jeunes filles de Wapping qui atteignaient leurs dix-sept ans, compte tenu des maladies, de l'alcoolisme et des mauvais coups de couteau de marins en bordée…* »

Etre docker à Wapping...

Wapping était aussi le quartier où vivaient les dockers qui travaillaient au bassin de Londres.

Rude et précaire était leur vie ! Avant que le syndicalisme n'organise la profession, à la suite de la grève de 1889, un docker était engagé à la journée. Tous les matins, un contremaître qui se tenait devant la porte du dock choisissait le nombre nécessaire d'ouvriers qui travailleraient de six heures à vingt heures, souvent sans interruption. Chaque docker était rémunéré à l'heure. Les docks de St Katharine et de Wapping fermeront en 1969.

Au cours des guerres napoléoniennes, tout docker était assimilé à un marin en service. En cas d'absence prolongée sans raison, il pouvait être porté déserteur et encourir la peine de mort par pendaison. Souvent d'origine irlandaise, les dockers et leurs familles connaissaient le chômage et la misère qui en découlaient. Un curé exceptionnel, le père Wainright, qui dirigeait la paroisse catholique de Wapping, organisait pour eux des quêtes et, en hiver, une soupe populaire. N'hésitant pas à ouvrir son lieu de culte pour abriter les indigents, il devint le héros des plus pauvres. Apposée à un mur de l'église Saint-Peter de Wapping Lane, une plaque commémore l'immense travail de ce prêtre.

Au Town of Ramsgate...

Aujourd'hui, les agents immobiliers et les promoteurs ont transformé le quartier. Les entrepôts sont devenus des immeubles luxueux. Les souvenirs ne se sont pas évanouis pour autant.

L'enclave régence de Wapping, The Pier Head, constituée de deux rangées de belles maisons, qui bordent un chenal comblé, témoigne d'un riche passé maritime. Les amiraux, responsables des docks, vivaient en bord de Tamise dans cet ensemble de maisons magnifiques habitées aujourd'hui par de grands noms des médias.

Samuel Pepys, le biographe de Londres, évoquait au XVIIe siècle la beauté des couchers de soleil sur Wapping. Depuis la berge, Turner qui habitait le quartier, peindra *The Fighting Temeraire*, tableau consacré au dernier passage de ce vaisseau de guerre prêt à être désarmé. Il retrouvait sa maîtresse au Town of Ramsgate, l'ancien Red Cow's Tavern, clin d'œil à la tignasse rouge d'une de ses serveuses.

C'est là que le Capitaine William Bligh, commandant de la Bounty, partagea de nombreuses bières avec son lieutenant, Fletcher Christian, celui-là même qui, en plein Pacifique, poussera l'équipage à se mutiner contre lui, un beau matin de 1787.

Les recherches historiques récentes ont montré que Bligh n'avait rien à voir avec le portrait cruel qu'en donnèrent au cinéma Charles Laughton ou Trevor Howard. Humaniste et excellent marin, il était au contraire très aimé de ses équipages qui lui faisaient entièrement confiance.

Jeté dans une barque, par les mutins de la Bounty, il réussira à atteindre les côtes de Jamaïque après un périple de quatre mille kilomètres ! Juste avant d'arriver aux Tobacco Docks, une plaque bleue, placée sur un mur de Reardon Street, rappelle aux passants le souvenir de Bligh.

Un autre capitaine fréquentait ce pub ; il s'agit du célèbre James Cook qui navigua longtemps dans le Pacifique Sud et découvrit plusieurs terres. On lui doit de nombreuses cartes des côtes de Nouvelle-Zélande. Cook était un navigateur hors pair qui n'hésita pas en 1769 à franchir la Grande Barrière de Corail. Il découvrit la côte est de l'Australie, s'aventura en Nouvelle-Calédonie, doubla le Cap Horn pour s'engager vers les terres australes. En 1779, James Cook sera tué à Hawaï, au cours d'une révolte tribale...

Chaplin, Defoe et Stevenson...

Charlie Chaplin adorait le Town of Ramsgate. Jadis, une collection de ses cannes paradait au plafond. Chaplin résidait avec sa famille dans le village suisse de Corsier, mais originaire de Kennington, il ne manquait jamais, à chacune de ses visites londoniennes, de venir vider une pinte dans ce bar où il retrouvait un peu de l'atmosphère du vieux Londres de son enfance. Charlie Chaplin s'inspira, pour son personnage de Charlot, de tous ces pauvres gens qu'il avait fréquentés au fil des rues. Il prendra toujours le parti de ceux qui souffrent, saura tourner en dérision l'autorité et dénoncer ces propriétaires de taudis qui n'hésitaient pas à faire loger huit personnes dans une seule pièce. En mettant les rieurs de son côté, Chaplin fit éclater la misère londonienne à la face de l'humanité.

Robert Louis Stevenson fréquentait aussi ces lieux. Y trouva-t-il l' inspiration de *L'Ile au trésor*, y vit-il passer Long John Silver, le pirate au pilon, un soir de brouillard ? C'est fort probable, vu le nombre de personnages pittoresques qui arpentaient Wapping High Street. En tout cas, c'est bien ici, au fond du vieux pub, que Daniel Defoe rencontra le pirate Edward Morgan, qui deviendra l'un des héros de son *Histoire de la Piraterie.*

Contrebandiers et francs-maçons...

Dans ces tavernes des bords de fleuve, les pirates revendaient clandestinement leurs prises, parfois sous le regard complice des douaniers. Cela se passait dans la profondeur des nuits de pluie et de grand vent. Une forêt de milliers de mâts et de vergues montait jusqu'aux nuages, obscurcissant la Tamise. De la vase remontaient des odeurs fétides. Sous le Town of Ramsgate existe toujours un tunnel qui débouche sur l'autre rive. Il permettait aux contrebandiers de débarquer leurs marchandises en toute tranquillité. Les membres de l'une des premières loges maçonniques anglaises, The Dundee Lodge, se réunissaient dans l'arrière-salle de cet établissement. L'un de ses membres les plus éminents fut, en 1667, le docteur Samuel Johnson.

Bagnards et exécutions publiques...

On gardait dans les caves humides les condamnés en partance pour les bagnes d'Australie. Le capitaine Kidd, immortalisé par Charles Laughton au cinéma, finira pendu devant la façade maritime de cet établissement. Son corps attaché au mur par un anneau sera lavé selon la coutume par trois marées successives. On appelait ce lieu Execution Dock ...

C'est au Town of Ramsgate que sera arrêté, en 1688, le juge Jeffries, connu sous le sobriquet de "La corde" en raison de tous ceux qu'il condamna à la pendaison, sans pour autant interrompre son repas ! Travesti en femme, ce drôle de personnage tentait de fuir Londres à la chute de son protecteur James II, après la "Glorieuse Révolution".

Execution Dock

Les soirs d'hiver, j'adore fréquenter Wapping car on baigne tout à fait dans l'ambiance du film de Marcel Carné, *Drôle de drame,* et je m'attends toujours à voir surgir de l'encoignure d'une porte Louis Jouvet, Michel Simon, Jean-Louis Barrault ou pourquoi pas Chaplin le vagabond !

En ces jours où les films de pirates sont revenus à la mode, je conseille à tous ceux que fait rêver le capitaine Jack Sparrow, héros de *Pirates des Caraïbes,* de visiter Wapping, si possible de nuit. Sous les arcades de Wapping High Street, vous imaginerez les filles à matelots, les marins en bordée, les duellistes de l'aube et de fabuleux héros de roman...

Autour du petit cimetière de Wapping...

L'entrée du vieux cimetière de Wapping

Face au pub, au pied de l'horloge de l'église Saint-John, se trouve le cimetière de Wapping. Les marins se repéraient au clocher de Christopher Wren, lors de leur remontée du fleuve, les soirs de brouillard. Dans le cimetière dorment les esprits de tous les marins de Wapping qui ne sont jamais revenus des courses lointaines. Ce jardin des morts, laissé aux souvenirs, servira longtemps de lieu de tournage nocturne pour les films de la Hammer, compagnie cinématographique spécialiste du film d'horreur.

Le cimetière sera tour à tour un coin des Carpates, une lande des Cornouailles ou un village allemand, au gré des aventures de Frankenstein ou du comte Dracula.

Un pub abandonné depuis septembre 1940, The Turk's Head, au commencement de Scandrett Street, a gardé l'aspect du bel établissement qu'il fut autrefois. On peut encore lire, sur la façade, la publicité de la brasserie Taylor and Walker, inscrite sur un mur recouvert de carrelage brun.

C'est ici que fut réalisé *Racket* avec Bob Hoskins, remarquable film de gangsters dont une partie de l'action se situe dans les docks. En janvier 1911, le journaliste Sax Rohmer y aperçut, un soir de crachin parfumé à l'opium, Mr King, le chef du gang des Chinois, redouté dans tout le quartier. Ce dernier sortait d'une Rolls en compagnie d'une jeune femme habillée tout en noir. Suivis de gardes du corps à la coiffure terminée par une natte, les deux silhouettes s'enfoncent dans le brouillard...

Les personnages du sinistre Docteur Fu Manchu et de sa fille, la très sadique criminelle Fah Lo Suee étaient nés !

Le mystérieux Dr Fu Manchu paraît en 1913 ; c'est le premier d'une longue série. Ce singulier savant chinois qui sème la terreur depuis sa base des docks fait revivre un Londres à jamais disparu. On pénètre dans les fumeries où l'on voit danser la petite flamme bleue de l'opium qui se consume. Derrière l'inspecteur Nayland Smith, le Docteur Petrie et l'inspecteur Weymouth, on saute de taxis noirs en barges qui remontent le fleuve. Les détectives, revolver au poing, fouillent Shadwell, Wapping.

Les armes de Fu Manchu, scorpions, araignées, vipères, chats aux griffes empoisonnées, mouches tsé-tsé, rats cantonais, etc., sont achetées par ses hommes dans les boutiques voisines ; Sax Rohmer cite même le célèbre marchand animalier Cobb Smith de Newell Street. Il fera commettre de sinistres méfaits à son célèbre docteur : « *Un Chinois fort laid, aux yeux de tigre, un rictus au coin des lèvres. Il est grand, mince, son crâne est rasé. C'est lui, le péril jaune* ». Il sera incarné au cinéma par Boris Karloff et Christopher Lee.

Depuis peu, The Turk's Head qui tient son nom d'un célèbre otage turc enfermé à la Tour, est devenu un café où l'on peut dévorer de merveilleux plats d'œufs au jambon. Sur le parquet d'origine ont dû marcher tous les héros de Wapping. De la cheminée ne restent que quelques carreaux de faïence brisés. En hiver, les fantômes s'y manifestent sur les ailes du grand vent du large...

Dorian Gray, Verlaine et Rimbaud...

Oscar Wilde connaissait Wapping. Dorian Gray venait s'y approvisionner en drogues, comme Verlaine et Rimbaud. Tous trouvaient dans les bouges de la Tamise de quoi satisfaire leur appétit de songes destructifs.

L'ancienne école, fondée par le pasteur John Wesley, destinée à l'éducation des enfants pauvres, est devenue une résidence de luxe. Deux statues d'écoliers en uniforme, un garçon et une fille, qui tiennent chacun une bible à la main, regardent les passants. En revenant vers Wapping High Street, on remarque une passerelle qui reliait les entrepôts entre eux.

Un pub lointain...

Du jardin public Waterside Gardens, nous apercevons sur l'autre rive de la Tamise, la terrasse du pub The Angel. C'est de là qu'en 1620 s'embarquèrent à bord du Mayflower les pèlerins qui devaient fonder New York. Jusqu'en 1960, il y avait sur cette rive de magnifiques maisons avec des terrasses qui donnaient sur le fleuve. De ce riche passé, il ne reste plus qu'une pauvre petite maison solitaire, ancien siège de la firme maritime Braithwaite & Dean.

Sur la même rive, dans un autre pub, The Mayflower, Edgar Wallace prenait des notes pour écrire ses histoires policières, en écoutant les conversations des mauvais garçons qui fréquentaient l'établissement.

A la grande époque des docks, les rues de Wapping délivraient tous les parfums de l'Orient. Je me souviendrai toute ma vie de ces épices orientales dont l'odeur taquinait agréablement mes narines. En 1981, fermait le dernier entrepôt.

La police fluviale...

Cette brigade est installée au commissariat de Wapping. Elle existe depuis 1798 ; son autorité est décisive dans le domaine de la contrebande d'alcool et de cigarettes. Ses vedettes noires et blanches figurent dans *La Marque Jaune*. La police fluviale, qui surveille la circulation sur la Tamise, faisait jadis la chasse aux pillards. Aujourd'hui, son rôle consiste également à repêcher les cadavres des suicidés et à tenter d'arraisonner les embarcations des trafiquants de drogue.

Les nuits terribles du Blitz...

La porte du Pool of London
Photo Taylan Gungor

A Wapping, les anciens doivent se souvenir de la terrible journée du samedi 7 septembre 1940. Il faisait très beau et les gens se relaxaient dans les parcs. Dans un stade de l'East End, l'équipe de football de West Ham affrontait celle de Upton Park. Soudain, à dix-sept heures, dans un vrombissement infernal, apparurent les premières vagues de bombardiers nazis qui allaient enflammer le paysage des docks.

Pendant plus de trois mois, les bombes au phosphore s'abattirent sur le vieil East End, détruisant des centaines d'usines et de logements ouvriers, sans parvenir à décourager les Londoniens. Au début de Wapping High Street, se trouve The Heritage Riverside Memorial Garden. A cet endroit précis il y avait une usine où près de huit cents personnes furent tuées. Je me souviens que sur ce qui était alors un terrain vague, des travaux avaient été entrepris, mais lorsque, de la profondeur de la terre, apparurent des restes de squelettes, les résidents du quartier se mobilisèrent afin qu'aucun bâtiment ne puisse jamais y être construit. Ce jardin doit rester un lieu de mémoire.

Toujours dans Wapping High Street, en face des Jubilee Buildings, immeubles construits pour commémorer les noces d'argent de la reine Victoria avec ses sujets, se trouve le Captain Kidd un pub assez récent auquel je reproche de servir ses bières anglaises non pas à la pompe, mais à la pression. En revanche, avec sa terrasse qui donne sur la Tamise, le lieu est charmant.

La taverne du diable...

Au fond de Wapping Wall, devant le pont à bascule, à l'entrée du Bassin de Shadwell, ancien Bassin des Belges, nous sommes prêts à franchir les portes de l'un des plus vieux pubs de Londres, le Prospect of Whitby, ouvert en 1532. Il tire son nom d'un schooner venu de Whitby qui convoyait à Londres le charbon extrait des mines du Yorkshire. Avec ses deux grandes salles, son long bar en acajou, son bon choix de bières et son jardin, le Prospect attire une large clientèle. Simenon le cite dans ses reportages et Pierre Mac Orlan dans ses chroniques londoniennes. C'est la fameuse Taverne du Diable dont nous parle Paul Féval dans *Les Mystères de Londres*. Une visite nocturne s'impose à l'heure du dernier verre, de préférence l'hiver.

L'intérieur du Prospect of Whitby à Noël

J'aime parcourir les docks la nuit, lorsque les pavés luisent sous les réverbères en mal de brouillard. Mon imagination forcenée me fait alors rencontrer les fantômes de tous ceux qui ont fait l'histoire du Prospect ! Je revois le bonnet écossais de Mac Orlan, j'entends l'accordéon de la vieille Rosy qui lisait l'avenir dans les mains des marins et j'aperçois la longue silhouette de ce serveur à la bouche édentée qui, derrière son bar, travaillait revêtu d'un uniforme défraîchi d'amiral de la Flotte. Je n'oublie pas le vieux capitaine Cat dont le travail consistait à garnir de charbon les trois foyers du pub l'hiver. J'écoute les rires des équipages en bordée et je retrouve le petit garçon que j'étais qui, faute de pouvoir pénétrer dans ce lieu interdit aux gosses, attendait son père dans une encoignure de porte, se contentant de rêver à des terres d'aventures entrevues dans des livres ou sur l'écran d'un cinéma de quartier...

Les profanateurs de sépultures...

En contournant ce pub, sur la droite, un chemin de ronde borde la Tamise. La vue sur la tour de Canary Wharf est époustouflante. D'ici, à la faveur de la nuit, les profanateurs de sépultures chargeaient sur une barque les cadavres qu'ils allaient vendre aux étudiants en médecine du Guy's Hospital. Ben Crouch, un chef de gang de Bethnal Green, organisait ce trafic plutôt lucratif. Son meilleur client était Sir Astley Cooper, le chirurgien le plus célèbre de l'époque victorienne. Suivant son état, chaque cadavre coûtait entre quatre et dix livres sterling. Les corps, une fois exhumés, étaient dépouillés de leurs habits. Le vol de vêtements sur une personne décédée était passible de la peine de mort. Le vol d'un cadavre dans son plus simple appareil n'était passible que de dix ans de prison !

Limehouse et les Chinois...

A quelques dizaines de mètres clapotent les vaguelettes de Limehouse, devenu un bassin de plaisance. Que de marins sont passés devant les portes de l'écluse avant de prendre la mer! Les dockers les surnommaient "The limeys" c'est-à-dire "les jus de citron" parce que cette boisson était de rigueur dans la Royal Navy pour combattre le scorbut. Le nom du quartier trouve ici son origine.

Au début du siècle passé, la plupart des Chinois étaient employés sur les navires de la Blue Funnel Line qui faisaient la liaison entre la Chine et l'Angleterre. Peuplé de marins asiatiques qui avaient sauté d'un cargo pour échapper à la misère de leur pays, Limehouse fut le premier grand quartier chinois. On n'en retrouve plus rien de nos jours, ni les fumeries d'opium, ni les cercles de jeux clandestins ni même les blanchisseries chères à Morris, l'auteur des *Lucky Luke*. La guerre a rasé les taudis du Causeway, le long de Narrow Street, où fleurissaient la prostitution et la guerre des gangs. Disparu aussi ce Mister Lee qui vendait des litres de soupe de tortue ! Chaque jour, on lui livrait des tortues arrivées par bateau. Il se chargeait de les cuisiner dans de grosses marmites installées dans une petite allée. Sa boutique, au demeurant fort populaire, s'appelait "The Happy Tortoise"...

Pour l'écrivain Sax Rohmer, Limehouse avec ses venelles et ses allées sordides était le trou de l'enfer dans lequel il ne fallait surtout pas tomber ! Dans les années vingt, la jeunesse dorée du West End délaissera les clubs et les boîtes de Mayfair pour aller s'encanailler dans cette partie de l'East End où l'odeur de la vase se mêlait aux effluves de porc au caramel. Elle voudra, elle aussi, écouter le rire sadique de Fu Manchu, à travers les brouillards épais de l'hiver. L'opium l'y aidera...

Un certain Brian Chan, propriétaire de plusieurs restaurants chinois, sera déporté en 1927 pour vente illicite de cocaïne ayant entraîné la mort. Scotland Yard effectuera de très nombreuses descentes dans les commerces de Limehouse.

Sax Rohmer détestait la drogue. Dans son livre *Dope,* il dénoncera les fumeries, comme la célèbre Shen Yan qui se tenait 45 Old Ratcliff Lane. Celle-ci fut, en 1925, le théâtre d'un drame : la mort par overdose de Lady Briony Harris, jeune fille de la bonne société de Windsor. Enfin, c'est dans une impasse du port que se tenait le Blue Dolphin, une boîte discrète où se retrouvaient les homosexuels londoniens. Dans ce coin des docks, j'entends toujours le grand guitariste Django Reinhardt interpréter *Limehouse Blues*. En 1919, à l'époque du cinéma muet, D. W. Griffith reconstituera à Hollywood ce bas quartier du port pour tourner *Le Lys brisé*.

Aujourd'hui, Fu Manchu, n'est plus qu'un classique oublié de la littérature policière ; le détective Harry Dickson est aussi à la retraite.

The Grapes, Charles Dickens et Narrow Street...

Dans Narrow Street, le pub The Grapes possède, surplombant la Tamise, une petite terrasse abritée d'où l'on peut voir passer les bateaux. Charles Dickens fréquentait cet estaminet, il l'appellera The Six Jolly Fellowship Porters dans *L'Ami commun*. Jean Ray qui l'avait fréquenté au cours sa jeunesse tumultueuse en fera, dans *Les contes du whisky*, son Site Enchanteur, un établissement hanté exclusivement par des fantômes amateurs de vieux scotch ! Politiciens, écrivains et cinéastes viennent y dîner. David Lean, le réalisateur de *Lawrence d'Arabie*, possédait un entrepôt à deux pas du Grapes.

Avant la guerre de 14-18, une habitante de Narrow Street gagnait sa vie en réveillant les habitants le matin. Elle envoyait,

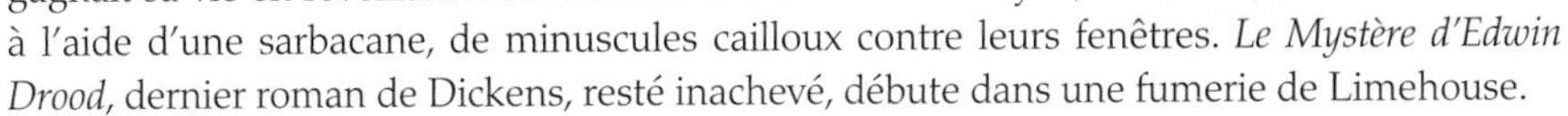

à l'aide d'une sarbacane, de minuscules cailloux contre leurs fenêtres. *Le Mystère d'Edwin Drood*, dernier roman de Dickens, resté inachevé, débute dans une fumerie de Limehouse.

Lorsque Narrow Street croise Three Colt Street, nous tombons en pleine bande dessinée, chez Floc'h et Rivière. Dans *Le Dossier Harding*, leur héros, Sir Francis Albany, s'y fait attaquer au sortir d'un pub, The Three Colt Tavern.

Bien entendu, on pense également à Blake et Mortimer. Ne traquent-ils pas au cours d'une longue poursuite, par une nuit d'orage, la Marque Jaune dans le labyrinthe des entrepôts et des grues rouillées de Limehouse Docks ? Murs de briques, fog, pluie, nuit, rien ne manque à ce décor industriel reproduit fidèlement par le dessinateur belge E. P. Jacobs.

Autour de Newell Street...

Tout au bout de Newell Street, nous découvrons une autre église conçue par Hawksmoor, St Anne of Limehouse. Sa construction fut financée grâce à l'impôt sur le charbon imposé par la reine Anne en 1712. Son horloge est, après Big Ben, la plus haute d'Angleterre. Dickens s'y maria. Il dînait parfois chez son beau-père, Christopher Huffam, à Newell Street, rue qui a miraculeusement conservé ses maisons géorgiennes. A deux pas, le Regent's Canal permet de rejoindre la vieille rivière Lea.

Une allée encaissée, bordée de pierres tombales, dont certaines ornées de symboles maçonniques presque effacés par les intempéries, nous mène à un autre pub, The Five Bells and Blade Bone, dont la cloche sonnait cinq fois pour signaler aux dockers la pause de midi. Il vient malheureusement d'être transformé en bar américain, The Urban Bar. Les marins ont fichu le camp !

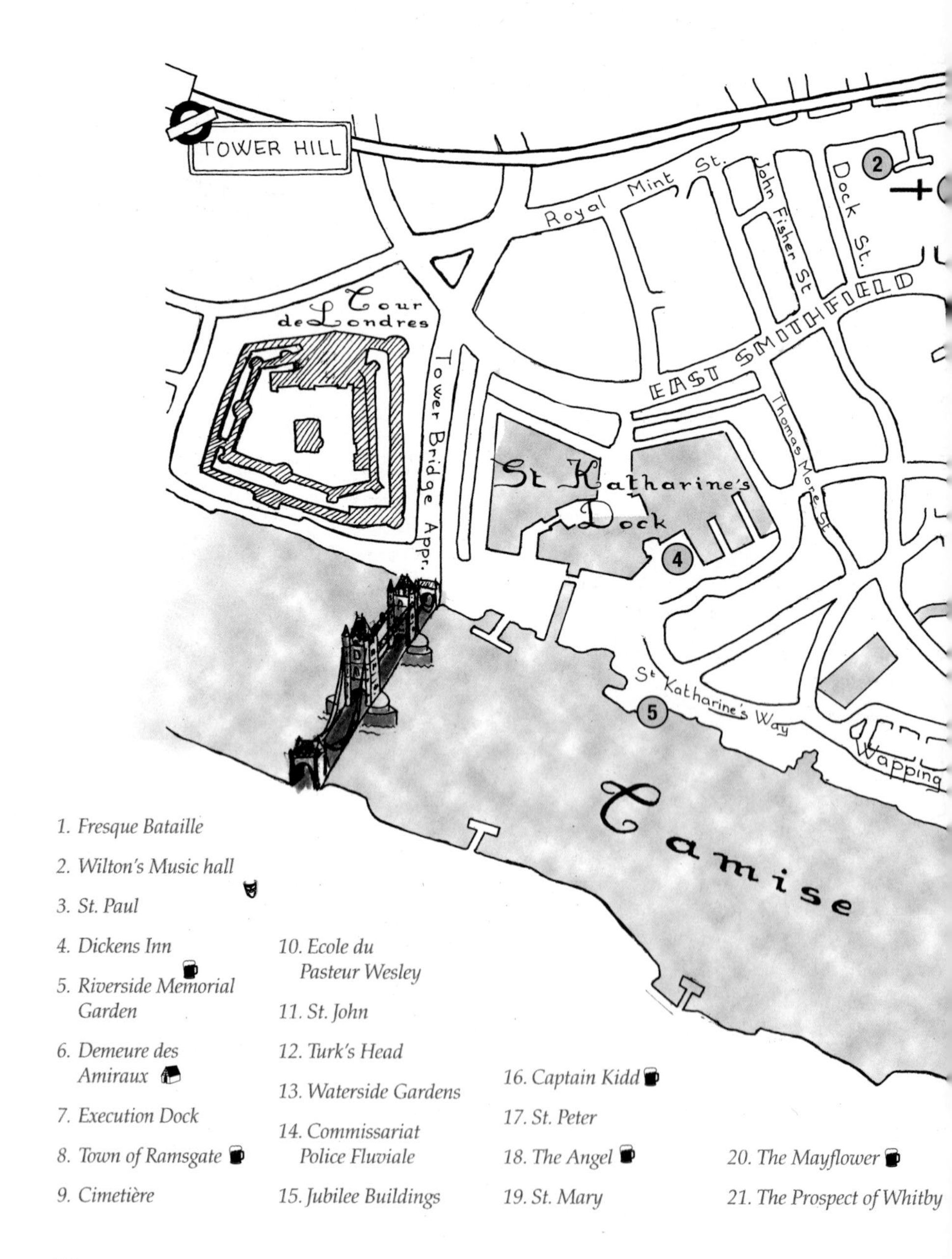
TOWER HILL
Royal Mint St.
John Fisher St
Dock St.
EAST SMITHFIELD
Cour de Londres
Tower Bridge Appr.
St Katharine's Dock
Thomas More St
St Katharine's Way
Wapping
Tamise
2
4
5
1. Fresque Bataille
2. Wilton's Music hall
3. St. Paul
4. Dickens Inn
5. Riverside Memorial Garden
6. Demeure des Amiraux
7. Execution Dock
8. Town of Ramsgate
9. Cimetière
10. Ecole du Pasteur Wesley
11. St. John
12. Turk's Head
13. Waterside Gardens
14. Commissariat Police Fluviale
15. Jubilee Buildings
16. Captain Kidd
17. St. Peter
18. The Angel
19. St. Mary
20. The Mayflower
21. The Prospect of Whitby

N
S
SHADWELL
ple St.
THE HIGHWAY
Pennington St.
Tobacco Docks
International
Wapping Lane
Garnet St.
Shadwell Basin
Wapping Wall
Wapping Sports Centre
Scandrett St.
WAPPING
eet
1
6
7
8
9
10
11
12
13
14
15
16
17
18
19
20
21

Devant l'ancienne bibliothèque municipale de Limehouse aux fenêtres murées, la statue du premier ministre travailliste Clement Attlee semble haranguer une foule de dockers en grève. Attlee, député de l'East End, succéda à Churchill et devint Premier Ministre en 1945. Il fut le père de nombreuses réformes, dont la création du "National Health Service" l'équivalent de notre Sécurité Sociale !

1. *The Mission*
2. *Catholic Church*
3. *St. Anne*
4. *Pyramide*
5. *Urban Bar*
6. *Dickens' father-in-law's house*
7. *The Grapes*
8. *Ancien pub Three Colts tavern*
9. *Poursuite Marque Jaune*

Vers l'Ile aux Chiens...

Au loin brillent les lumières de l'Ile aux Chiens. Sur ces terres marécageuses, le roi Henri VIII gardait ses meutes de chasse, d'où le nom du lieu. Aujourd'hui investie par une multitude de banques, l'Ile ne ressemble plus à ce lieu étrange et populaire qu'elle fut jadis. Néanmoins, une visite des docks ne serait pas complète sans son évocation.

Je me souviens des cargos qui mouillaient au cœur de ces docks, des grues, des vastes entrepôts, des pubs pour les dockers et les matelots. Il y avait aussi des gamins qui faisaient chaque dimanche des concours de ricochets sur l'eau sale des bassins.

Toutes les rues portaient le nom d'une île des Antilles, même la ruelle la plus obscure. En 1974, il était difficile pour un touriste d'entrer dans ces docks ; deux policiers montaient la garde en permanence devant le local de la douane. En 1981, le Sea Queen fut le dernier bateau à séjourner dans le dock. Il sera découpé au chalumeau cinq ans plus tard lorsque commenceront les travaux de Canary Wharf.

Un petit train," The Dockland Light Railway" , part de Tower Hill et survole les docks avant de traverser le fleuve pour disparaître à Greenwich et Lewisham. Autrefois, on construisait des bateaux sur cette île. De ce temps passé, il ne reste presque plus rien. A la pointe de l'île, les curieux découvriront cependant, entre deux rangées de maisons basses, deux piles de madriers qui marquent l'endroit où Brunel dirigea la construction de son dernier navire The Great Eastern.

On peut encore y voir l'emplacement des postes de D.C.A. de Mudchute, redoutés des aviateurs ennemis pendant le Blitz.

Depuis Island Gardens, j'aime regarder les palais de Greenwich et le Trafalgar Tavern. J'ai alors une pensée émue pour Nelson qui retrouvait sa compagne, Lady Hamilton, les belles soirées d'été, sur la terrasse de ce pub. En 1752, Canaletto peignit les palais de Greenwich depuis ces jardins.

Ensuite, si le cœur vous en dit, un tunnel inauguré en 1902 vous conduira jusqu'à Greenwich. Sinon, vous pourrez revenir en DLR vers Tower Hill et la City. Sur le chemin du retour vos yeux seront remplis de ces visions de l'East End mystérieux. Mais en attendant, ne peut-on pas rêver en relisant une phrase de Sax Rohmer ? :

« Dans ma jeunesse, ne venaient à Limehouse que les matelots déçus, les Chinois en panne d'exil et si d'aventure on croisait un gentleman, ça ne pouvait être qu'un malade ou un curieux attiré par des rêves provoqués par l'opium ».

Comment s'y rendre...

Pour Whitechapel et Spitalfields : *métro Aldgate East*
Pour Wapping et les docks : *Tower Hill, puis Dockland Light Railway (DLR).*

A voir :

- **The Elephant Man.** *1980. David Lynch*
- **Drôle de drame.** *1937. Marcel Carné*
- **The Krays.** *1990. Peter Medak*
- **London Can Take It.** *1940. Harry Watt et Humphrey Jennings*
- **Racket (The Long Good Friday).** *1979. John MacKenzie*
- **Oliver Twist.** *1947. David Lean*
- **Oliver Twist.** *2005. Roman Polanski*
- **Oliver.** *1968. Carol Reed*
- **Pool of London.** *1950. Basil Dearden*
- **The Bells Go Down.** *1943. Basil Dearden*
- **Il pleut toujours le dimanche (It Always Rains on Sunday).** *1947. Robert Hamer*
- **Le Lys brisé (Broken Blossoms).** *1919. DW Griffith, brillante adaptation d'une nouvelle tirée de l'oeuvre de Thomas Burke* **The Nights of Limehouse**. *Bien que filmé à Hollywood, la représentation des docks est remarquable !*
- **Une fille pour le Diable (To the Devil a Daughter).** *1976. Peter Sykes*

A lire :

- 🕮 **East End Chronicles.** *2006. Ed. Glinert*
- 🕮 **Limehouse Nights.** *1910. Thomas Burke*
- 🕮 **Limehouse Days.** *1991. Daniel Farson*
- 🕮 **Journey through a Small Planet.** *1996. Emmanuel Litvinoff*
- 🕮 **Rodinsky's Room.** *2001. Iain Sinclair et Rachel Lichtenstein*
- 🕮 **Les Meurtres de la Tamise. (The Maul and the Pear Tree : The Ratcliffe Highway Murders 1811** *1971. P. D. James*
- 🕮 **Le Mystérieux docteur Fu Manchu.** *1913. Sax Rohmer .*
- 🕮 **Long John Silver.** *1995. Bjorn Larsson*
- 🕮 **Les Contes du Whisky.** *1925. Jean Ray*

A visiter :

- **The Ragged School Museum** *46-50 Copperfield Road London E3 4RR*
  www.raggedschoolmuseum.org.uk
  Situé dans Copperfield Road, ce musée est un endroit indispensable à visiter pour tous ceux qui s'intéressent au Londres Victorien. Il s'agit d'un remarquable témoignage sur le docteur Barnado, le grand philanthrope qui avait ouvert des centres de formation professionnelle pour les enfants des rues.
- **The Docklands Museum** *No1 Warehouse, West India Quay, London E14 4AL*
  www.museumindocklands.org.uk
  Un musée passionnant qui décrit l'histoire des docks de l'époque romaine à aujourd'hui. De nombreux souvenirs y sont exposés. De plus, la reconstitution des bas quartiers de Londres est magnifique. Un musée à voir.
- **The Museum of Immigration** *9 Princelet Street, E1 6QH*
  www.19princeletstreet.org.uk
  Un musée qui devrait se développer, situé dans une ancienne maison huguenote, devenue synagogue par la suite. Le lieu de résidence du mythique Rodinsky ! Attention, ce musée n'ouvre que pour des visites en groupe !
- **The Whitechapel Bell Foundry** *32-34 Whitechapel Road E1 1DY*
  020 7247 2599
  S'y rendre de préférence le samedi matin en ayant réservé à l'avance !
- **St Philip's Church** *au London Hospital Newark Street E1 2AA*
  020 7377 7608

De pubs en fantômes : quelques plaisirs bien londoniens

Pubs

Mes pubs au charme desuét...

« Mon idée de l'Angleterre, c'est un cottage qui fume dans le soir, une veste en tweed, des chevaux dans le froid d'un petit matin de décembre et... un pub où l'on pourra oublier les ennuis de la vie... »

A Londres, le dépaysement commence par la fréquentation d'un pub, un pub qui n'a pas été modernisé, un établissement où les soirs d'hiver flotte toute la douceur de la vie anglaise. Parfois, il est bon d'essayer de se fondre dans Londres et d'oublier les lumières de Paris. Je n'ai jamais éprouvé d'émotion particulière dans une brasserie parisienne, alors que dans un pub, bien calé dans un fauteuil, comme un vieux chat, j'écoute chanter Londres...

A Paris, les vieux bistrots ont disparu. Bien malin celui qui pourra retrouver le pont de Tolbiac et son troquet, chers à Léo Malet, créateur du détective Nestor Burma ! A Londres, par contre, nous pouvons toujours vivre en plein exotisme. A chaque lecture du début de *L'Ile au trésor,* lorsque le vieux pirate pénètre dans le pub L'Amiral Benbow, tenu par la mère du petit Jim Hawkins, des images tenaces de pubs me reviennent...

Un vrai pub, please !

Le bar d'un pub traditionnel sera en acajou ou en vieux cuivre, toutes les bouteilles devront être alignées et si possible, Hercule Poirot oblige, avoir la même taille. Les bières seront servies à la pompe à main, sans gaz carbonique, mais ne seront surtout pas trop fraîches. Les machines à sous seront bannies et on pourra lire en toute quiétude son journal ou un roman. La musique sera discrète et le patron bien élevé, car il devra faire semblant de vous connaître ! Alors, comme un vieil habitué, on pourra jouer aux fléchettes ou aux dominos. Le samedi, un vieil orchestre de rock ou de blues animera la soirée. C'est pourquoi le Pub Rock, ou encore le style Rockney, cher à Chas and Dave, les formidables duettistes qui évoquent, dans leurs chansons si particulières, la joie de vivre des gens de l'East End, reste mon style de musique préféré ! Le dimanche, la patronne aura cuisiné une pièce de bœuf que l'on arrosera avec une épaisse sauce brune...

Même à Londres, ce genre de pub existe ! Il se cache loin des touristes et ignore les modes. C'est une bulle de temps préservé où, derrière les miroirs, vous observent les fantômes des anciens clients, ceux qui donnèrent à l'établissement son âme.

Mes pubs

Les plus beaux pubs datent de l'époque victorienne, lorsque les brasseurs cherchaient à attirer des gens qui, à la fin d'une pénible journée de travail, voulaient à tout prix oublier l'usine et leur logis misérable. Au pub, ils étaient reçus dans un endroit agréable où ils pouvaient oublier leur condition. Les brasseurs les invitaient, le temps de quelques verres, à s'asseoir sur des banquettes en cuir aussi confortables que celles d'un manoir campagnard.

Un pub digne de ce nom se doit de restituer un coin de cette Angleterre mythique dont je n'ai cessé de vous entretenir, au fil de ces pages. Je me souviens que pendant les étés anglais d'autrefois, je passais de nombreuses soirées au pub. C'était à Beckenham, au Three Tuns, ou à Hendon, au Load of Hay. Tout en buvant de la bière, avec modération, j'y fis de nombreuses rencontres qui me donnèrent le goût de Londres.

De mes souvenirs, surgit bien souvent un pub minuscule caché au fond des marais d'Hackney. Il s'appelle The Anchor and Hope. Je n'y suis pas revenu depuis dix ans et pourtant je revois encore Leslie, le patron, plaisantant avec les habitués, devant une charmante barmaid qui tire les bières. Leslie avait été fait, par la Reine, Chevalier de l'Empire Britannique en 1988. Dans un coin du bar, mon vieil ami Joseph le marin vante les mérites de la bière Fuller's, tout en fumant sa pipe bourrée de bon tabac de Hollande. Sur son crâne repose une casquette malouine, sa barbe est blanche, son gros chandail en laine vient d'Ecosse. Entre deux gorgées de bière, il évoque, non sans une forte dose de chauvinisme, sa Bretagne natale et son village, Pleurtuit, où tout lui semblait si beau ! Il aimait nous parler des villas de Dinard, des malounières de La Richardais, comme des petits cafés des villages des bords de Rance. Avec nous, il y avait Arthur, un employé du gaz, Boubou, un ancien tirailleur sénégalais échoué à Hackney, David, un instituteur qui vit aujourd'hui à Amsterdam. Dehors, la rivière Lea coulait en silence. Le quai était vide et une légère brume envahissait le quartier en douceur. Les dimanches, on pouvait rencontrer Buster Bloodvesel, le chanteur du groupe de rock Bad Manners. Il enregistrait chez un copain à nous, Peter, qui possédait un studio au premier étage de sa petite maison. Grâce à Joseph le marin, j'apprendrai à déguster la Fuller's. Une fois le pub fermé, nous allions manger chez lui des escargots au porto ou des pièces d'agneau grillées. Continuaient alors d'autres souvenirs de jeunesse qui finissaient toujours autour du vieux collège de Saint-Malo. Joseph gardait la maison de l'ami Peter lorsque celui-ci partait en voyage. Une pinte à la main, nous regardions le soleil se coucher sur ce paysage de marécages. Au loin, on entendait siffler le train de Cambridge. Je ne fréquente plus cet endroit magique, car mes copains du temps jadis sont partis « au pays des chasses éternelles ». Comme dit la chanson de Chas and Dave Edmonton Green: *« Un jour tout s'en va, le Fish and Chips, le vieux cinéma, les amis et même… notre bon vieux pub ! »*

Aujourd'hui, des pubs ferment tous les jours, victimes de propriétaires qui préfèrent les vendre à des promoteurs immobiliers. Bientôt, que restera-t-il de cette magnifique fabrique à souvenirs ?

Voici donc mes pubs favoris. Je les ai tous visités un grand nombre de fois et ils sont reconnus par le CAMRA, Campaign for Real Ale, ce club d'amateurs de vraie bière qui s'assure de la qualité des produits servis. Qui dit «real ale» dit bière en tonneaux de bois, non filtrée, avec un dépôt qui repose au fond du récipient et surtout bière qui continue à fermenter.

The Angel in the Fields *37 Thayer Street, Marylebone W1*

Encore un petit pub qui dépend de Sam Smith, le brasseur du Yorkshire. L'extérieur, avec ses vitraux, fait penser à une église, tandis qu'à l'intérieur la salle contient une haute cheminée, un bar en marbre et des boiseries. Venez-y boire une pinte de Nut Brown Ale ou de Teddy Porter, deux bières brunes, brassées à Leeds.

The Anglesea Arms *15 Selwood Terrace SW7*

Le pub victorien, bien connu des Français de South Kensington, tire son nom du marquis d'Anglesea, Henry William Paget, commandant de la cavalerie anglaise à la bataille de Waterloo ! Paget perdit sa jambe au cours d'un assaut contre les positions françaises. Charles Dickens venait souvent dîner ici ; il habitait 11 Selwood Terrace et fréquentait alors Catherine Hogarth qu'il devait épouser en 1840 à Chelsea. En 1963, le gang de Ronnie Briggs, qui allait attaquer le train postal reliant Londres à Glasgow, prépara son coup dans un coin discret de ce pub. On y sert des bières brassées par de petites maisons du Kent et du Surrey. Je recommande en particulier la Spitfire.

The Blackfriars *174 Queen Victoria Street EC4*

Il s'agit du seul pub dans ce style Art Nouveau qui fit rage sur le continent avant la guerre de 14. Il fut conçu, en 1903, par Henry Poole, qui était l'un des membres éminents du groupe de William Morris, The Art Worker's Guild. En réaction au style victorien, Poole se lança dans un délire de mosaïques et de plaques de bronze qui firent la part belle à la vie de ces bons moines. A l'extérieur, un gros moine en bronze, l'air jovial, semble surveiller les voitures qui s'engagent sur Blackfriars Bridge. Plusieurs bières venant de différents brasseurs vont seront proposées, comme la John Smith et la Tetley.

The Blue Post *81 Newman Street, W1*

Situé juste derrière les bruits d'Oxford Street, voici un pub que fréquentent beaucoup de jeunes, et de moins jeunes, qui attendent en buvant qu'ouvrent les portes du fameux 100 Club, un établissement d'Oxford Street où se déroulent de fabuleuses soirées rocks ! Il n'est pas rare d'y croiser aussi les musiciens que vous applaudirez plus tard dans la soirée ! Bières de chez Samuel Smith.

The Boathouse *Brewhouse Street, Putney SW15*

Un nouveau pub, situé au centre du vieux port de Putney et géré par la brasserie Young's, magnifique les soirs d'été, avec ses terrasses et son excellent choix de vraies bières. Il se trouve dans un ancien entrepôt où les mariniers de la Tamise mettaient leurs bateaux. Il y a bien longtemps, les tanneurs huguenots se servaient de cet endroit pour faire sécher les peaux. Ici, il m'arrive de me croire en Bretagne !

The City Barge *27 Strand-on-the-Green, Chiswick W4*

Voilà un pub que j'aime fréquenter par les belles soirées d'été. Nous sommes au bord de la Tamise. De nombreux souvenirs du passé décorent les murs et les couchers de soleil sur le fleuve peuvent être merveilleux et tellement reposants ! Bières de chez Young's.

The Cricketers *The Green, Richmond TW9*

On jouait déjà au cricket sur le Green en 1660, lorsque les monarques anglais n'y organisaient pas des joutes et des tournois de chevalerie. Ce qui est merveilleux à Richmond, c'est que l'on puisse choisir son pub en fonction de sa marque de bière favorite. Ici, on vous servira trois grandes bières : IPA, la légendaire Indian Pale Ale, fabriquée jadis pour les lanciers de l'Armée des Indes, Greene King et Abbot.

The Dove *19 Upper Mall, Hammersmith W6*

Ce pub possède, d'après *Le Livre Guinness des Records*, le plus petit bar d'Angleterre. Hemingway et Graham Greene l'adoraient. Avec ses belles boiseries et son feu de cheminée l'hiver, on peut s'imaginer bien loin de Londres.

The George *77 Borough High Street SE1*

Ce pub est situé en face du marché de Borough, à Southwark. De ce quartier historique où écrivait Chaucer, les pèlerins partaient adorer les reliques de Thomas Becket à Canterbury. C'est ici aussi que Shakespeare ouvrira le théâtre du Globe. Souvent, j'ai évité ce pub, à cause du grand nombre de touristes qui le fréquentent. Pourtant, il s'agit du dernier pub à galeries qui subsiste encore à Londres. Les salles sont vastes, comme celle d'une auberge de campagne. Bien sûr, cet endroit serait, lui aussi, le plus vieux pub de Londres. Dickens le mentionne dans *La Petite Dorritt*, Dryden y venait assister à des combats d'ours. L'intérieur ressemble à un labyrinthe avec ses nombreuses salles lambrissées de boiseries et ses murs qui n'ont pas été repeints depuis des lustres. Un bon conseil, allez-y un soir de semaine en hiver ! Bières de chez Whitbread.

The Green Man *Wildcroft Rd, Putney Heath, SW15*

Au sommet de la colline de Putney, à Tibbet's Corner où se déroulaient les exécutions publiques, se tient The Green Man, un pub charmant qui appartient à Young's, le brasseur de Wandsworth Town, celui qui, chaque été, parfume les rues à grands souffles de houblon. Cet «Homme vert» , c'est le dieu Pan, l'esprit des bois et des campagnes, tout de vert vêtu, que l'on fêtait à la Saint Jean. Dans cet établissement ouvert depuis 1729, Constable y dînait, ainsi que Swinburne ou Dick Turpin qui cachait, derrière le bar, une paire de pistolets. La nourriture est cuisinée sur place et les différentes ales de chez Young's sont merveilleuses.

The Half Moon *93 Lower Richmond Road, Putney SW15*

Voici le pub le plus connu des amateurs de rock. Avec son grand bar, l'excellente acoustique de la petite salle de concert, voici quelques-uns des grands noms qui s'y produisirent : les Stones, U2, les Shadows, Jerry Lee Lewis, les mythiques Pirates, les Pretty Things, les Hamsters ou encore Docteur Feelgood. Ici fut inventé le Pub Rock ! Chaque semaine, la bière Youngs coule à flot et les guitares jouent un rock d'enfer ! Aux murs, le patron a fait accrocher les portraits dédicacés des chanteurs et des groupes qui ont joué ici. Toute l'histoire du rock et du blues défile devant vos yeux. Dehors, il peut pleuvoir, le monde peut tourner à l'envers, ici les riffs produits sur une antique Fender Stratocaster vous feront oublier tout ça !

The Hand in Hand / The Crooked Billet *Wimbledon Common SW19*

Je les cite ensemble, car ils sont situés côte à côte et dépendent de la même brasserie Young's. Ils se cachent devant un green, à la lisière des bois de Wimbledon, juste en face de Southside House. Deux pubs charmants, authentiques, à la nourriture excellente, que j'adore les soirs d'été, une pinte à la main, assis sur l'herbe. L'hiver, les fesses calées dans un fauteuil en cuir, on entend siffler le vent. A la fermeture, il ne me reste plus qu'à traverser les bois pour retrouver Putney, en espérant croiser un renard ou… un fantôme amical. Essayez-les tous les deux ! En été, commandez-vous une pinte de Wagledance, parfumée au miel, et l'hiver une Winter Warmer servie tiède.

De Hems *11 Macclesfield Street, Soho W1*

Ce pub fut le repaire des résistants hollandais pendant la guerre. L'endroit est immense avec un sous-sol et un premier étage. J'adore l'ambiance qui se dégage de ce pub. Le choix des bières belges est remarquable, mais les bières anglaises n'y sont pas oubliées. Merci au capitaine Hems, un marin hollandais qui ouvrit l'établissement en 1890 pour vendre des huîtres aux Londoniens. Enfin, à la grande époque du rock anglais, Brian Epstein venait y boire avec Andrew Loog Oldham. Epstein était le manager des Beatles et Oldham celui des Stones. A quelques pas se trouvaient les bureaux du New Musical Express !

The Horse and Groom *7 Groom Place, Chester Street, Belgravia SW1*

Ce pub se terre à quelques pas du métro Hyde Park Corner. Il est si bien caché qu'en 1967, en pleine gloire, les Beatles pouvaient venir y vider des pintes sans être dérangés par leurs fans. Ici, le 19 mai 1967, eut lieu une soirée mémorable à l'occasion de la sortie de l'album mythique *Sergent Pepper*. Brian Epstein, le manager du quatuor, vivait non loin de là, au 13 Chester Street. Brian Jones, un autre voisin, fréquentait également the Horse and Groom. Un lieu de mémoire important pour les amateurs de rock.

The Lamb and Flag *33 Rose Street, Covent Garden WC2*

Situé dans ce qui ressemble à une arrière-cour, ce très vieux pub, qui date de 1623, pourrait bien être l'un des plus anciens établissements londoniens. Le poète John Dryden fut rossé par les sbires d'un noble, le 19 décembre 1679, dans la venelle qui longe l'établissement et rejoint Long Acre. Les vers de Dryden avaient déplu au duc de Rochester et à sa maîtresse. En 1810, situé au milieu des taudis de Saint-Giles Rookery, le pub avait très mauvaise réputation ; il s'appelait alors The Bucket of Blood, le baquet de sang, à cause des matchs de boxe à poings nus qui s'y déroulaient. Jusqu'à la fermeture du marché de Covent Garden, en 1974, il n'était fréquenté que par les travailleurs des halles. Il possède deux grandes salles et un restaurant à l'étage. Il est impossible de s'asseoir dans le public bar ; par contre il y a des chaises et des tables dans le salon, jadis réservé aux dames accompagnées de leurs maris. Ici, aucune moquette ne cache le parquet en bois, aucune décoration superflue ne recouvre les murs et de vrais Londoniens viennent encore y boire les bières de John Courage, dont la fameuse Directors.

The London Apprentice *62 Church Street, Isleworth TW7*

Voici un très vieux pub de campagne, situé à quelques mètres de Syon House, en bordure d'un bras de la Tamise et d'un cimetière de bateaux abandonnés. Henry VIII y venait, de même que Charles II et sa maîtresse Nell Gwynne. C'est un pub Fuller's, donc on pourra déguster une pinte de la merveilleuse bière ambrée London Pride !

The Marquis of Granby *2 Rathbone Street W1*

Oxford Street n'est pas loin avec ses magasins qui vendent des objets et des vêtements à la mode. Nous sommes en plein Fitzrovia, à quelques pas de chez Virginia Woolf. Le pub tire son nom d'un général qui, après la guerre de Sept ans, décida d'acheter des pubs pour donner un emploi à ses anciens officiers au chômage, faute de guerres ! J'aime l'atmosphère de cet établissement qui eut pour clients Dylan Thomas, Henry Miller ou encore Orwell. Pour se rendre aux toilettes, on passe devant un mur garni des portraits de ses clients célèbres. A vous de les reconnaître !

The Mayflower *117 Rotherhithe Street SE 16*

Coincé entre deux entrepôts, ce pub est un haut lieu historique des docks de Rotherhithe. Son nom vient du bateau qui transporta les pèlerins hollandais qui devaient fonder New York en 1620. C'est devant ce pub que le capitaine Christopher Jones, de retour et malade, abandonna le Mayflower qui finira par être désarmé. Jones est d'ailleurs enterré dans St Mary's Church dont les arbres du cimetière protègent le pub du soleil. Des poutres qui proviennent du bateau soutiennent le plafond. Pub de dockers et de marins, l'ingénieur Brunel y déjeunait lorsqu'il dirigeait les travaux de ses tunnels sous la Tamise. D'ailleurs, on peut visiter son atelier qui n'est pas loin du pub. J'aime The Mayflower avec son vieux mobilier, sa vue sur la Tamise et sa bière, l'excellente Greene King. La nourriture y est très bonne et la taille des steaks impressionnante.

The Museum Tavern *49 Great Russell Street, Bloomsbury WC1*

Face au British Museum, le dernier pub restant, conçu par l'architecte William Finch Hill en 1855. C'était le lieu favori des amis de Virginia Woolf. Bertrand Russell habitait d'ailleurs au bout de la rue. Malgré les nombreux touristes qui le fréquentent, on peut s'isoler sans problème dans l'une des petites salles. En hiver, on peut se croire de retour dans le Londres d'antan. C'est ici qu'un gardien du musée m'a raconté l'histoire du fantôme de la momie, évoquée au chapitre Fantômes …

The Old Ship *3 King Street, Richmond TW9*

En face d'un grand magasin, voici un pub magnifique, appartenant à la brasserie Young's et dont l'intérieur ressemble à celui d'un vieux bateau.

The Pride of Spitalfields *3 Heneage Street, Bethnal Green E1*

Bien à l'écart des touristes et des balades sur Jack l'Eventreur, voici un merveilleux établissement, un vrai pub d'autrefois. Excellente bière, bonne ambiance et feu de cheminée raviront les passionnés du vieux Londres. Nous sommes à trois minutes des bruits de Brick Lane et dans ce lieu les habitués discutent de la dernière course de chevaux à Epsom. Dans un coin, le vieux piano attend que l'un d'entre nous vienne se mettre au clavier. A découvrir en oubliant de prononcer un seul mot de français ! Ici, on parle cockney…

The Prince's Head *28 The Green, Richmond TW9*

Ce pub se trouve sur le même trottoir que The Cricketers, mais il est le royaume des bières de chez Fuller's dont la Discovery, une bière d'été, légère, assez semblable à une blonde, mais mille fois plus parfumée. Je me souviens de l'ancienne propriétaire de cet établissement, une… Française, originaire d'un village auvergnat, qui avait épousé un ancien des Royal Marines, rencontré en juin 1944 en Normandie !

The Princess Louise *208-209 High Holborn WC1*

Situé non loin du métro Holborn, l'amateur d'histoire victorienne pourra admirer les miroirs et les mosaïques de ce pub. Bien peu de choses ont changé depuis son ouverture en 1872. On y sert de la Sam Smith.

The Red Lion *2 Duke of York Street, St James's SW1*

Situé derrière Piccadilly Circus, à l'angle de Jermyn Street, voici un pub victorien dont le décor, mélange de boiseries et de grands miroirs, n'a pas beaucoup changé. L'endroit étant assez petit, je vous conseille de vous y rendre le samedi midi et d'éviter les fins de journée en semaine.

The Salisbury *90 St Martin's Lane WC2*

Un pub du West End, situé à quelques pas de Leicester Square où je ne manque jamais de m'arrêter, pour admirer les vitres gravées et les statuettes de nymphes victoriennes. Les salles sont grandes, confortables, fréquentées par les touristes, comme par les acteurs qui jouent dans les théâtres adjacents. Le bar en acajou est resté intact. Charlie Chaplin qui débuta dans un théâtre de St Martin's Lane pourrait y revenir, il ne trouverait rien de changé. Je me souviens qu'en 1974, le pub était toujours éclairé au gaz de ville. Bières de chez Courage, mais aussi un vaste choix d'autres petits brasseurs qui changent chaque mois.

Shakespeare's Head *29 Great Marlborough St, Carnaby Street W1*

On peut aimer le rock et fuir Carnaby Street comme la peste. Cette artère, jadis célèbre, ne représente plus grand chose aujourd'hui ; pourtant ce pub est toujours aussi sympathique qu'en 1967, date de ma première visite. Jadis on pouvait y croiser Ray Davies, le chanteur des Kinks, et son frère Dave, Keith Moon des Who ou Steve Marriot des Small Faces quand ils enregistraient au studio Trident. C'était alors la belle époque de Carnaby Street. Qui se souvient des manteaux afghans, du nom de John Stephen ou de l'enseigne du magasin de Mary Quant ? On y sert encore de la bière Directors Bitter. Je fréquente parfois ce pub au hasard de mes séances de shopping chez les disquaires du quartier.

The Sun Inn *7 Church Rd, Barnes SW13*

Ancien relais de diligence, construit au XVIIIe siècle, ce pub fait face à une mare où s'ébattent des cygnes et des canards. Dans les salles sombres se trouvent des boiseries et sur les murs s'étalent des gravures et des photos du vieux village de Barnes. Le patron est fier de présenter à ses clients six différentes bières du brasseur Tetley's, mais vous pourrez aussi y déguster la Fuller's London Pride, brassée à Chiswick, et à mon goût, la meilleure bière au monde. L'hiver, le feu de cheminée est de rigueur.

The White Swan *Riverside, Twickenham TW1*

Après être passé devant Orléans House qui accueillit Louis-Philippe en exil, vous arriverez à une petite route qui longe la Tamise et qui vous conduira au White Swan. Pour accéder au bar, il faudra grimper un escalier. Le pub date de 1703 ; c'est un ancien cottage où vivaient les mariniers du ferry qui reliait Twickenham à Ham. Sur les murs, on peut voir des photos associées au rugby et derrière des vitrines les chemises de quelques joueurs célèbres. Twickenham, avec son stade et son musée consacré au ballon ovale, est le fief du jeu à quinze. Jusqu'à une époque récente, lorsque l'équipe locale avait remporté le match, elle devait offrir un repas, préparé par son capitaine, aux malheureux perdants. Des pompes coulent les bières de John Courage. A éviter les samedis de matchs. Napoléon III et Louis-Philippe d'Orléans passèrent d'heureuses journées d'exil à quelques pas. Une visite aux toilettes victoriennes qui se situent au niveau de la rue est un"must"!

The Widow's Son *75 Devons Road E3*

Situé dans Bow, au fin fond de l'East End, le pub tire son nom d'une ancienne propriétaire, veuve de surcroît, qui perdit son unique enfant en mer en 1853, le jour du vendredi Saint. Ne croyant pas au naufrage du navire, elle conserva, en attendant le retour de son fils, le petit pain aux raisins, le traditionnel Hot cross bun qu'elle lui avait fait à cette occasion. Depuis, chaque dimanche de Pâques, trois matelots frappent à la porte du pub et viennent déposer derrière le comptoir un nouveau petit pain… Le fils ne revint jamais, mais les pains sont conservés dans un cabinet en verre. La bière Tetley y est de rigueur.

The Wilton Arms *71 Kinnerton Street, Belgravia SW1*

Un petit pub avec feu de cheminée et bonne bière qui se cache dans cette rue calme derrière Knightsbridge et ses bruits. Ici aussi, on se croirait en pleine campagne. Dans la même rue se trouvent deux autres excellents pubs : The Turk's Head et The Nag's Head.

L'exception du Troubadour… *265 Old Brompton Road, SW5*

Je vais faire une exception à la règle dans ce chapitre en vous citant le nom d'un établissement remarquable qui n'est pas un pub ! Il s'agit d'un café, mais où l'on sert aussi de l'alcool pour accompagner un repas, qui s'appelle The Troubadour. Il se trouve dans le quartier de Earl's Court. Cet endroit, au décor exceptionnellement nostalgique, ouvrit en 1954. Dès le début, on vit jouer au sous-sol du Troubadour les futurs grands noms de la musique folk, de Bert Jansch à Bob Dylan. En buvant une tasse de café, on put ainsi voir le lieu s'ouvrir à toutes les musiques. Hendrix y donna son premier concert londonien, en 1965 ! Les Rolling Stones, Keith Moon des Who, Joni Mitchell, John Mayall, Paul Simon, Rod Stewart et bien d'autres suivirent. Le groupe anglais Fairport Convention y enregistra même un concert live en 1966…

Bien sûr, cette liste de mes pubs favoris n'est pas exhaustive et je vous renvoie aux autres chapitres où je cite de nombreux établissements, tout aussi attachants que ceux-ci ! En attendant, je tiens à vous donner le site web du CAMRA, visitez-le, cela en vaut la peine ! www.camra.org.uk Enfin, n'oubliez pas de consulter The Good Pub Guide, publié tous les ans.

Mes bières anglaises favorites :

Ce sont toutes des "real ale" dont le taux d'alcool varie entre quatre et cinq degrés. Je ne prends plus aucun plaisir à boire des bières renforcées…

Adnams Broadside
Une bière légèrement fruitée, un peu acidulée, un peu épaisse et fortement ambrée. Originaire des champs de houblon du Suffolk, on peut la trouver depuis 1672, date à laquelle elle fut brassée pour fêter la victoire des Anglais sur les Hollandais à la bataille de la baie de Sole.

Fuller's London Pride
La reine des bières, avec son goût fruité, est brassée à Chiswick. Ceux qui la trouveraient trop douce pourront la mélanger de moitié avec de la Extra Special Bitter. Il suffira de demander une pinte de Half and Half. L'été prenez une pinte de Honey Dew parfumée au miel.

Morland Old Speckled Hen
Cette fois, nous avons une bière qui dépasse les cinq degrés ! Elle fut fabriquée pour célébrer le cinquantième anniversaire des automobiles MG et elle se boit avec facilité, mais gare !

Spitfire
Elle tient son nom de cet avion de chasse qui aida à gagner la Bataille d'Angleterre. Cette ale lui rend hommage. Légère, fruitée, elle se boit avec une grande facilité.

Timothy Taylor Landlord
Assez forte, car elle dépasse les quatre degrés, voici une ale brassée à l'eau de source d'un coin des Pennines, au nord de l'Angleterre par Timothy Taylor depuis 1858. Fruitée et corsée, elle se boira de préférence après le repas.

Young's Bitter
Légère en alcool et rafraîchissante, la Young's, originaire de Wandsworth, est une boisson parfaite que l'on peut déguster en toute circonstance. En été, Young's, comme Fuller's, produit des bières adaptées. En hiver, on goûtera la magnifique Winter Warmer, riche et servie tiède; en été, la Waggle Dance.

Bien entendu, je ne refuse pas les bières en bouteille. Mais achetez-les dans les supermarchés, certains stockent une variété impressionnante de bières brassées aux quatre coins du pays. Leurs noms devraient vous faire rêver :

Nelson's Revenge, Crop Circle, Pride of Norfolk, Boadicea Chariot Ale, Granny Wouldn't like it, Lavender Hops etc…

Ces bières proviennent de petits brasseurs et donnent toutes les garanties souhaitées en matière de real ale. Nul gaz carbonique et autres édulcorants n'entrent dans la fabrication de ces nectars ! De plus les étiquettes sur les bouteilles se collectionnent.

N'hésitez pas à consulter ces sites entièrement consacrés à la bonne et vraie bière : www.quaffale.org.uk et www.therealeshop.co.uk

Voilà, jadis je fumais la pipe et je choisissais mes tabacs avec le plus grand soin, au hasard de ces boutiques qui s'appelaient Freiburg and Treyer ou Nathan's Tobacco shop. Ce fut une expérience inoubliable. Aujourd'hui, j'essaie de faire de même en explorant les pubs. Mais attention, ne mélangez surtout pas trop les pintes de bière !

A voir...

On peut participer encore plus à la grande aventure de la bière anglaise en visitant la Fuller's Griffin Brewery de Chiswick. Vous y serez reçus par des spécialistes, aptes à répondre à vos questions. Cet univers de cuves en cuivre et de bonnes odeurs de houblon ne s'oubliera pas de sitôt !

The Fuller's Griffin Brewery
Chiswick Lane South, W4 2QB
020 8995 0230

Fantômes

Sur les traces des fantômes londoniens...

« Les fantômes ont été créés quand le premier homme
écouta les bruits dans la nuit... »

J.M. Barrie in Le Petit Ministre.

Nul ne peut le nier ! La Grande-Bretagne est le pays des fantômes et Londres n'est pas en reste ! Si vous voulez voir des fantômes, et ce n'est bien sûr pas très évident, souvenez-vous de la phrase d'Alexandre Dumas :

« Les fantômes ne se montrent qu'à ceux qui doivent les voir ! ».

Romans, films et contes, nous ont habitués à ces personnages qui apparaissent au gré de leurs errances. Les plus fins joyaux de la littérature fantastique proviennent d'auteurs britanniques qui ont ciselé finement souvenirs familiaux ou légendes locales.

Le docteur Montague Rhodes James, qui sera tour à tour principal de l'université de Cambridge et du collège d'Eton, écrivit plusieurs contes qui popularisèrent les histoires de spectres à l'époque victorienne.

Originaire du comté du Suffolk, M. R. James s'inspirera du folklore de son lieu de naissance, reprenant des contes de son enfance, et deviendra vite une autorité dans ce style de littérature. Il se souvenait de ses années d'étudiant où dans son collège un vieux concierge lui racontait que le bruit du ballon qui roulait sur le parquet de la chambre voisine était le fait d'un spectre qui s'amusait à faire rouler sa tête. Le nom de M. R. James est encore aujourd'hui synonyme de"Ghost Stories" . D'autres suivront son chemin et je conseille aux lecteurs de chercher sur les étagères des librairies spécialisées, comme le Fantasy Centre, les histoires d'Algernon Blackwood, Munby, Henry James ou les anthologies de Cynthia Asquith. Pour ceux d'entre vous qui ne lisent pas l'anglais, un livre s'impose ; il s'agit de *L'Heure des Fantômes,* anthologie qui réunit les plus grands noms britanniques du genre, sous la houlette du Lillois Jean-Pierre Croquet. Londres, avec ses secrets, son histoire sanglante, son architecture ancienne et bien entendu sa pluie et son brouillard, ne pouvait qu'occuper une place de choix au domaine de l'étrange.

Petite fumée dans un pub, bruits de chaînes dans une maison, femme sans tête à la Tour de Londres, esprit frappeur dans un cottage des faubourgs, carrosses glissant le long d'un parc, mystérieux auto-stoppeurs, telles sont quelques-unes de ces manifestations surnaturelles. D'ailleurs M. R. James lança la tradition des contes relatés lors des fêtes de fin d'année, comme au début du roman de Susan Hill *The Lady in Black* devenu par la suite une pièce de théâtre qui marqua le genre. A Noël, les Victoriens se racontaient des histoires de revenants autour du sapin. On s'éclairait à la bougie, dehors le brouillard envahissait les rues. Au début de la soirée, le sapin brillait de tous ses feux, puis une fois son histoire terminée, le conteur devait souffler une bougie ; ce rituel se répétait jusqu'à l'épuisement des bougies. Bien entendu, on finissait la soirée dans l'obscurité. Enfin, on doit à M. R. James, la nouvelle *Casting The Runes* qui servira de base au remarquable film fantastique de Jacques Tourneur, *Rendez-vous avec la peur*...

Encore aujourd'hui, pas un mois ne passe sans qu'un journal n'évoque l'une de ces étranges manifestations. Les fantômes, s'ils n'ont pas délaissé leurs lieux de prédilection, choisissent aussi des endroits plus modernes pour se manifester : terrains d'aviation, stations d'essence, autoroutes, cinémas, automobiles, avions.

Les fantômes londoniens sont du genre sympathique et courtois ; ils essaieront rarement de vous effrayer et prendront congé, si vous insistez ! Pourtant, faites attention, car même en Angleterre, l'exception est parfois la règle. Alors, sans trop frissonner, commençons par les pubs.

Des pubs...

Nombreux sont les pubs qui portent le nom The King's Arms. Celui de Peckham, situé 132 Peckham Rye, SE13, a été reconstruit en 1942, après qu'un raid aérien l'eut détruit en tuant une dizaine de consommateurs. Peckham est un vieux quartier populaire, un peu rejeté par tous ceux qui lui préfèrent son voisin Brixton, plus branché, plus chic aussi... Pourtant c'est au King's Head que, il n'y a pas si longtemps, deux consommateurs attardés dans ce pub assez ordinaire ont entendu des voix, des bruits de pas, des coups sourds venant des murs, des aboiements, de vieux airs populaires joués sur un piano...

Du point culminant de Richmond, le visiteur a une vue magnifique sur Twickenham et les boucles de la Tamise qui continue sa route jusqu'au palais de Hampton Court. S'il en a le temps, je lui conseille vivement d'aller prendre un verre au Roebuck. Ce pub campagnard, situé en haut de Richmond Hill, se targue de posséder entre ses murs le fantôme d'un ancien propriétaire qui aime apparaître après la fermeture, une fois le pub vide. Un témoin m'a affirmé avoir vu une fumée blanche sortir d'un mur et avant que ce monsieur n'ait eu le temps de réagir, les pompes à bière activées coulaient à flot. Une bonne odeur d'un ancien tabac de pipe parfuma l'atmosphère et un rire malicieux éclata derrière l'infortuné barman qui sentit une main se poser sur son épaule !

Gordon's Wine Bar se trouve au bout de Villiers Street, non loin de l'entrée de la station de métro Embankment. Pour accéder au pub, il faut descendre un escalier étroit qui conduit à une salle voûtée. Dès que l'on arrive dans cette grande cave, on a l'impression d'avoir changé d'époque. Le bar est en bois, de très anciennes affiches décorent les murs. Kipling, l'auteur du *Livre de la jungle,* logeait dans l'hôtel mitoyen et passa plusieurs soirées ici à fumer sa pipe et boire de la bière. Plusieurs clients se sont plaints d'avoir reçu de petites tapes sur l'épaule ou dans le dos. En tout cas, quand on voit la façade de Gordon's Wine Bar, au charme désuet, on ne peut qu'avoir envie d'emprunter son escalier pour s'évader dans une bulle préservée du vieux Londres...

Quelques lieux hantés...

Eaton Square, dans le quartier de Belgravia, est hanté par les danseurs d'un bal tragique qui se déroula en 1812 et finit dans les flammes d'un incendie.

La femme, sans tête, d'un sergent de la garde de Buckingham hante St James's Park. Cette brave dame fut tuée par son mari qui lui coupa la tête, en 1785.

L'ancien commissariat de police de Vine Street, Piccadilly W1, reconverti en appartements de luxe, reçoit régulièrement la visite d'un sergent de ville qui s'était pendu dans une cellule.

A chaque fois qu'une infirmière fait une piqûre de morphine à un patient de University College Hospital, apparaît le fantôme d'une autre infirmière qui tua un malade d'une overdose de cette drogue.

Au Langham Hotel, évoqué au chapitre sur Sherlock Holmes, un curieux spectre hante la chambre 333. Il se manifeste d'abord sous la forme d'une boule lumineuse qui, peu à peu, prend une forme humaine. Il s'agit de l'esprit d'un officier allemand qui se suicida dans la chambre qu'il partageait avec sa maîtresse anglaise lorsqu'il apprit la déclaration de la guerre en 1914...

Dans le quartier du British Museum se trouve Atlantis Bookshop, une librairie spécialisée dans les domaines de l'étrange et de l'ésotérisme. Un ancien propriétaire, mort en 1922, reviendrait faire tomber les livres des étagères et parfois, sous les yeux des clients médusés, ouvrir et fermer violemment la porte de l'établissement.

Des promeneurs attardés sur le pont Waterloo, un soir du printemps 2005, affirment avoir vu un ectoplasme flotter dans le ciel nocturne. Au même endroit, en 1832, à la veille de la grande épidémie de choléra, plusieurs passants aperçurent une épée flamboyante éclairer le soir d'été. Sombre présage !

Théâtres et musées…

Le Lyceum Theatre, dans le Strand, est victime des facéties de son ancien manager Bram Stoker, l'auteur de *Dracula*, qui adore baisser le rideau au beau milieu d'un spectacle.

Les loges du Théâtre Royal de Drury Lane sont visitées par un petit homme habillé de gris. Sa présence annonce un long succès pour la pièce. Il alla jusqu'à corriger les gestes d'une actrice lors d'une répétition…

Le British Museum est un lieu maudit, depuis le jour où une expédition ramena d'Egypte la momie d'une princesse du temple d'Amen-Ra. Tous ceux qui entrent en contact avec elle décèderont de mort violente. Un gardien m'a juré qu'il évitait, au cours de sa ronde nocturne, de passer par les salles d'égyptologie. Un ancien conservateur m'a assuré qu'il manquait une momie qui aurait été dérobée, avec l'aide de quelques malfrats, par un collectionneur américain en… avril 1912. Celui-ci choisit de rentrer à New York à bord du Titanic. Comme par hasard, la momie coula avec le paquebot lors de son naufrage dans l'Atlantique Nord…

Le Natural History Museum de South Kensington possède un fantôme qui hante les salles consacrées aux insectes. Soudain, la température baisse de plusieurs degrés ; de mystérieux coups de vent traversent la bibliothèque, les lumières clignotent sans raison. Toutefois, les visiteurs ne risquent pas de croiser ce personnage, car il ne se manifesterait qu'au milieu de la nuit !

Un philosophe, un écrivain et un médecin…

Le philosophe Jeremy Bentham, dont le corps momifié est exposé dans une cage de verre à University College, Gower Street WC1, hante les salles du collège en tapant contre les murs avec sa canne. Voici une dizaine d'années déjà que des étudiants éméchés s'emparèrent de sa tête pour jouer au football dans les longs couloirs.

Oscar Wilde dérange les habitants de son ancienne maison de Tite Street, à Chelsea, où il habitait juste avant son procès. On l'entend parcourir les greniers en répétant « *Ayez pitié de Wilde* ».

Toujours à Chelsea, un cheval blanc parcourt les rues : c'est celui du Docteur Phene qui habitait Glebe Place. Phene avait fait enterrer dans son jardin sa monture qui l'avait sauvé de la noyade.

Le mystérieux quartier de Smithfield...

Le vieil hôpital St Bartholomew est situé dans Smithfield, quartier en pleine transformation. Les infirmières refusent d'emprunter, au petit matin, l'ascenseur qui conduit à la morgue, depuis le meurtre d'une de leurs collègues en 1902 par un patient fou. Ce dernier n'hésiterait pas à bloquer le mécanisme de l'engin, le temps de faire des grimaces aux occupants. Sous le règne de Marie Tudor, de nombreux protestants ont connu le bûcher de Smithfield, lieu actuel d'un excellent marché de viande en gros. En 1916, des bombes allemandes lancées d'un dirigeable détruisirent une aile entière de cet hôpital.

Près d'ici, après avoir franchi le porche d'une maison à colombages, on trouve la plus vieille église paroissiale de Londres, St Bartholomew The Great. Ce lieu de culte, entouré d'arbres, n'est pas très souriant. L'intérieur repose dans la pénombre, ce qui facilite sans doute l'apparition d'un curieux personnage, Raher, fondateur de l'église et qui, avant de devenir moine, fut le bouffon du roi Henri Ier en 1123. Son spectre en colère apparaît depuis le jour où un moinillon lui vola une sandale dans son cercueil. Pour la petite histoire, c'est dans cette église que furent tournées certaines scènes de *Quatre mariages et un enterrement*.

Le poète John Betjeman habitait le quartier, au numéro 4 Cloth Fair ; il adorait, les dimanches, écouter le carillon de St Batholomew. Il était aussi convaincu que sa petite maison était hantée. Le soir, il laissait toujours sur la table une pinte de bière, un morceau de fromage et de pain pour «son spectre» , essayant ainsi de l'amadouer. J'adore les poèmes de ce cher Betjeman !

Une servante d'une maison de Milbourne Grove qui décéda des suites de brûlures graves apparaît les soirs d'orage devant la cheminée où, prise de malaise, elle tomba.

Autour du tribunal de l'Old Bailey, le chien noir de la prison de Newgate, qui se nourrissait de la chair des suppliciés, rôde les nuits de brouillard. Plusieurs policiers affirment avoir vu l'animal disparaître dans un mur à leur approche.

Victimes de Jack l'Eventreur...

Dans les rues et les cours de Whitechapel, on entendrait les cris des victimes de Jack l'Eventreur.

Police News

A REVOLTING MURDER.
ANOTHER WOMAN FOUND HORRIBLY MUTILATED IN WHITECHAPEL...

GHASTLY CRIMES BY A MANIAC

Un de mes amis qui logeait dans une chambre d'un hôtel de Bloomsbury m'assura avoir été dérangé dans son sommeil par le fantôme d'une jeune femme couverte de sang. Quelle ne fut pas sa surprise lorsque le lendemain un serveur lui affirma qu'il avait sans doute aperçu Mary Kelly, la dernière victime de Jack l'Eventreur qui, avant de mourir assassinée à Whitechapel, était femme de chambre dans cet hôtel. On avait donné son ancienne chambre à mon malheureux copain !

Stations de métro…

A South Kensington, par une nuit pluvieuse de janvier 2003, une dame m'a dit avoir vu passer une locomotive à vapeur conduite par un étrange militaire. Ce n'est pas la première fois que j'entends parler du train fantôme de South Kensington. La première apparition date de la Grande Guerre, époque à laquelle, la station servait d'hôpital militaire.

Les employés du métro londonien détestent être mutés dans certaines stations réputées hantées : Bank, Aldgate, Covent Garden, Shoreditch, Stockwell… Les spectres s'y manifestent sous forme de violents coups de vent. Sous certaines de ces stations dorment d'anciens cimetières. Les gens du métro se méfient également de ceux qui ont choisi de mourir en se jetant sous une rame et qui reviennent frapper aux vitres des guichets. L'acteur victorien William Terriss tomba sous les coups de poignard d'un mari jaloux, en décembre 1897 ; depuis il hante les couloirs déserts de Covent Garden. A Shoreditch, on peut entendre, la nuit, les cris désespérés d'Anne Naylor, une petite modiste tuée par un amant jaloux, un triste soir de l'hiver 1905 !

Londres possède un immense réseau de souterrains qui relient des stations de métro fermées, des salles qui ont servi d'abris pendant la dernière guerre mondiale, des rivières et des étangs.

Dans un studio d'enregistrement de Marble Arch…

Cette histoire de fantôme m'a été racontée par un ami guitariste qui accompagnait un chanteur de rock connu dans un studio situé derrière Marble Arch. C'était en novembre, en1986, lorsque Londres prend la nuit vers 15 heures. Le producteur avait décidé d'arrêter la séance pour permettre aux musiciens d'aller se restaurer. Dehors il pleuvait et de la fenêtre on pouvait apercevoir les arbres de Hyde Park malmenés par de fortes rafales de vent. L'ami en question avait décidé de rester seul afin de fumer sa cigarette en toute tranquillité et de se reposer. Un grand silence avait succédé au déluge de décibels. Il se trouvait devant une console surmontée d'un miroir lorsqu'à sa grande surprise il aperçut dans la glace un vieux monsieur en costume gris qui le regardait en souriant et semblait vouloir le toucher de sa main décharnée. Mon ami eut tellement peur qu'il quitta le studio et descendit l'escalier qui donnait sur la rue à toute allure. De retour du pub, les autres musiciens le trouvèrent assis au bord du trottoir, le visage aussi blanc que celui d'un mort.

Mystères et Wimbledon

Wimbledon, charmante banlieue qui a conservé son caractère villageois, possède sa rue hantée. Hill Street est une petite rue, bordée de maisons charmantes et discrètes et par de grandes écuries. Parfois de bonnes odeurs de crottin vous transportent à des lieues d'ici. Vous pourriez alors vous croire en pleine campagne. Dans une maison haute, entourée de jardins, se réunissaient, entre 1931 et 1940, les membres de l'Eglise spiritualiste dont le médium Estelle Roberts, Conan Doyle, le roi de Grèce et un chef indien, Red Cloud. Depuis, on pourrait voir de curieux nuages noirs se rassembler au-dessus de la maison et un brouillard verdâtre remonter la rue. Devant une autre maison, une petite fille apparaît sur une balançoire en riant. Plus loin habitait William Thomas Stead, écrivain reconnu et médium, qui, deux ans avant la tragédie du Titanic, écrivit une nouvelle prémonitoire intitulée *De l'ancien au nouveau Monde* dans laquelle un nouveau géant des mers heurtait un iceberg. Stead finira ses jours dans la nuit du 14 avril 1912 sur le pont des premières classes du Titanic. Il se rendait aux Etats-Unis afin de prendre la parole au cours d'un grand rassemblement en faveur de la paix mondiale. Quelque temps après, il va apparaître à sa femme et à sa fille pour les assurer que les spectres existent bien. Ce grand nom du spiritisme fut aussi un brillant journaliste qui n'hésita jamais à dénoncer la société de son époque, en s'attaquant, entre autres, à la prostitution des enfants. Stead sera même l'un des précurseurs du féminisme et un ardent défenseur d'une belle utopie : les Etats-Unis d'Europe !

Toujours dans Hill Street, une tache d'encre au plafond d'un salon est impossible à effacer. Aucun chien ne pénètrerait dans la salle de bains d'une autre demeure à cause d'une tache de sang qui parfois salit le carrelage…

Pendant la guerre, l'ange qui surplombe le théâtre de Wimbledon fut enlevé de peur que les aviateurs allemands ne s'en servent de guide. Ce merveilleux petit théâtre, qui sert principalement à tester des pièces auprès du public avant qu'elles ne soient montées dans le West End, possède son fantôme, celui de l'acteur Ivor Novello, l'une des idoles des jeunes des années trente ! Il se contente d'observer le jeu des acteurs depuis son ancienne loge.

Les bois de Wimbledon sont hantés par l'esprit d'une sorcière, brûlée sous Cromwell, qui se manifeste en riant, le long des taillis qui bordent le terrain de golf.

Au milieu des prés communaux, un moulin fort ancien, puisqu'il fut utilisé par les troupes de Cromwell pour faire des signaux à un autre régiment, est hanté. Des pas se font entendre la nuit dans le moulin désert. Les deux chiens du garde, terrés dans un coin de la cuisine et d'habitude fort remuants, n'aboient jamais quand ce mystérieux visiteur manifeste sa présence. Dans ce moulin, Lord Baden Powell écrivit en 1906 le livre *Eclaireurs*.

En bordure du parc de Wimbledon, près du pub The Crooked Billet se trouve Gothic House, une demeure où vécut Sir William Preece, patron de la poste britannique. Il reçut plusieurs fois dans son salon Marconi, inventeur de la radio, qui essayait de contacter les morts avec une machine de son invention. A côté, il y a Southside House, une grande maison que l'on peut visiter. Un ancien propriétaire collectionnait les objets ayant appartenu à des gens célèbres, décédés de mort violente. Sur sa table de nuit, on peut voir le peigne de Marie-Antoinette, la broche de la malheureuse Anne Boleyn ou la dernière perruque de Louis XVI !

Les spectres de Epping Forest...

La grande forêt d'Epping qui borde Londres serait hantée. Les gens la craignent à cause des marécages et des sables mouvants. Les feux follets brillent sur ces bois où, avant la dernière guerre mondiale, succombèrent sous les coups de poignard ou de revolver diverses victimes de règlements de compte qui furent enterrées au hasard de la forêt. Un des spectres qui se manifeste parfois aux chercheurs de champignons est vêtu d'un smoking et son front est percé d'un impact de balle.

Coureurs automobiles, aviateurs et auto-stoppeurs...

Le musée de la Royal Air Force qui se trouve entre Hendon et Colindale, au nord de Londres, est hanté les soirs d'orage par un Lancaster fantôme qui a été plusieurs fois aperçu essayant d'atterrir sur la piste de l'ancien aérodrome avant de disparaître dans une boule de fumée. Des témoins sont tout à fait capables de vous décrire le bruit de ses puissants moteurs.

Le circuit automobile de Brooklands dans le Surrey est désaffecté depuis 1945. Pourtant, le fantôme d'un coureur mort au cours d'une compétition semble continuer une course sans fin, au volant de sa grosse Napier, comme le jour de ses trente ans, lorsqu'il se tua en 1913. Les ouvriers d'une usine voisine assurent entendre parfois le bruit du moteur de la grosse cylindrée, reconnaissable entre mille. Ce coureur, Percy Lambert, a ainsi souvent été vu rôder autour du garage de cet ancien circuit, devenu un musée magnifique consacré à l'automobile et à l'aviation.

Les routes anglaises sont aussi pleines de surprises et il n'est pas rare que des automobilistes prennent en auto-stop des gens morts auparavant dans un accident. On cite même le cas d'une voiture sans conducteur qui hanterait les routes du Buckinghamshire...

Un cottage à Chiswick...

Chiswick est un quartier charmant de Londres, vert et calme. De belles maisons, presque des villas, bordent les avenues et les rues. A quelques pas de l'église qui se trouve sur Turnham Green, se cache, au bout d'une courte allée, un cottage qui semble abandonné. Le fantôme d'une petite fille, qui se tua en tombant d'une fenêtre, ferait mille facéties à ses locataires : portes qui claquent, violents courants d'air, pleurs et autres bris d'objets. J'ai découvert ce lieu grâce à des amis du quartier et j'avoue que je ne me suis jamais aussi senti mal à l'aise qu'en regardant le cottage depuis l'allée.

Un rocker à Barnes...

Barnes est un autre endroit agréable le long de la Tamise, avec une mare, des canards, et des saules pleureurs. Le chanteur de T. Rex, Marc Bolan, y eut un accident fatal dans la nuit du 16 septembre 1979. Son Austin Mini, conduite par sa compagne alla s'encastrer contre un arbre, dans Queen's Road, près du pont de chemin de fer. Ses fans ont élevé un mémorial à cet endroit ; l'arbre est devenu un lieu de culte où l'on dépose des fleurs et des lettres. Des fans, un soir d'automne, ont vu une étrange lueur bleue s'en dégager. Après tout, certains prétendent bien que l'immeuble Dakota devant lequel fut tué John Lennon à New York est hanté !

Un petit garçon à Streatham...

Il y a peu de temps, dans la chambre d'une maison de Streatham, un drôle de fantôme est apparu à Grégoire, un enfant plus passionné de football que de phénomènes surnaturels.

Une vieille dame, sosie de « la méchante sorcière de Blanche Neige » est venue s'asseoir sur le lit du petit garçon qui essaya, mais en vain, de s'en débarrasser à grands coups de pieds. Grégoire n'a pas eu peur et finalement ce curieux spectre a disparu.

Il me l'a parfaitement décrite avec « sa robe longue, son chignon et son sourire ». Les enfants sont très sensibles aux histoires de spectres. De curieux phénomènes ont lieu dans cette maison : le fantôme s'amuse aussi à couper le chauffage, éteindre les lumières ou encore jouer avec les horloges. Néanmoins, selon l'opinion des propriétaires « Personne n'a peur, car il s'agit d'un fantôme plutôt sympathique et farceur ! ».

photo: Cécile Rémy

Shakespeare aurait-il écrit Hamlet s'il n'avait pas été anglais ? En tout cas, Mary Shelley, l'auteure de *Frankenstein,* était anglaise. Comme Anne Radcliffe ou Horace Walpole, ils ont aimé Londres, cette ville envahie par la verdure, parsemée de vieilles demeures au-dessus desquelles d'un ciel nuageux tombe parfois un fin crachin qui fait de ces parcs immenses, et de pubs au plafond bas, mal éclairés, un terrain propice aux fantômes.

Et puis il est vrai que le soleil écarte les fantômes alors que le brouillard les fait naître !

A lire...

- 🕮 **L'Heure des Fantômes.** *JP Croquet. 2003. Un des rares ouvrages en français consacré à des « ghost stories ».*
- 🕮 **The Collected Ghost Stories of MR James.** *1904.*
- 🕮 **Walking Haunted London.** *Richard Jones. 1999.*
- 🕮 **Walks about Haunted London.** *1996. John Wittich.*
- 🕮 **London Tales of Terror.** *1972. Jacquelyn Visick.*
- 🕮 **Ghost Books. Anthologie de Cynthia Asquith.** *1950.*
- 🕮 **Rendez-Vous avec la peur et autres nouvelles fantastiques.** *2005. François Rivière.*
- 🕮 **The Woman in Black.** *Susan Hill. 1985. De ce livre, merveilleuse histoire de fantôme, a été tirée par Stephen Mallatratt une pièce de théâtre qui se joue régulièrement à Londres au Fortune Theatre, Russell Street. Un film de télévision est également sorti sur le petit écran en 1989.*

A visiter d'urgence...

The Fantasy Centre

157 Holloway Road
London N7 8LX
020 7607 9433
Métro: Holloway Road

Cette librairie fut fondée voici plus de trente ans par deux passionnés de littérature fantastique, Ted Ball et Erik Arthur. Depuis, c'est toujours un coin de paradis pour les amateurs. Le stock se compose surtout de livres d'occasion, mais nos deux amis proposent aussi à leur public spécialisé les ouvrages de petits éditeurs comme Ash-Tree Press, Arkham Press et quelques autres qui republient de nombreux textes oubliés. L'accueil est toujours fantastique. Les habitués se voient offrir des tasses de thé et peuvent faire usage des toilettes, avant d'engager de passionnantes conversations avec les libraires.

Atlantis Bookshop

49a Museum Street
WCIA 1LY
020 7405 2120
www.atlantisbookshop.demon.co.uk

Sans aucun doute la meilleure librairie de Londres pour tout ce qui concerne le surnaturel, l'ésotérisme et les phénomènes étranges.

Si le cœur vous en dit…

The Society for Psychical Research

49 Marloes Rd
Kensington
London W8 6LA
020 7937 8984

Il s'agit d'un club qui réunit des spécialistes dans plusieurs disciplines, dont l'objet est l'étude des phénomènes paranormaux. Leur bibliothèque est impressionnante, leur gentillesse envers les visiteurs également.

londonparanormalsociety.co.uk

Voici un site fort intéressant qui vous renseignera sur les fantômes londoniens. Ce site organise également des visites de lieux hantés !

Derelictlondon.com

Grâce à la tenacité de Paul Talling, nous pouvons découvrir non pas des esprits mais des ruines de monuments, cimetières, églises qui hantent la topographie londonienne. Je rends hommage à Paul qui, avec ses photos, fait revivre de magnifiques lieux de mémoire !

www.ghostclub.org.uk

Un autre club, fort célèbre, pour les amateurs de phénomènes étranges. Le site est un vrai régal !

A voir :

- **Le Fantôme des Canterville (The Canterville Ghost).** *1944. Jules Dassin met en scène un conte de Wilde avec Charles Laughton.*
- **Au cœur de la nuit (Dead of Night).** *1945. Une production Ealing Studios qui contient plusieurs contes réalisés par Cavalcanti, Basil Dearden, Charles Chrichton et Robert Hamer. Rien ne manque ; ni le terrain de golf hanté, ni le cottage campagnard avec son feu de bois.*
- **L'Esprit s'amuse (Blithe Spirit).** *1945. David Lean derrière la caméra. Devant, Rex Harrison et Margaret Rutherford. Une séance de spiritisme mémorable.*
- **Le Fantôme de madame Muir (The Ghost and Mrs Muir).** *1947. Un grand Manckiewicz avec Rex Harrison et Gene Tierney dont l'action se déroule sur la côte de Cornouailles.*
- **Les Innocents (The Innocents).** *1960. Jack Clayton, tiré du* **Tour d'écrou**, *un court roman de Henry James.*

Sur les traces des êtres du brouillard

Virginia Woolf

Virginia Woolf à Richmond

« Londres est un enchantement. C'est comme si je posais les pieds sur un tapis magique aux couleurs fauves qui m'emporteraient droit au cœur de la beauté... »
Journal de Virginia

Londres finit à Richmond, devant une porte de verdure sur les bords de Tamise. Ici, un village remplace la grande ville avec un green où l'on joue au cricket le dimanche. Henri VIII y possédait un palais dont il ne reste que peu de choses ; néanmoins, passez sous le porche qui se trouve au bout du green, en allant vers la rivière et rêvez... à sa fille, Elizabeth I, qui mourut ici. Pour son enterrement, on attacha son corps, en position verticale, à un mât du vaisseau qui se rendait à Windsor pour qu'elle puisse regarder selon sa volonté une dernière fois sa chère Tamise !

Au début du XXe siècle, Richmond était un gros bourg avec des rues bordées de petits commerces. Le grand magasin Woolworth avait ouvert ses portes en 1905. Il y avait un salon de thé et un glacier. Sur la colline, ce qui est aujourd'hui l'hôpital militaire du Star and Garter était alors un hôtel très chic. Avec ses villas victoriennes et ses hautes maisons géorgiennes, Richmond avait beaucoup d'allure. La Tamise et les prés de Petersham lui conféraient une grande majesté. Aujourd'hui Mick Jagger vit dans ce décor champêtre. A l'autre bout de Londres, dans le quartier de Bloomsbury, Virginia Woolf et ses amis, Clive et Vanessa Bell, discutaient chaque jeudi soir dans un salon, ouvert à l'initiative du poète Thoby Stephen, de sujets littéraires et artistiques. Virginia était toujours accompagnée de Leonard Woolf...

Léonard et Virginia Woolf se marieront à la mairie de Saint-Pancras, en août 1912. Virginia avait alors trente ans, Léonard trente-deux. Pour leur voyage de noces, ils visitèrent l'Italie, l'Allemagne et la France. Virginia écrivait son premier roman, *La Traversée des apparences*, depuis six ans. Elle n'arrivait pas à se décider à le donner à un éditeur. Cette hésitation sera l'une des causes de la grave dépression nerveuse qui la força à se retirer dans une maison de santé spécialisée à Twickenham, le 25 juillet 1913. À sa sortie, quelques mois plus tard, toujours fragile, elle fera une tentative de suicide. Sa "retraite" se trouvait dans Cambridge Road où, jadis, vivait Van Gogh, le professeur de dessin d'une école catholique de Isleworth.

Les Woolf passeront l'automne 1914 à chercher une maison où Virginia serait susceptible de trouver calme et repos. Après avoir exploré Hampstead, Chelsea, Highgate, Leonard proposa Richmond. Tout d'abord, le couple découvrira la localité en louant à une charmante dame belge, pleine d'humour, Madame Le Grys, un petit appartement au 17 The Green.

Dans son journal, Virginia écrit :
« Nos fenêtres s'ouvrent sur un green charmant, à quelques pas de l'ancien palais d'Henri VIII. Nous promenons notre chien tous les jours dans ce cadre historique... La Tamise est aussi devenue ma rivière »...

Souvent, Madame Le Grys invite le couple Woolf à dîner. Elle leur fait goûter ses recettes de cuisine dont sa fameuse tourte, farcie aux champignons de Richmond Park. Très joviale et gourmande, Madame Le Grys essaie de divertir de son mieux Virginia et Leonard. Pour distraire Virginia, sa charmante propriétaire lui fait découvrir le parc de Richmond.

Parfois, fatiguée par la monotonie champêtre de Richmond, Virginia prend le métro et se sauve vers Sloane Square pour « *écouter les clameurs de la grande ville* » . Les jours calmes et « *dociles* » , elle préfère promener son chien dans les allées du Old Deer Park.

Malgré le séjour à Richmond, Leonard poursuit sa carrière journalistique à Londres et Virginia retravaille le manuscrit de *La Traversée des apparences*, son premier livre qui sortira le 26 mars 1915. A la même époque, Virginia découvre Hogarth House dans Paradise Road. Elle tombe amoureuse de cette demeure géorgienne, construite par Lord Suffield en 1720, qu'elle qualifie de « *rather nice, shabby, very solid, ancient* » . Le jardin est profond, abandonné. Les légumes et les fruits y poussent dans le plus grand désordre. Virginia aime ce lieu mystérieux qui semble convenir à sa mélancolie.

Le contrat de location est signé en mars 1915 ; mais entre-temps, Virginia fait une rechute. Léonard vit des moments terrifiants ; il emploie quatre infirmières pour l'aider à soigner sa femme qui peut être parfois violente. Quelques mois plus tard, elle va mieux et poursuit ses travaux d'écriture. Elle se souvient que dans sa folie, elle voyait les fantômes des anciens habitants de la maison sortir des murs.

Pour aider sa femme et l'éloigner de ses terreurs, Léonard achète une presse à bras en mars 1917 au cours d'une sortie dans Farringdon Street, pour la somme de dix-neuf pounds cinq shillings et six pence !

Le couple Woolf devient éditeur et imprimeur. La presse est installée dans la salle à manger. Au bout d'un mois, Léonard et Virginia savent manier les caractères d'imprimerie et relier un livre. Le premier ouvrage sorti des Hogarth Press s'intitule *Two Stories* par Leonard et Virginia Woolf. Le livre est tiré à cent cinquante exemplaires... Suivront *Prélude* de Katherine Mansfield, dont deux cent cinquante-sept exemplaires sur trois cents publiés seront vendus, *The Story of the Siren* d'E. M. Forster, leur voisin de Chiswick, ainsi que des poèmes de T. S. Eliot. Virginia publiera bien sûr d'autres textes personnels comme *Kew Gardens,* recueil de nouvelles dont les ventes dépasseront les mille exemplaires...

Lorsque Virginia se sent bien, le couple donne des soirées, organise des dîners et invite certains amis à passer la nuit à Hogarth House. Les promenades le long de la Tamise sont de rigueur. On remonte jusqu'au vieux village de Isleworth où, à marée basse, on peut se croire au bord de la mer. D'autres balades aboutissent à Richmond Park, après avoir monté la côte à vélo. Certains dimanches, les Woolf prennent le ferry pour se rendre à Ham House, non sans avoir visité le parc de Marble Hill et pris une bière au pub The White Swan situé sur la route qui borde la Tamise. Parfois, ils vont manger de la friture, pêchée dans la Tamise, dans l'unique restaurant de Eel Pie Island, une petite île peuplée de jardiniers et d'artistes, en face de Twickenham.

Clive Bell, Maynard Keynes, Lytton Strachey, Walter Lamb, tous anciens de Bloomsbury, viennent « *comme des papillons attirés par la lumière* » passer un week-end à Richmond.

T. S. Eliot, alors employé de banque, est devenu un intime du couple. Virginia aime « *ce jeune Américain, sophistiqué, parlant lentement et qui fait preuve de beaucoup de tolérance...* » En 1923, les Hogarth Press publieront son livre le plus controversé : *La Terre vaine.*

De sa rencontre avec Katherine Mansfield, Virginia note dans son journal : « *L'amitié avec les femmes m'intéresse...* » . C'est à Hogarth House, au cours d'un dîner, qu'elle se passionne pour une jeune femme, Vita Sackville-West, fille de Lord Sackville de Knole et épouse du diplomate Harold Nicolson. Virginia publiera des nouvelles de Vita qu'elle appellera « *my lovely aristocrat* » ...

Les étés à Hogarth House baignent dans la douce lumière du green. Sur les rives de la Tamise, ceux qui ne sont pas partis à la guerre essaient de s'amuser. Les gens dansent au Bull and Bush et au Richmond Hill Hotel. Il faut à tout prix oublier la guerre, souvent si proche ; en effet, le Star and Garter, l'hôtel sur la colline, est devenu un hôpital où l'on soigne les grands blessés. Dans les rues de Richmond, nombreux sont les soldats aux bras ou aux jambes coupés. Cecil, le jeune frère de Léonard sera tué à la bataille de Cambrai. Virginia adhère, en 1916, à la Women's Co-operative Guild, une association féministe. Sa maison sert de lieu de réunion à ce club de « *revalorisation de la femme* ». On y défend les idées des sœurs Pankhurst qui réclament le droit de vote pour les femmes et une plus grande justice sociale. En ces temps troublés, Richmond est aussi bombardée par les zeppelins. Un canon de DCA est installé au milieu du parc. En dépit de la situation mondiale, les Editions Hogarth Press connaissent un grand succès. Virginia s'est remise à écrire. En 1918, elle termine *Night and Day.*

On commande une nouvelle presse et on engage un employé, Ralph Partridge, un ami de Lytton Strachey. Pour la petite histoire, cette presse sera donnée plus tard à Vita et elle se trouve toujours à Sissinghurst, la résidence de la famille Sackville-West. Les Woolf achètent Hogarth House et Suffield House, la maison voisine. Virginia emploie une cuisinière, Nellie, et une femme de chambre, Lottie. Dès 1922, le nom de Virginia Woolf est connu dans le monde littéraire anglais. Les critiques adorent *Mrs Dalloway, The Common Reader.* A l'été 1923, Virginia souhaite retrouver l'atmosphère de la grande ville. A ses yeux, Richmond est un village parfait pour une personne malade, mais n'est pas assez stimulant pour l'écrivain qu'elle est devenue.

La Tamise lui donne désormais des migraines… En juillet 1923, elle confie à son journal : *« je veux m'aventurer chez les êtres vivants, revoir les curiosités du British Museum… »*

Léonard trouve une maison, en plein Londres, dans le quartier de Bloomsbury. Le 52 Tavistock Square marque le renouveau des "Bloomsbury Years", ces années de salons littéraires et de discussions sans fin avec l'économiste Keynes, le philosophe Bertrand Russell ou le peintre Carrington ; s'y joignent des réfugiés allemands qui refusent Hitler. Parmi eux, un libraire de l'université de Berlin qui vendait des livres français. On refait le monde et on philosophe. Malgré ce que pensent ces Allemands, la guerre semble encore si loin. Pourtant l'un des invités, H. G. Wells, célèbre pour ses œuvres d'anticipation, ne vient-il pas d'écrire le roman que tout le monde s'arrache, *Une histoire des temps à venir* ? Dans son ouvrage, il décrit des bombardements sur Londres, la famine, les dictatures. Rêves prémonitoires !

Néanmoins, chez les Woolf la vie continue. Le chat frôle les invités, on s'endort sur l'eau de la vie londonienne, on se sépare aux premières heures de l'aube. Virginia Woolf restera dans les délices de Bloomsbury jusqu'en 1939 ; après elle se retirera dans le vert Sussex… Un jour de 1941, plus déprimée qu'à l'ordinaire, Virginia garnira ses poches de pierres et se jettera dans la rivière proche de Rodmell, sa propriété du Sussex.

Ses derniers mots sur la maison de Richmond remontent au 12 mars 1924 : « *Et maintenant, il est temps d'écrire la dernière page sur cette maison merveilleuse qui est devenue un être humain, à qui je dis un grand merci…* »

Sans doute, y a-t-il encore à Richmond des vieux, alors jeunes enfants, pour se souvenir de la silhouette de Virginia Woolf qui, derrière les fenêtres de Hogarth House, regardait les passants rentrer chez eux et les mouettes planer au-dessus d'une oasis de tranquillité ! Pour Virginia Woolf, Richmond était une parcelle londonienne qui ressembla sans cesse à un beau soir de juin…

Lorsque je me balade à Richmond le soir, il m'arrive de l'apercevoir, assise à son bureau, le visage éclairé par une lampe à pétrole. Sur le sofa, Léonard rêve en fumant un cigare. C'est toute la magie de Richmond !

A lire...

Bien entendu les œuvres de Virginia :

- **La Traversée des apparences. (The Voyage Out)**. *1915.*
- **Mrs Dalloway.** *1925.*
- **La Promenade au phare (To the Lighthouse).** *1927.*
- **Orlando.** *1928.*
- **Les vagues (The Waves) .** *1931.*
- **Les Années (The Years).** *1937.*
- **Trois Guinées (Three Guineas).** *1938.*
- **Journal Intégral.** *1915-1941*
- **Journal d'adolescence.** *1897-1909.*
- **Journal de Hyde Park Gate.** *1891-1895. Avec Vanessa Bell et Thoby Stephen Chronique de la famille Stephen (nom de jeune fille de Virginia) Ecrit avec son frère et sa soeur.*
- **Le Magazine Littéraire** *dans son édition de décembre 2004 a consacré un numéro à Virginia Woolf*
- **Les Heures (The Hours).** *Michael Cunningham. 1998. Le roman consacré à l'écriture de Mrs Dalloway qui inspirera le film du même nom, réalisé par Stephen Daldy avec Meryl Streep et Nicole Kidman.*

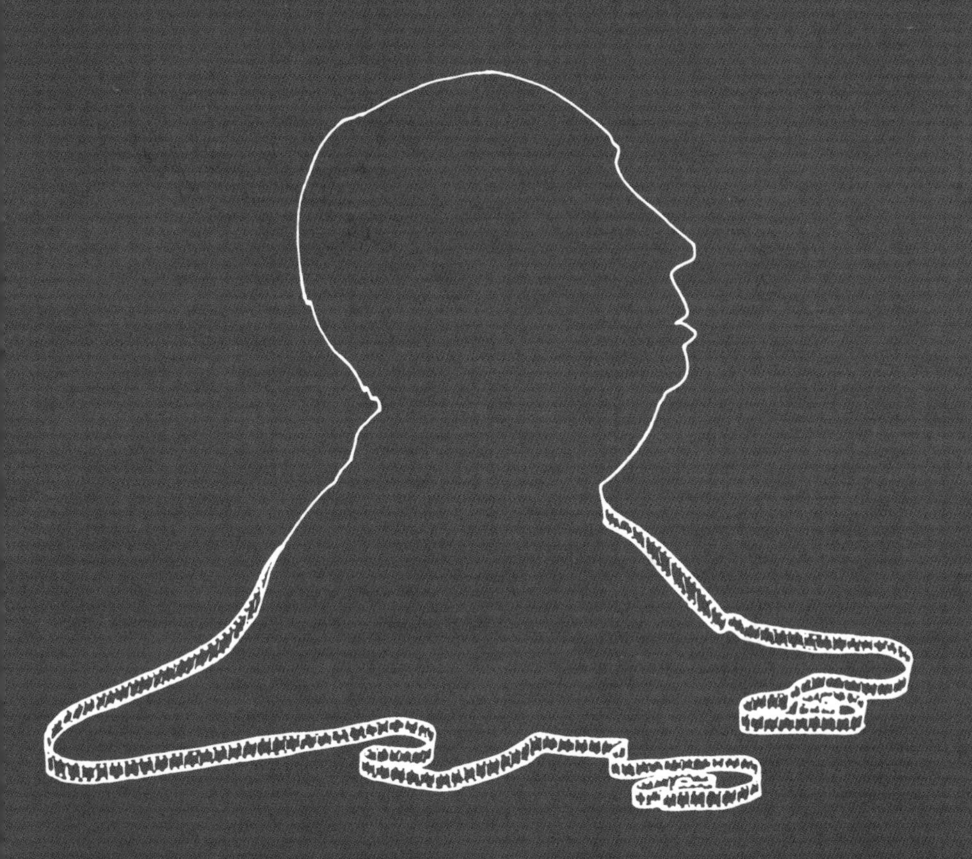

Hitchcock

Alfred Hitchcock

Dès mes premiers séjours londoniens, j'ai tenté de me lancer sur la piste de ce cinéaste qui m'avait donné tant de joies sur les écrans des cinémas de quartier de mon adolescence. C'étaient des salles avec des fauteuils d'orchestre rouges, un balcon et un long rideau publicitaire. Il m'arrive souvent de rêver aux affiches des films qui décoraient les murs des villes d'autrefois. Je me souviens de quelques photos issues de ce chef-d'œuvre *Les Oiseaux* dont celle où Tippi Hedren va succomber aux coups de bec des volatiles déchaînés. J'ai voulu parcourir Londres avec l'auteur de *La Mort aux trousses*, retrouver sa maison et ses souvenirs tant de fois évoqués dans des livres.

Bien avant que je ne lise les critiques savantes de la presse spécialisée, j'aimais ce réalisateur qui savait si bien jongler avec nos émotions. Je me souviens de ce petit cinéma de Portobello Road, The Electric, où l'on passait les films de Monsieur Hitchcock. Dans ma mémoire, les coups de couteau qu'Anthony Perkins donne à Janet Leigh à travers le rideau de douche dans *Psychose* restent inséparables de ces vieux dimanches d'automne où nous allions voir des films.

Avant la séance, nous buvions un méchant café au lait dans une tasse plus ou moins propre et dans les proches caniveaux flottaient des feuilles mortes. Une vague odeur de poisson frit, évadée d'un Fish and Chips, remontait la rue. Dans mon esprit, il me semble que toutes ces projections se passaient à la mauvaise saison. Hitchcock devait savoir que l'un des anciens projectionnistes de The Electric n'était autre que Christie, le tueur en série qui vivait 10, Rillington Place.

J'avais dix-huit ans et je n'oublierai jamais ce jour où, devant moi, François Truffaut attendait le début de la séance. Dans ce vieux cinéma de quartier, quelques gouttes de pluie tombaient dans une bassine, car le toit était fissuré par endroits. Un chat dormait sur un fauteuil défoncé par des générations de spectateurs. A Paris, certains films d'Hitchcock, dont *Vertigo* et *L'Homme qui en savait trop*, n'étaient plus montrés à cause de vagues problèmes de copyright. C'était aussi le cas en Angleterre, mais ici les directeurs de salles les projetaient en changeant leur titre dans les annonces des journaux, forçant le cinéphile à jongler avec des devinettes et des codes mystérieux que nous nous échangions au hasard des rencontres au National Film Theatre, cette merveilleuse cinémathèque anglaise cachée sous le pont Waterloo…

Leytonstone...

Je me rendis à Leytonstone où Sir Alfred Hitchcock vit le jour, le 13 août 1899, dans la chambre de ses parents, au-dessus du magasin de fruits et légumes de son père, au 517 High Street. Nous sommes ici dans une banlieue calme de l'Est londonien, en bordure de l'Essex et de la forêt d'Epping, terres de fantômes et de sables mouvants où ont disparu bien des victimes de tueurs en série. Hitchcock grandira entre les salades, les pommes de terre et les navets, jusqu'en janvier 1907, date à laquelle son père s'associera avec ses frères pour acheter une poissonnerie à Stratford, 21 Romford Road, E15. William Hitchcock, le père, est d'ailleurs originaire de cette banlieue ouvrière. Sa mère, Emma, est aussi née dans l'East End, à West Ham.

Alfred est le benjamin des enfants de cette famille catholique, aux fortes racines maternelles irlandaises. Eduqué sévèrement par ses parents, il gardera toute sa vie un côté catholique traditionnel qui le poussera sans cesse à jongler entre le bien et le mal, la punition divine et la rédemption. Enfant, il s'amusera autour des marais qui bordent la rivière Lea. C'est ainsi qu'un matin de juillet 1905, il assistera au premier vol de l'aéroplane que l'aviateur William Roe avait construit de ses propres mains, dans un atelier situé sous l'une des arches d'un pont de chemin de fer sur lequel passe encore le train de Cambridge. Une plaque bleue marque désormais l'exploit de William Roe. La petite enfance de monsieur Hitchcock aura pour cadre la mort de la reine Victoria, l'apogée de l'Empire colonial et la guerre des Boers dans la lointaine Afrique du Sud. En famille, on brandissait haut le drapeau et on ne ratait jamais les défilés militaires.

Elève des jésuites...

En octobre 1910, Alfred est élève au Collège Saint-Ignace, tenu par des jésuites, 28 Stamford Hill Road, N16. Elève moyen et solitaire, il s'y fait remarquer par les nombreuses plaisanteries qu'il fait : enfermer un camarade toute une nuit dans une cave après lui avoir fait avaler un laxatif, déclencher la sonnerie d'alarme, jeter des œufs contre les fenêtres du bureau du Père Supérieur, etc... Ses maîtres le trouvent très doué en géographie et en technologie. La devise de l'école était : « *Donnez-nous un enfant, nous en ferons un homme* ». Pour l'instant, Hitch n'est qu'un petit garçon, assez rondelet, qui déteste le sport et passe le plus clair de son temps dans son monde imaginaire, isolé dans la cour de récréation, pendant que ses copains jouent au cricket.

Monsieur Hitchcock père paie la somme de trois guinées par trimestre pour que son fils fasse des études, mais Hitch reçoit plus souvent des coups de lanière de cuir sur les mains que des bons points. N'oublions pas qu'en Angleterre, et nous sommes au début des années 1900, il était bien vu d'administrer aux jeunes enfants des punitions "saines et anglaises". Eduquer signifie, surtout en ce début de siècle, endurcir et préparer toute une génération qui saura servir le vaste empire colonial. Les jésuites du collège Saint-Ignace ne s'en privent pas, utilisant les châtiments avec force, voire sadisme, car l'élève est obligé de choisir le jour de sa punition ainsi que le lieu de son exécution !

L'école, cernée de hauts murs de briques, est située non loin des marais de Tottenham, et en mars 1910, Hitchcock verra des policiers poursuivre deux anarchistes qui venaient de tuer le caissier d'une banque et un membre des forces de l'ordre. Ce fait divers qui défrayera la chronique journalistique connaîtra sa conclusion avec le siège de Sidney Street, où l'ordre de l'assaut final sera donné en personne par Winston Churchill, alors ministre de l'Intérieur (voir le chapitre East End). Le futur réalisateur s'en souviendra et placera ce fait divers à la fin de la première version de *L'homme qui en savait trop*. Sur les jours d'école d'Alfred, il semble tomber un crachin sinistre qui ne cesse qu'au moment où retentissait la cloche de la sortie. Petit et gros, Hitch, qui déteste son prénom, brilla aux yeux de ses condisciples surtout par son excentricité.

Romans policiers et faits divers...

Au lieu de fréquenter les terrains de jeux, Hitch lit beaucoup. Il dévore *Oliver Twist, Robinson Crusoé, Richard II,* et un traité du très catholique G. K. Chesterton qui prend la défense des romans populaires et des histoires policières, chose assez rare à l'époque. Très jeune, il aime lire les journaux car il s'intéresse aux faits divers et il assistera au procès du docteur Crippen, ce médecin qui avait tué et découpé sa femme en morceaux, afin de refaire sa vie avec Ethel Le Nevel, sa jeune maîtresse. Crippen sera arrêté à son arrivée dans les eaux canadiennes par l'Inspecteur Dew lancé à sa poursuite sur un autre paquebot, puis renvoyé en Angleterre où il sera jugé puis pendu dans l'enceinte de la prison de Wandsworth.

Hitch adore partir à la découverte de Londres ; à l'âge de douze ans il connaît la ville par cœur et le trajet de la ligne du tram qui va de Stamford Hill à la gare Waterloo n'a plus de secret pour lui. Il aime se promener dans les docks, alors les plus importants d'Europe, émerveillé par toutes les marchandises que l'on y décharge. Il fréquente le grand marché de Brick Lane, où des marins de passage essaient de vendre les animaux ou les souvenirs qu'ils ont rapportés de leurs voyages en terres lointaines. Plus tard, il se souviendra des personnages croisés au hasard de ses balades. Nul doute que ces échappées dans la grande métropole lui serviront au cinéma ! Londres et l'Angleterre se retrouveront dans nombre de ses films. Il choisit pour *Les Oiseaux* le décor de Bodega Bay qui, bien que situé en Californie, ressemble comme deux gouttes d'eau à certains coins isolés de la côte du Dorset. Si l'on veut aller plus loin, ne peut-on pas écrire que deux de ses actrices fétiches, Grace Kelly et Tippi Hedren, avec leurs cheveux blonds et leurs yeux bleus, semblent être nées dans un cottage, perdu au milieu des vertes campagnes anglaises ?

Cinéphilie et vaudeville...

Hitch voit de nombreux films dans les cinémas de quartier ; il fréquente surtout le Dalston Rio, Kingslands High Street, E8. Il est fou de films français. Ses préférences, à cause des trucages, vont au grand Méliès. A sa bibliothèque municipale, il emprunte les livres de Maurice Leblanc, Arsène Lupin le fascine, et ceux de John Buchan, auteur de romans d'espionnage à la mode. Il prend des notes sur les films, dans des carnets qu'il classe soigneusement dans les tiroirs d'une commode. Ses goûts le portent vers les films à épisodes, les mélodrames et les comédies. De plus, il accompagne souvent ses parents au théâtre, pour voir des vaudevilles, spectacle populaire par excellence. Sur la scène évoluent des magiciens, des chanteurs, des clowns, des dresseurs de chiens et même des voyants, comme le personnage de"Mr Memory"à la fin des *Trente-neuf Marches* ! D'ailleurs, dès ses débuts derrière la caméra, il fera tourner la grande idole de son adolescence, le prince du mélodrame, le favori des jeunes filles, Ivor Novello.

Du dessin à la mise en scène...

A la mort de son père, en 1914, Alfred doit abandonner ses études. En février 1915, il entre comme garçon de bureau chez Henley Telegraph and Cable Company. Catholique fervent, il ne boit ni ne fume, ne fréquente ni les dancings ni les pubs. Après son travail, il suit des cours de géographie, de dessin industriel et d'histoire de l'art. Ses professeurs lui font découvrir les grands musées londoniens. Il appréciera surtout la peinture des symbolistes. Souvent, on l'envoie dans une gare avec pour mission de dessiner les gens qui lui paraissent intéressants. Avec un salaire de quinze shillings par semaine, Alfred peut s'acheter des magazines de cinéma chez W. H. Smith. Au mur de sa chambre, une carte du monde lui permet de suivre les navires inscrits au Lloyds Register, la célèbre compagnie d'assurances maritimes.

La guerre éclate un beau jour d'août 1914, et bien que l'Angleterre ne connaisse pas le service militaire, des milliers de jeunes décident de s'engager. Très vite, l'euphorie des premiers jours où l'on monte à l'assaut sous un beau soleil, au milieu de la blondeur d'un champ de blé, fera place à la pluie, aux rats et à la boue des tranchées. Les uniformes deviennent sales, Londres éteint ses lumières. Trop jeune pour aller se battre dans les tranchées, Hitchcock subit les premiers bombardements londoniens, effectués par les gros dirigeables Zeppelin et les avions Gotha. Pour se guider, ils suivent les boucles de la Tamise. Des marais de Walthamstow, Hitch observe les aéronefs pris dans le faisceau des projecteurs à arc du poste local de la défense anti-aérienne qui s'est installée sur les hauteurs de Stamford Hill...

Alma Reville et la gloire...

A la suite d'une annonce dans un magazine corporatif, il se présente aux studios Famous Players Laski, qui dépendent de la firme Paramount, où il est engagé pour rédiger commentaires et dialogues, écrits sur des cartons qui apparaissent entre les scènes des films muets. Peu après, Hitchcock dessinera des décors de films jusqu'à l'arrivée du producteur Michael Balcon qui achètera les studios pour en faire, au fil des films, les prestigieux Gainsborough Studios d'Islington. Le titreur deviendra alors scénariste puis metteur en scène. Il réalisera son premier long métrage, *The Pleasure Garden*, en 1925. C'est sur ce tournage qu'il rencontrera Alma Reville, qui est monteuse et script-girl et qui deviendra sa collaboratrice la plus précieuse. Hitchcock connaîtra son premier vrai succès populaire avec *The Lodger, Story of the London Fog*, adapté du best-seller de Mrs Hillary Belloc, *Un étrange locataire*, et inspiré par l'affaire de Jack l'Eventreur !

Pour ce film, fidèle aux décors du roman, il délaisse l'East End et fait reconstruire le quartier de Bloomsbury en studio. L'acteur Ivor Novello, interprète principal de ce chef-d'œuvre, n'est plus"l'éventreur"mais devient le "vengeur".

Alfred épousera Alma Reville. La cérémonie de mariage se déroulera, le 2 décembre 1926, au Brompton Oratorium, dans Cromwell Road, une église magnifique à côté du Victoria and Albert Museum, où prêcha jadis le cardinal Newman. Dans leur confortable appartement situé au 153 Cromwell Road où ils habiteront jusqu'en 1939, le couple recevra Noël Coward, John Buchan, James Barrie ou encore George Bernard Shaw, qui jouera sur le grand piano à queue du living-room. Les papiers peints, comme les meubles, viennent de chez Liberty's, le grand magasin de Regent Street. Chez les Hitchcock, il y a une bonne et une cuisinière, un cocker et un épagneul sur le sofa. Parfois Hitchcock attend ses invités sur le pas de la porte, en robe de chambre, le cigare aux lèvres.

C'est un excentrique et il en est fier ! Chez lui, comme aux studios, il porte ses fameux costumes noirs, en pure laine anglaise, qui le suivront toute sa vie. Ses dîners seront célèbres dans la bonne société londonienne. Il lui arrivait de donner des soirées bleues. Il recevait alors ses hôtes en costume bleu, dans un salon de la même couleur et servait du curaçao à l'apéritif. C'est dans cet appartement que naîtra sa fille Patricia le 30 août 1928. Le week-end, il arrive à la famille Hitchcock de se rendre à Shamley Green, près de Guildford, où Hitch a acheté un magnifique cottage à sa mère. Hitch devient alors jardinier. Il aime tondre la pelouse et tailler les rosiers. Shamley Green est le parfait petit village du Surrey avec un pub, un terrain de cricket, une mare sur laquelle évolue une famille de canards et une église au clocher carré. Au déjeuner, il mange du carré d'agneau, arrosé d'un vieux bordeaux. Au dessert, il adore le crumble à la rhubarbe de sa mère qui refusera de le suivre en Amérique, pendant la guerre.

Après le tournage de son dernier film anglais *L'Auberge de la Jamaïque*, avec Charles Laughton et Maureen O'Hara, la famille Hitchcock quitte South Kensington pour Hollywood en juillet 1939. En septembre, il y réalisera son premier film américain, *Rebecca*, avec Laurence Olivier et Joan Fontaine. Ce sera le début d'une longue liste de films brillants, dont beaucoup, comme *Soupçon* et *Correspondant 17* baigneront dans une"British touch", digne d'Agatha Christie ou de John Buchan.

Derniers tours de manivelle à Londres…

A Hollywood, Londres manque à Hitch. Tous les jours, il reçoit le *Times* et ne boit que le thé de chez Fortnum and Mason qu'il se fait envoyer en Californie. Pour tourner *Correspondant 17*, il reconstituera la cathédrale Westminster en studios et situera le repaire des espions dans Charlotte Street. Il passera un mois à Londres, en décembre 1943, pour participer à l'effort de guerre en réalisant deux courts métrages sur le mouvement de la France Libre : *Bon voyage* et *Aventure malgache*. Vers 1950, il choisira le Mayfair pour *Le Grand Alibi* avec Marlène Dietrich, Richard Todd et Jane Wyman. On y verra cette dernière boire un cognac au Shepherd's Tavern. En 1954, Hitch réalisera à Camden, au Royal Albert Hall et dans une rue de Battersea, la deuxième version de *L'homme qui en savait trop* avec Doris Day et James Stewart. Le film connaît son dénouement au Royal Albert Hall. James Stewart, lancé sur une fausse piste, échoue dans Slender Street à Camden Town, cherchant "The Ambrose Chapel" qui en réalité est à Brixton, dans un cul-de-sac qui s'appelle Vicaray Road.

Puis pendant l'été 1970, le tournage de *Frenzy* se déroulera dans les décors naturels de Covent Garden. Dès le générique, une caméra montée sur un hélicoptère nous entraîne dans un survol majestueux de la Tamise pour s'arrêter face à Tower Bridge. Au plan suivant, on apercevra Hitch en chapeau melon qui s'est joint à la foule des badauds qui regardent le cadavre échoué sur la grève, devant l'ancien County Hall, près de Westminster Bridge. Les amants iront louer une chambre à l'Hôtel Coburg, devenu depuis The Hilton London Hyde Park dans Bayswater Road, sous le nom de Monsieur et Madame Oscar Wilde ! Mais ce film reste avant tout un témoignage bouleversant sur un quartier, celui des marchands de fleurs et des primeurs, qui un an plus tard devait disparaître pour laisser place à un lieu devenu bien trop touristique. Hitler n'avait pas réussi à détruire Londres, les promoteurs immobiliers le firent !

The Globe, pub de Bow Street, où dans le film travaillaient Barney et Babs, a toujours beaucoup de charme. Il est dommage que les actuels propriétaires aient retiré les photos du tournage de *Frenzy* qui, il y a peu encore, décoraient les murs. Je me souviens de cet été 70 où Hitch, assis dans un fauteuil, dirigeait ses acteurs. Il semblait s'assoupir quand la caméra se mettait à tourner. Après tout, pour lui, le film existait déjà dans son esprit sous forme de story board !

Il avait repéré avec soin ses lieux de tournages : son tueur en série qui étranglerait ses victimes avec une cravate habitait un petit appartement dans Henrietta Street. Pour y accéder il fallait emprunter un escalier étroit. Derrière, dans Catherine Street, un autre pub attire encore les cinéphiles hitchcockiens ; il s'agit de Nell of Old Drury où Barney écoute un avocat et un psychiatre commenter à haute voix l'histoire de quelques tueurs en série.

Comme dans le monde de son enfance, dans le Covent Garden de 1970, il y avait des marchandes de légumes, des porteurs aux épaules chargés de cageots de pomme de terre et des pubs où un patron moustachu tirait les pintes de bière. Après avoir vu *Frenzy*, il est possible de retrouver l'atmosphère que le petit Alfred connaissait lorsqu'il accompagnait son père faire ses achats pour la boutique. Chaque fois que je reviens à Covent Garden, je pense à Hitchcock, à qui Londres semblait toujours manquer. Les petites marchandes de fleurs, comme les porteurs et les épiciers s'en sont allés, tout comme Hitch, qui en fin de journée quittait les décors de Covent Garden pour rejoindre Alma au Savoy Hotel. Cet été-là, en ce qui me concerne, j'aurai vu Hitchcock pour la première et la dernière fois !

Souvenirs, souvenirs...

Aujourd'hui, il ne reste plus aucune trace du magasin familial, remplacé par une station- service. Les marais qui bordent la rivière Lea sont devenus une réserve naturelle. C'est également ici que pendant la guerre, on enterra tous les gravats du Blitz. Les studios d'Islington où il tourna *Les Trente-neuf Marches* et *Une femme disparaît* ont été transformés en appartements de luxe pour jeunes banquiers distingués. Walthamstow et Leytonstone ne sont pas des quartiers très vivants, ni particulièrement attirants, mais si le cœur vous en dit, vous pourrez aller prendre un verre au Sir Alfred Hitchcock Hotel qui possède un bar aux murs garnis de souvenirs du maître ! Enfin, la mairie a rendu un vibrant hommage à Hitchcock en subventionnant la réalisation de neuf mosaïques consacrées à ses films les plus connus. Elles se trouvent sur les murs, à l'entrée de la station de métro Leytonstone.

A Voir...

Les films londoniens :

- **Le Logeur (The Lodger).** *1925 avec Ivor Novello*
- **Chantage (Blackmail).** *1929. Son premier film parlant avec une scène de poursuite mémorable au British Museum.*
- **Les Trente-neuf Marches (The Thirty-Nine Steps).** *1935 avec Robert Donat et Madeleine Carroll*
- **Agent secret (Sabotage).** *1936 avec Sylvia Sidney et Oscar Homulka*
- **Correspondant 17 (Foreign Correspondant)** *avec Joel McCrea et Laraine Day*
- **Le Procès Paradine. (The Paradine Case).** *1947 avec Gregory Peck et Alida Valli*
- **Le Grand Alibi (Stage Fright).** *1950 avec Marlène Dietrich et Richard Todd*
- *Les deux versions de* **L'homme qui en savait trop (The Man Who Knew Too Much).** *1934 et 1956*
- **Frenzy.** *1970 avec Jon Finch, Anna Massey et Barry Foster*

Jean Ray

Jean Ray

Il s'appelait Jean Ray, Harry Dickson ou John Flanders.

Jean Ray, dit John Flanders, écrivain fantastique belge, souvent pirate, connaissait parfaitement Londres et l'Angleterre. Le Londres de l'entre-deux guerres avec son brouillard et ses labyrinthes de ruelles glauques lui était familier. Sans ses livres, je n'aurais peut-être jamais écrit cet ouvrage. A Londres, c'était Jean Ray que je cherchais.

En 1895, à l'âge de huit ans, il découvrit Londres à l' occasion de sa première fugue. C'était, d'une certaine façon, une ville inquiétante. Ensuite, il y revint alors qu'il était simple matelot sur un charbonnier, l'Astrologer. Plus tard, devenu capitaine, Jean Ray retrouvera Londres, avec son schooner, le Fulmar, ce navire qui lui servira à abreuver l'Amérique en whisky, lors de la prohibition.

Lorsque Jean Ray, en 1925, écrira son premier recueil de contes fantastiques, il lui donnera un titre anglophile : *Les Contes du whisky*. D'ailleurs, la plupart de ses nouvelles sentent la vase et la mauvaise bière qui émanaient des bas quartiers du port. Certains de ses détracteurs affirment que jamais son navire n'est venu mouiller à Londres. A l'époque, il aurait fallu avoir une sacrée imagination pour situer ces histoires d'une façon aussi précise sans être venu visiter les lieux du crime.

En fait Jean Ray, tout au long de ses promenades londoniennes, savait prendre des notes avec ses oreilles et ses yeux. Il tapait sa prose sur une machine Remington posée sur un bureau, dans sa chambre chauffée les soirs d'hiver par une salamandre de fonte rougeoyante, dans une petite maison du faubourg du Ham, à Gand. Il lui arrivait de taper certains contes dont les *Aventures d'Harry Dickson* en une seule nuit. Lorsque venait le jour, une forte odeur de tabac de Hollande empestait la pièce, un chat dormait sur une pile de journaux. De bonne heure, Jean Ray avalait une tasse de café, mettait son chapeau, passait son imperméable et s'en allait poster son histoire à un éditeur…

Rares sont les coins de l'East End qu'il n'a pas chantés. Bethnal Green et ses voyous sont présents au début des *Contes du whisky* ; on les évoque dans *Irish whisky* où un sinistre armateur, propriétaire de la firme Halett et Gilchrist, se voit peu à peu transformé en araignée. Cette société, aux fenêtres balayées par le vent de la Tamise, se trouvait à Newell Street, au centre de Limehouse.

Les prêteurs sur gages, les"Pawnbrokers", étaient nombreux entre Whitechapel et Stepney, exploitant une humanité désespérée. Le marin Jean Ray, habitué des rues fétides du port, les connaissait bien. Il dénonce ces diables qui suçaient le sang des miséreux dans *Le Saumon de Popellreite*. L'écrivain qui déambulait dans Whitechapel Road n'a pas oublié les music-halls, les fêtes foraines, les ateliers des tailleurs juifs, et les décrit dans *Merry Go Round*. Il en a croisé des pubs, comme Le Site Enchanteur à Wapping ! Des pubs que l'on n'est pas si sûr de retrouver certains soirs, sans parler des étranges buveurs qui s'y trouvent comme dans *Mon Ami le mort*. Dans un pub de Wapping High Street, The Town of Ramsgate, les voyous jouaient aux fantômes et expédiaient les ivrognes au ciel en les priant de les y attendre.

C'est aussi au Town of Ramsgate qu'il rencontre Harry Dickson, le Sherlock Holmes américain. Dickson fumait la pipe en marchant autour de l' église Saint-John et Jean Ray le bouscula. C'était un magnifique soir de 1931, un soir de brouillard, de fin crachin et de grand vent…

Tout en longeant les magnifiques maisons de Wapping Pier Head, Harry Dickson déclara à l'écrivain qu'il connaissait mal ce quartier où parfois le conduisaient ses enquêtes.

Attablé dans un coin du Town of Ramsgate, Harry Dickson se présenta à l'écrivain comme un détective, natif des Etats-Unis, mais vivant à Londres depuis sa plus tendre enfance. Dickson habitait, comme Sherlock Holmes, à Baker Street ; il fumait également la pipe. Son docteur Watson, beaucoup plus jeune que ce dernier, s'appelait Tom Wills. C' était un apprenti policier qui donnait du"Maître"au grand détective ! Se laissant aller à la confidence, le détective raconta les enquêtes qui lui avaient donné du fil à retordre comme l' affaire de La Bande de l' Araignée. Georgette Cuvellier, héroïne de cette histoire, était pensionnaire à l'école des Dames Midgett, une école située à Trinity Street, dans le quartier de Borough. C'était une redoutable jeune femme aux yeux verts, fille du maléfique Professeur Flax qui dépassait aisément Moriarty dans les annales du crime. Dickson avait lu les aventures de Sherlock Holmes mais n' avait jamais eu l'occasion de le rencontrer. Holmes, à cette époque, avait pris une retraite bien méritée dans un cottage anonyme du Sussex.

Le brouillard s'épaississait, on entendait les sirènes des remorqueurs sur la Tamise ; des ombres se profilaient le long des anciens Wapping Stairs où jadis les contrebandiers s'embarquaient clandestinement pour fuir les douaniers ou les juges.

La rencontre entre le détective et le conteur eut des prolongements puisque depuis cette nuit de Wapping on connaît le nom de Harry Dickson. Jean Ray en fit un héros de feuilleton populaire… Il écrira sa première enquête en 1933, intitulée *L'Ermite du marais du diable*. D'autres suivront.

Grâce à tous ses fascicules, dont *La Résurrection de la Gorgone,* on découvre Londres et des coins aussi étrangers aux touristes que les marais d'Hackney, le bassin de Limehouse, les bords de la rivière Lea, ou bien la banlieue d'Homerton où se cache le cottage d'Euryale Ellis. Baxter Lewisham, l'agent secret des *Spectres Bourreaux* vit dans une maison basse de Warner Street à Clerkenwell qui existe vraiment.

Avec Harry Dickson et son élève Tom Wills, on participe dans l'histoire *La Bande de l'Araignée* au dénouement à coups de revolver dans une fumerie d'opium d'Hackney. Au début des *Spectres Bourreaux,* on voit s'écraser un petit avion sur la forêt d'Epping, à la lisière de l'Essex, alors que dans *La Terrible Nuit du zoo* quelque chose ne tourne pas rond au zoo de Regent's Park.

Ces quartiers isolés et délabrés, ex-fiefs de la "Gentry"pendant la Grande Peste de 1666, que sont Islington, Stoke Newington ou Camden revivent sous la plume de Jean Ray. Il fouille la topographie londonienne avec soin ; on pourra lire *Le Trésor du manoir de Streatham, La Maison hantée de Fulham Road, Le Mystère de Seven Sisters Road.* Sa description de Fulham Road est très réaliste. L'auteur y décrit une longue rue bordée de maisons victoriennes, d'entrepôts et de pubs. Il évoque également des bruits, aujourd' hui disparus, comme les sirènes des bateaux qui entraient dans le port de Chelsea…

Harry Dickson traque les meurtriers à Chinatown ; son ombre évolue dans des ruelles et des boutiques malodorantes. Il infiltre les tripots clandestins de Franklin Street, artère qui longe Victoria Park, seul espace vert de l'East End, et s'attaque aux vampires de Shadwell.

Jean Ray était un amoureux de la littérature anglaise. Il aimait beaucoup Walter Scott et Charles Dickens et ne devait pas dédaigner Geoffrey Chaucer. Il écrira ses *Derniers contes de Canterbury* dans lesquels le lecteur est transporté sur la rive sud de la Tamise, devant la Cathédrale de Southwark d'où les pèlerins partaient pour Canterbury.

Autour de la cathédrale, il y a les venelles du marché de Borough qui débouchent sur la Tamise.

Dans ce livre, le Club Littéraire d'Upper Thames se réunit, le samedi soir, pour étudier l'oœuvre de Chaucer et réciter des contes dans l'arrière-salle de la taverne La Pie Savante. Serait-ce, par hasard, ce pub construit sur les ruines de l'ancienne prison du roi et qui porte le nom de The Anchor ? Il est à parier que le chat Murr, vieux croqueur d'historiens, hante encore ces lieux.

Prenant le pseudonyme de John Flanders, Ray situera une autre histoire dans ce quartier, *Le Monstre de Borough.*

Autres œuvres anglophiles de Ray, *Les Contes noirs du golf* où de drôles de choses se passent sur les "links"du Royaume-Uni. Des fantômes jouent au golf à Saint-Andrews, là où le jeu a été inventé. Il y est également question d'un magasin d'articles de golf qui disparaît dans la rue principale d'Islington.

Dans *Jack de Minuit* il évoque un hôtel de Covent Garden, confortable et douillet, un coin de province intact. On sent, dans les errances londoniennes de Jean Ray, le parfum des scones, du whisky et du thé à la bergamote mais l'odeur de la terre et du sang n'est jamais loin.

L'anglophile aura une pensée spéciale pour ce vieux pirate de Jean Ray en visitant le British Museum. Derrière une vitrine se trouve le miroir magique du docteur John Dee, l'astrologue de la reine Elizabeth I. Ce miroir noir permettait à l'astrologue d'invoquer les esprits. Jean Ray l'évoque dans le conte, *Le Miroir noir,* où le Docteur Baxter-Brown l'utilise à de vilaines fins. Curieusement, il vit dans Church Street, qui longe Clissold Park, au nord-est de Londres. Rares sont les guides touristiques qui évoquent ces lieux. Church Street est une vieille rue de Stoke Newington ; au numéro 95, Daniel Defoe écrivit *Moll Flanders.*

Dans son roman, *La Cité de l'indicible peur,* Ray fait de son héros, Sidney Triggs, un brave "Bobby" de quartier qui règle la circulation au carrefour de Old Ford, alors l'endroit le plus banal de l'East End. Jean Ray écrivait en vrai Londonien, John Flanders également. On lui doit un roman pour enfants, *La Bataille d'Angleterre,* où une nouvelle fois le réalisme des lieux triomphe grâce à une merveilleuse description du Grand Londres. J'adore les œuvres de Jean Ray et je voyage rarement sans emporter un recueil de ses contes. De tous les détectives c'est Harry Dickson que je préfère, car en bon Américain il ne veut connaître que le Londres pittoresque. Celui que j'essaie de vous faire découvrir !

Les œuvres de Jean Ray sont généralement faciles à trouver chez les bouquinistes, surtout les romans et les nouvelles publiés chez Marabout à partir de 1964. Il existe aussi de nombreuses éditions dans des collections de poche, comme *Le Masque Fantastique* où les Editions Claude Lefrancq. Pour la série Harry Dickson, on ne peut que conseiller de lire l'excellent travail en plusieurs tomes effectué par les Editions Néo. Si le cœur vous en dit, il existe également les fascicules originaux des aventures d'Harry Dickson, mais l'amateur devra alors puiser dans ses économies…

A Bruxelles, Les Editions Le Cri ont récemment ressorti une cinquantaine de titres en fac-similés. Le personnage d'Harry Dickson continue à vivre de nombreuses aventures sous la plume de Gérard Dôle, véritable conteur, spécialiste du fantastique et de la musique Cajun. Jadis Gérard écrivit pour l'éditeur Corps9 *Les Nouvelles Aventures d'Harry Dickson.* Il a également publié chez Terres de Brumes, de nouvelles enquêtes de son détective favori. Les titres nous replongent dans la mythologie londonienne : *Le Diable de Pimlico, Le Loup-garou de Camberwell* ou encore *Les Spectres de Cheyne Walk.* Dans un recueil intitulé *L'Aiguille de Cléopâtre,* Dickson est aidé par Blake et Mortimer.

Enfin Harry Dickson a fait l'objet de plusieurs adaptations en bandes dessinées. Il existe une amicale Jean Ray et de nombreux sites sur le web.
www.noosFere.com/herberg/JeanRay/main.htm

A lire...

Avant toute chose, il me faut citer les noms des trois grands dessinateurs, responsables des magnifiques couvertures des livres de Jean Ray:
Jean-Michel Nicollet, Henri Lievens et Tibor Csernus, respectivement chez Néo, Marabout et Le Masque Fantastique.

Hormis les nombreuses œuvres mentionnées, voici deux bonnes études critiques sur Jean Ray:

- **Jean Ray, l'Archange Fantastique.** *Jean-Baptiste Baronian et Françoise Levie. 1981.*
- **Jean Ray/John Flanders. Dossier Phénix.** *Marc Bailly. 1995.*

Enfin, parmi les livres londoniens de Ray, mis à part la série **Harry Dickson**,
et Les contes du whisky:

- **Les contes noirs du golf.** *1964*
- **Les derniers contes de Canterbury.** *1944*
- **Jack de minuit. 1932**
- **Les cercles de l'épouvante.** *1942*
- **Le livre des fantômes.** *1943*

Jean Ray sera également un héros de roman:

- **Lord John.** *1986. Jean-Baptiste Baronian*

THE ILLUSTRATED POLICE NEWS
LAW COURTS AND WEEKLY RECORD

A REVOLTING MURDER.
ANOTHER WOMAN FOUND HORRIBLY MUTILATED IN WHITECHAPEL...

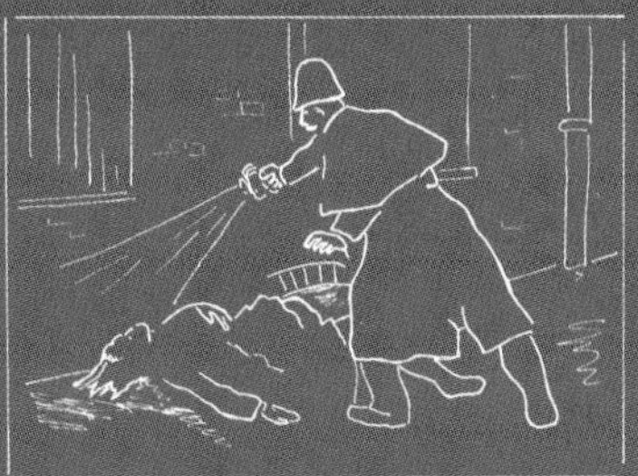

GHASTLY CRIMES BY A MANIAC

Jack l'Eventreur

Jack the Ripper

Le nom de Jack l'Eventreur brille d'un sombre éclat dans l'imaginaire de l'anglophile. Il l'a croisé, enfant, sur les affiches de cinéma. Comme si c'était hier, il se souvient de la cape noire, du haut-de-forme et surtout du couteau surgissant du brouillard ; il se souvient aussi que son nom fut parfois associé à celui d'un de ses héros favoris (*Sherlock Holmes contre Jack l'Eventreur* de James Hill 1965).

Plus tard, adolescent, dans un ciné-club, il l'a vu en noir et blanc dans *Loulou* (1928) de Pabst, puis en couleur dans *Meurtre par décret* (1979) de Bob Clark et, la même année, dans *C'était demain* de Nicholas Meyer où, grâce à sa machine à explorer le temps, H. G. Wells le poursuivait jusque dans notre époque...

Pour en savoir plus, il a dévoré le livre de Tom Cullen (*Jack l'Eventreur*, 1965), le seul ouvrage sur la question disponible alors en français. Et bientôt, sa conviction est faite : celui que l'on a surnommé, en son temps,"le Boucher de Whitechapel"et sur lequel depuis tant de romans, de nouvelles, d'ouvrages documentaires et d'articles ont été, et continuent d'être, publiés, incarne à n'en pas douter la face sombre de son pays imaginaire.

S'interrogeant sur l'étrange fascination du personnage, l'anglophile ne tarde pas à se convaincre que deux choses en particulier l'attirent. D'une part, l'image d'un Londres victorien insolite, sis à des lieues des décorations de Noël et du style Laura Ashley, un Londres sordide et effrayant, celui de l'East End. Et, de l'autre, le mystère policier, l'inépuisable énigme criminelle ! Car malgré les gloses innombrables, une brume tenace continue d'entourer, depuis plus d'un siècle, l'identité toujours fuyante de Jack the Ripper.

Les faits

Situé aux abords de la City prospère, l'East End à la fin du XIXe siècle est un ghetto de misère qu'ont dénoncé conjointement le crayon de Gustave Doré et la plume de Dickens. Sur une population de quatre cent cinquante-sept mille habitants, 22 % sont à la limite de la pauvreté et 13 % souffrent en permanence de la faim. Il n'est pas rare de voir, en cette époque de capitalisme féroce (où les ouvriers travaillent entre douze et seize heures par jour, sept jours sur sept), des familles de huit personnes s'entasser dans des pièces insalubres d'une douzaine de mètres carrés. Plus que dans aucun autre quartier, la tuberculose et l'alcoolisme y sévissent, et le taux de mortalité y atteint le chiffre de 40 %.

Quant à la prostitution, elle est une des activités les plus répandues de l'East End où l'on ne recense pas moins de soixante-deux maisons closes. Celles qui n'ont que la rue pour faire commerce de leurs charmes opèrent dans les impasses et les ruelles à l'écart des réverbères. C'est parmi ces demi-clochardes d'une quarantaine d'années, imbibées de gin, que l'on appelle les"farthing girls"(car pour le prix d'une passe, soit un farthing, elles peuvent se payer un lit dans un asile de nuit) que Jack l'Eventreur choisira ses quatre premières victimes.

La première, Mary Ann Nichols dite "Polly" , est découverte, le 31 août 1888 à 3 h 20 du matin dans Buck's Row par un portefaix se rendant au marché de Spitalfields. Les crimes sont alors monnaie courante dans l'East End et les journaux n'accorderont que quelques lignes à l'événement. Mais on s'en souviendra quand, aux petites heures du 8 septembre, le corps d'Annie Chapman, dite "Annie la Brune" , est découvert au 29 Hanbury Street. Cette fois, le meurtre est encore plus sauvage que le précédent : la tête est presque détachée du tronc, et l'assassin a arraché l'appareil génital. Annie a été assassinée non loin de l'endroit où huit jours plus tôt Polly, elle-même, avait trouvé la mort.

A l'annonce du second meurtre, dont tout porte à croire qu'il est le fait d'un même assassin, la peur s'empare de Whitechapel. On parle alors d'un homme revêtu d'un tablier de cuir, que des témoins auraient croisé sur les lieux des crimes ; d'autres, au vu des mutilations témoignant d'une connaissance anatomique, pensent qu'il s'agit d'un médecin.

La tension monte encore d'un cran quand, le 12 septembre, le Central News Agency reçoit une lettre rédigée à l'encre rouge ; l'assassin, en signant Jack l'Eventreur, s'attribue lui-même un sobriquet (Jack est le prénom que les auteurs de mélodrames ont coutume de donner au «méchant» de la pièce). On pouvait y lire entre autres : « *Je suis contre les putains et je n'arrêterai de les découdre que quand je serai bouclé* » .

Dans la nuit du 29 au 30 septembre, Jack frappe par deux fois, en assassinant Elizabeth Stride et Catherine Eddowes. On retrouve la première dans Berner Street, la seconde à Mitre Square aux abords de la City. Quelques jours plus tard, l'assassin enverra un paquet contenant la moitié d'un rein prélevée sur sa dernière victime au président du Comité de Vigilance qui, devant l'incapacité de la police, s'est constitué depuis peu. « *L'autre morceau,* écrit-il dans le mot joint au macabre colis, *je l'ai fait frire et je l'ai mangé, c'était très bon.* »

Le meurtre par lequel Jack l'Eventreur met un terme à ses agissements est de loin le plus effroyable de tous. Cette fois, sa victime n'est pas une femme entre deux âges, habituée des asiles, mais une jeune prostituée irlandaise de vingt-cinq ans, Mary Jane Kelly qui loue une petite maison dans Dorset Street. C'est à son domicile qu'il l'égorge et la mutile. A dix heures du matin, le 9 novembre, le commis du propriétaire venu toucher le loyer la découvre et pousse un hurlement d'horreur. A l'abri de quatre murs, sans crainte d'être dérangé, l'Eventreur a pu donner libre cours à sa folie sanglante. De Mary Jane Kelly ne subsistent que des débris et des lambeaux : le nez, les oreilles, les seins ont été coupés, les intestins ont été extraits du ventre ; différents organes sont disposés sur une table avec une volonté apparente de symétrie, des morceaux de chair pendent aux murs... Incapable de livrer un coupable à la justice, Sir Charles Warren, le chef de la police de Scotland Yard, remet sa démission. Avec la mort de Mary Jane Kelly s'achève ce qu'il est convenu d'appeler «l'automne de la peur» . Plus jamais on ne reverra Jack l'Eventreur dans les rues de Whitechapel.

C'est ainsi qu'au début de l'année 1889, Scotland Yard abandonne les recherches et lève les consignes de sécurité. « *L'homme en question est mort, déclare-t-on aux membres du Comité de Vigilance. Il a été repêché dans la Tamise, il y a deux mois, et si nous vous en disions plus, cela pourrait porter préjudice à sa famille* » . Ces propos pour le moins énigmatiques ouvrirent, comme on peut s'en douter, la porte à toutes les suppositions.

Les hypothèses

L'une des plus surprenantes nous vient de Conan Doyle qui, fort de l'autorité que lui confère la création de Sherlock Holmes, avance que l'assassin devait être déguisé en femme, ce qui expliquerait à la fois qu'il ait pu tromper la méfiance des prostituées et si facilement glisser entre les mailles de la police. William Stewart dans *Jill the Ripper : a New Theory,* (Londres, 1938), ira plus loin : pour lui, L'Eventreur est une femme, une avorteuse jetée en prison après avoir été dénoncée par une prostituée. A sa libération, elle n'aurait eu de cesse que de se venger...

En 1970, une bombe éclate sous la forme d'un article publié par le docteur Stowell dans *The Criminologist*. Cette fois c'est la famille royale qui est montrée du doigt, en la personne du petit-fils de la reine Victoria : le duc Clarence. Or, même si elle ne résiste pas au vu de l'emploi du temps du royal héritier (qui, le jour de l'assassinat de M. J. Kelly, se trouvait au château de Sandringham pour fêter l'anniversaire de son père), cette thèse connaîtra une fortune considérable et ressortira sous divers aspects.

En fait, les pistes les plus sérieuses semblent être contenues dans les notes laissées par Sir Melville Macnaghten qui fut chargé, en 1892, de fermer le dossier. On y trouve une liste nommant les trois suspects, selon lui, les plus plausibles : à savoir Kosminski, *« un juif polonais qui demeurait au coeur du quartier»* et dont la haine violente envers les femmes était bien connue de son entourage, Michael Ostrog *«un médecin russe dément déjà condamné, qui était un véritable fou homicide»* et M. J. Druitt, un avocat sans client, devenu professeur, qui disparut à l'époque des crimes. Pendant longtemps, Druitt fut considéré comme le suspect idéal, dans la mesure où sa propre famille le soupçonnait et surtout parce que son suicide (son corps fut retrouvé dans la Tamise au pont de Chiswick) coïncidait avec la fin des crimes de Jack l'Eventreur. Actuellement, les ripperologues ont tendance à lui préférer Kosminski, ce juif polonais dont la police aurait tu l'identité de peur de provoquer des pogroms dans l'East End où, précisément, l'antisémitisme était très violent. Ce suspect sera, dans la plus grande discrétion, placé par Scotland Yard dans un asile d'aliénés de Bournemouth où il décédera quelques mois plus tard.

Parmi les dizaines d'hypothèses avancées à ce jour, la plus "romanesque" est sans aucun doute celle de Stephen Knight qui, en 1976, publia *The Final Solution*.

On y retrouve le duc de Clarence, non plus désigné, cette fois, comme l'Eventreur, mais comme le mari d'Annie Crook, modèle d'un peintre célèbre, à l'époque, William Sickert. Selon S. Knight qui prétendait tenir ses informations du fils de Sickert lui-même, ce serait dans l'atelier du peintre que l'héritier de la couronne (dont l'inversion était de notoriété publique) aurait connu, en 1884, la révélation de l'amour hétérosexuel. Le duc de Clarence aurait donc épousé secrètement Annie dont il ne tarda pas à avoir une fille prénommée Alice, laquelle aurait été ensuite mise en pension chez une jeune veuve irlandaise, Mary Jane Kelly.

Quand la reine Victoria vint à apprendre la chose, elle chargea sa police secrète de faire le nécessaire pour n'avoir plus à en entendre parler. Le duc de Clarence fut consigné à Buckingham Palace ; Annie, d'abord déclarée folle par le médecin William Gull (dont le nom avait déjà été avancé par plusieurs ripperlogues), fut internée dans un asile. Quant à la petite fille, on la confia à Sickert qui finira par... l'épouser !

Pour mettre un terme définitif au scandale, il ne restait plus qu'à éliminer les témoins. On eut alors l'idée d'inventer un personnage de tueur insaisissable – Jack l'Eventreur – qui, brandi comme un épouvantail, était destiné à faire passer pour des actes de folie homicide des crimes commis, en réalité, au nom de la raison d'Etat. Ce sont (toujours selon Stephen Knight) le cocher du duc de Clarence, le docteur Gull et le peintre Sickert qui se chargèrent d'exécuter toutes celles qui avaient eu vent de l'affaire. Le cocher conduisait une voiture portant les armoiries de la couronne, ce qui le rendait intouchable ; Sickert entraînait les victimes dans le fiacre, et Gull les exécutait, donnant aux meurtres, grâce à ses connaissances chirurgicales, la touche de l'imaginaire Jack.

Dès la publication du livre, l'informateur de Stephen Knight, Joseph Sickert, le fils de William et, selon ses dires, d'Annie, se rétracta : il avait voulu « mener le journaliste en bateau » . Reste que William Sickert, de son vivant, avait coutume d'affirmer à qui voulait l'entendre, qu'il avait habité dans la même maison que Jack l'Eventreur...

Depuis, la publication de *The Final Solution*, beaucoup d'autres thèses ont été avancées.

Ainsi celle de la romancière Patricia Cornwell, *Jack l'Eventreur affaire classée*, qui, prenant appui sur les méthodes les plus modernes de la police scientifique, désigne Walter Sickert comme le véritable «boucher de Whitechapel» mais écarte la théorie du complot élaborée par S. Knight. Ou encore celle prétendant que l'Eventreur était un médecin américain de passage à Londres. Et que dire, par exemple, de ces mémoires "authentiques" que l'on aurait retrouvées et publiées après d'obscures et rocambolesques tractations en 1993 ! Bref, il y a gros à parier que la source est loin d'être tarie, car les archives de Scotland Yard – qui ne devaient être ouvertes au public qu'en 1992 – se sont révélées très décevantes. A l'heure actuelle, on ignore toujours l'identité de Jack l'Eventreur, mais l'on peut s'interroger, en revanche, sur la notoriété du personnage qui dépasse en célébrité la plupart des gens illustres.

La sauvagerie et le sadisme avec lesquels il perpétra ses crimes est une première explication ; la façon dont il utilisa les médias de l'époque, en est une autre ; la manière dont ses crimes mirent en lumière la misère de l'East End, à une époque de prospérité économique (au point que certains – comme Bernard Shaw – virent dans l'Eventreur un réformateur social dont le but, en tuant, n'avait été que d'attirer l'attention sur le revers de la médaille victorienne) mérite également d'être prise en compte. Le fait que les victimes soient des prostituées, en un temps de puritanisme officiel, mettait aussi en évidence un fait difficile à admettre et impossible à nier : s'il y avait à Londres (comme le notait, en 1890, William Booth, fondateur de l'Armée du Salut) entre soixante et quatre-vingt mille prostituées, c'est qu'elles avaient des clients ! Et ce n'est pas un hasard si l'image de Jack l'Eventreur que nous avons dans l'inconscient est celle d'un respectable gentleman, qui comme le docteur Jekyll de Stevenson vient dans l'East End et se transforme en Mr Hyde.

Enfin, comme le souligne le criminologue Stéphane Bourgouin : « *Avec Jack l'Eventreur, la face du crime a changé : on ne tue plus pour un profit ou sous le coup de la passion. Jack l'Eventreur est le précurseur des sérial killers modernes, de ces tueurs en série qui exécutent et mutilent pour satisfaire leurs désirs sexuels et leurs penchants sadiques.* »

Sur les traces de Jack l'Eventreur aujourd'hui

L'anglophile désireux de retrouver les lieux de la geste sanglante de Jack l'Eventreur risque d'être déçu. Non pas par le manque de brouillard auquel les films mettant en scène Jack l'Eventreur nous ont habitués car, de ce point de vue, il faut détruire une idée reçue : il n'y avait jamais eu de brouillard les nuits où Jack l'Eventreur a sévi ; mais parce que l'East End, en partie détruit par le Blitz, a été totalement rénové. La communauté juive installée dans le quartier (comme en témoignent une synagogue et quelques vieilles enseignes de boutiques) a quitté les lieux ; elle est aujourd'hui remplacée par une communauté bengalie. On peut, malgré tout, retrouver encore certaines rues dont les noms ont changé, mais où plus rien ou presque ne subsiste de l'époque victorienne.

Buck's Row où a été retrouvée Polly Nichols a été débaptisé après le meurtre pour devenir Duward Street ; au 29 Hanbury Street, où a été découvert le corps d'Annie Chapman, se dresse désormais un hôtel et tout le côté de la rue a été transformé. Berner Street qui vit la fin d'Elizabeth Stride est devenue Henriques Street. Plus aucun édifice de l'époque ne subsiste à Mitre Square où Jack s'acharna sur la malheureuse Catherine Eddowes. Quant à Dorset Street où logeait Mary Jane Kelly la rue se nomme désormais Puma Court.

Et si, pour reprendre une formule célèbre, « *l'East End n'est plus dans l'East End* », l'anglophile amateur de sensations pourra se consoler en visitant le musée de Madame Tussaud et, surtout, le London Dungeon (Tooley Street, London SE1) où un petit spectacle – The Jack the Ripper Experience – est présentée à la fin de chaque visite.

Cette association de passionnés cherche toujours la solution de l'énigme. On peut y rencontrer les plus grands spécialistes du sujet !

Jean-Pierre Croquet

A découvrir...

- **The Whitechapel Society**
  The Aldgate Exchange, 133-137 Whitechapel High Street, London E1

  Pour écrire:
  Bill Beadle, 51 Aldborough Road, Dagenham. RM10 8 AT

  Cette association de passionnés cherche toujours la solution de l'énigme. On peut y rencontrer les plus grands spécialistes du sujet !

A lire...

En langue française:

- **Jack L'Eventreur: le journal, le dossier, la controverse.** *Anonyme. 1993.*
- **Le Livre rouge de Jack l'Eventreur.** *Stéphane Bourgoin. 1998.*
- **Jack l'Eventreur.** *Tom Cullen. 1966*
- **Jack l'Eventreur, affaire classée.** *Patricia Cornwell. 2003.*
- **Qui était Jack l'Eventreur.** *Alain Decaux. Historia, n'° 414, mai 1981.*
- **Jack l'Eventreur.** *Robert Desnos. 1997.*
- **L'Enigme de Jack l'Eventreur.** *Roland Marx. L'histoire, n'°62, décembre 1983.*
- **Jack l'Eventreur et les fantasmes victoriens.** *1987.*
- **Etre assassin.** *Colin Wilson. 1977.*
- **Jack L'Eventreur démasqué.** *Sophie Herford. 2007.*

En langue anglaise:
Parmi la très abondante bibliographie toujours en expansion, on retiendra particulièrement:

- **The Final Solution.** *Stephen Knight. 1976.*
- **Jack the Ripper, One Hundred Years of Mystery.** *Peter Underwood. 1988.*
- **The London of Jack the Ripper, Then and Now.** *Robert Clark et Philip Hutchinson. 2007. Un livre fascinant sur ce qu'est devenu Whitechapel aujourd'hui et ce qu'était le quartier à l'époque de Jack ! Un ouvrage riche en illustrations.*
- **Jack the Ripper and the East End.** *2008. Une anthologie compilée par Alex Warner, avec une préface de Peter Ackroyd. Il s'agit en fait du catalogue de l'exposition qui s'est tenue au Museum in Docklands qui comporte de nombreux chapitres sur l'époque et le quartier de Whitechapel.*

L'anglophile ripperologue - débutant ou confirmé - trouvera un vaste choix d'ouvrages dans la section "True Crime" de la librairie Murder One (Charing Cross Road) .

Romans inspirés par le personnage de Jack l'Eventreur

- **C'était demain** *(collection "Les Fenêtres de la nuit"). Karl Alexander. 1980.*
- **La Nuit de l'Eventreur.** *Robert Bloch. 1986.*
- **La Dernière Enquête de Sherlock Holmes.** *Michael Dibdin. 1994.*
- **God Save the Crime.** *Pierre Dubois. 1982.*
- **Le Brouillard rouge.** *Paul Halter. 1996.*
- **L'Assassin rôde dans l'impasse.** *T. E. Huff. 1974.*
- **Un étrange locataire.** *Mary Belloc Lowndes. 1994.*
- **La Dernière Victime.** *Emmanuel Ménard. 1992.*
- **From Hell.** *Alan Moore & Eddie Campbell (roman graphique, Ed. Delcourt). 2001.*
- **Sherlock Holmes contre Jack l'Eventreur.** *Ellery Queen. 1968.*
- **Le Sacre de la nuit.** *Colin Wilson. 1999.*

A voir...

- **Les Cheveux d'or (The Lodger: A Story of the London Fog** *,1926) de Alfred Hitchcock d'après le roman de Mary Belloc Lowndes, avec Ivor Novello.*
- **Jack l'Eventreur (The Lodger,** *1944) de John Brahm, remake du précédent avec Laird Cregar, Merle Oberon, George Sanders*
- **Le Tueur de Londres (Man in the Attic,** *1953) de Hugo Fregonese, avec Jack Palance, Constance Smith, Frances Bavier*
- **Jack l'Eventreur (Jack the Ripper,** *1958) de Robert S. Baker et Monty Berman, avec Lee Patterson, Eddie Byrne, Ewen Solon, Betty McDowall*
- **Sherlock Holmes contre Jack l'Eventreur (A Study in Terror**, *1965) de James Hill, avec John Neville, Donald Houston, Georgia Brown, John Fraser, Anthony Quayle, Barbara Windsor*
- **La Fille de Jack l'Eventreur (Hands of the Ripper**, *1971) de Peter Sasdy, avec Angharad Rees, Jane Merrow, Rod Cameron, Eric Porter*
- **Jack l'Eventreur** *(1976) de Jess Franco, avec Klaus Kinski, Josephine Chaplin*
- **Meurtre par décret (Murder by Decree**, *1979) de Bob Clark, avec Christopher Plumer, James Mason, Donald Sutherland, Geneviève Bujold, David Hemmings, John Gielgud*
- **C'était demain (Time after Time**, *1979) de Nicholas Meyer, avec Malcolm McDowell, David Warner,Mary Steenburger*
- **From Hell (2001)** *des frères Hughes avec Johnny Depp, Heather Graham.*

Sherlock Holmes

Sherlock Holmes, le détective des brouillards londoniens !

« Nous planerions au-dessus de Londres et nous soulèverions doucement les toits, nous risquerions un œil sur les choses bizarres qui se passent… »

Conan Doyle in Une Affaire d'identité.

Suivre les traces de Sherlock Holmes, le grand détective privé victorien imaginé par Conan Doyle est relativement facile grâce au docteur Watson, son ami et historiographe, qui sut si bien raconter ses enquêtes criminelles. Ce chroniqueur exceptionnel n'était pas avare de détails et il citait avec malice la moindre ruelle londonienne, avec la plus grande précision. Je me souviens qu'enfant, je découvris Watson sous les traits de l'acteur britannique Nigel Bruce qui, dans les brouillards d'Hollywood, donnait la réplique à un Sherlock Holmes interprété par Basil Rathbone. Dans mon imaginaire, Watson devenait mon oncle d'Angleterre, celui qui lorsque crépite un bon feu de bois se met à raconter des histoires aux enfants sages. Il me rappelait l'oncle Paul qui, dans les pages du journal *Spirou*, enchantait aussi ses deux neveux avec ses contes…

En lisant Conan Doyle, j'appris vite que le docteur John D. Watson partagea entre 1881 et 1904, avec le célèbre détective, un appartement situé 221B Baker Street au cœur du West End. Le B signifiait que l'appartement était au premier étage. Cependant un détail pimente agréablement cette histoire, car à la fin du XIXe siècle, Baker Street s'arrêtait au numéro 92, en face de York Place ! Donc, comme le fait si bien dire le réalisateur américain John Ford à un journaliste dans son film *L'Homme qui tua Liberty Valance* : *« Lorsque la légende devient la réalité, c'est elle qu'on imprime. »*

Une adresse mythique…

Dans mes souvenirs anglophiles, le logement des deux compères se trouvait à l'emplacement actuel de la société Abbey National. Cette banque reçoit encore aujourd'hui une importante correspondance destinée au détective. Pendant des années, un employé était spécialement chargé de répondre à toutes les lettres envoyées par des fans du monde entier. Adolescent, je passais des heures à marcher sur les traces du locataire de Baker Street. Pour nous tous, Holmes existait bel et bien dans un Londres de brouillard et de crimes. En 1985, l'acteur Jeremy Brett dévoilera d'ailleurs sur un mur de cette banque une plaque dédiée au détective.

Il faut savoir que pendant la dernière guerre, les services secrets du Special Operation Executive, le SOE, création de Churchill, avait ses bureaux dans ce même immeuble ! On y recrutait les futurs agents qui seraient parachutés dans les territoires de l'Europe occupée. Eux aussi emprunteraient plusieurs identités et se déguiseraient au hasard de leurs missions. Comme Sherlock, ils seraient des adeptes du revolver et de l'arme blanche.

Je me souviens que dans mes lectures, la maison de style géorgien était une charmante pension de famille dans un quartier où l'on venait de construire la magnifique gare de Baker Street, due au talentueux architecte Brunel. Autour commençaient à s'élever de grands immeubles pour loger les membres de la nouvelle classe moyenne, mélange d'employés de banque et de petits boutiquiers d'Oxford Street. Les hommes d'affaires et les militaires préféraient s'installer dans les luxuriantes banlieues du Surrey. Baker Street devait ressembler aux décors qu'imagina Alexandre Trauner dans le film de Billy Wilder *La Vie privée de Sherlock Holmes*, tourné au studio de Pinewood. A la nuit tombée, dans le silence du soir, Holmes n'avait aucun mal à entendre les pas hésitants d'une personne en détresse qui allait bientôt sonner à sa porte…

Londres entre la misère et le magasin Harrods…

A cette époque, Londres est devenue une mégapole qui a englouti villages et campagnes. La police, crée par Robert Peel en 1829, compte environ quinze mille hommes chargés de patrouiller la ville. Plus de trois mille fiacres parcourent les rues. Le métro et le chemin de fer relient le centre et les banlieues qui abritent environ deux millions d'habitants. Au moment où Sherlock Holmes entre sur la scène londonienne, un nouveau système d'égouts vient d'être mis en place. Grâce aux bateaux qui apportent marchandises et richesses du monde entier, les docks londoniens sont les plus prospères d'Europe. Londres est également la capitale de la prostitution. Selon la presse, on compte plus de deux cent mille prostituées ! La classe ouvrière vit dans des taudis. En 1890, la grande grève des dockers a paralysé l'économie. Les syndicats réclament la journée de travail de huit heures. Les pauvres s'entassent dans les workhouses, sortes d'asiles très stricts réservés aux indigents à qui on fait porter un uniforme gris. En échange d'un bol de porridge, ils passent quotidiennement plus de douze heures à fabriquer des cordages, des pierres à briquet ou à casser des cailloux. Londres connaît déjà des vagues d'attentats à la bombe organisées par les Irlandais. Ceux-ci, les Fenians, n'ont pas hésité à poser une bombe au Parlement, ni à faire sauter le mur de la vieille prison de Clerkenwell pour tenter de libérer leurs complices. Bientôt Jack l'Eventreur frappera les prostituées de Whitechapel à coups de couteau. Adam Worth qui habite une villa de Clapham Common est alors le plus célèbre cambrioleur londonien. Comme Arsène Lupin, il arrive toujours à échapper à la police !

Mais, c'est aussi une ville où le magasin Harrods a bouleversé l'univers du commerce avec ses multiples rayons, son escalier roulant et ses nouvelles méthodes de vente. Londres est le reflet même de cette révolution industrielle et économique, donnée en exemple à travers l'exposition universelle de 1851 avec son Palais de Cristal. Cependant, les classes sociales sont plus que jamais divisées et chacun sait rester à la place que sa naissance lui a imposée. Dans ce Londres victorien, on quitte rarement le quartier où l'on a vu le jour !

La vie au 221B Baker Street...

Un escalier de dix-sept marches menait au salon de nos deux amis. La chambre de Sherlock Holmes se trouvait à côté de ce salon, celle de Watson était au second étage. Deux grandes fenêtres, très pratiques pour observer les mouvements de la rue, donnaient sur Baker Street, une rue toujours très animée où les nombreux omnibus en service posaient déjà un sérieux problème de circulation, surtout lors des livraisons matinales aux divers magasins du quartier. Justement le secrétaire d'Holmes se trouvait entre les deux fenêtres. Dans l'arrière-cour, comme nous l'a révélé Watson dans *Le Problème du pont de Thor*, il y avait un platane, sans doute un reste des champs de l'abbaye de Paddington. Holmes et Watson pouvaient les soirs d'été marcher jusqu'à Regent's Park et fumer la pipe en toute tranquillité. La plupart du temps, nos deux amis vivaient dans le salon fort agréable d'aspect avec son papier grenat et ses meubles à la mode de l'époque. Je revois le violon posé sur la table où les deux compagnons prenaient leurs repas, la fameuse pipe calebasse, les pots à tabac sur la nappe d'un guéridon, une seringue et une bouteille remplie d'une solution de cocaïne à sept pour cent, diverses éprouvettes et cornues utilisées par Holmes pour ses enquêtes. Je n'oublie pas non plus la loupe sur le rebord du secrétaire, la babouche à la pointe pleine de tabac accrochée dans un coin de la cheminée et divers objets essaimés au hasard du salon, comme des empreintes en plâtre, une canne-épée ou un revolver à barillet. Sur le sol, il y avait une peau d'ours. Sur une étagère de la bibliothèque, on pouvait voir la petite monographie que le détective consacra à l'étude des cendres de cigarettes. Tout comme dans les bandes dessinées de Benoît Bonte et de Jean-Pierre Croquet, ces deux auteurs qui ont choisi d'évoquer le détective en quelques volumes finement ciselés ! Bien entendu, on retrouve cette atmosphère dans le film de Billy Wilder *La Vie privée de Sherlock Holmes*.

Un terrible brouillard...

Madame Hudson, la propriétaire, tenait fort bien la maison. C'était une excellente cuisinière et la bonne odeur de ses scones est désormais devenue légendaire. Je me souviens du détective en robe de chambre penché sur une cornue où un bien étrange mélange bouillait sur la flamme d'un bec Bunsen. Le 221B était un havre de paix où au milieu de la nuit, à la lumière de la lampe à pétrole, se lamentait le Stradivarius de Sherlock Holmes, acheté jadis chez un prêteur sur gages de Tottenham Court Road, une longue artère où se trouvaient les meilleurs brocanteurs et fripiers de toute la ville, en bordure du quartier universitaire de Bloomsbury. C'est avec une grande tendresse que j'essaie de me souvenir de ce Londres où vécut le grand détective. Dès l'automne, de la Tamise remontait ce brouillard épais qui, mélangé aux fumées domestiques, serrait la ville dans ses tentacules à la manière d'un monstre marin. Après dix-neuf heures, les gens ne sortaient plus de chez eux. D'épais rideaux de velours les isolaient des bruits de la grande ville. Mais le "smog" était cruel aux pauvres hères qui couchaient sous les porches et il permettait aux criminels de se fondre dans les profondeurs de la nuit. De plus, Londres était une ville malodorante. Des odeurs de suie attaquaient les narines des promeneurs. Du ciel, tombait une petite pluie grasse. Dans la métropole de Sherlock Holmes, capitale d'un immense empire sur lequel le soleil ne se couchait jamais, seuls les beaux quartiers bénéficiaient d'un éclairage public au gaz. Il faudra attendre le climat de psychose, insufflé par les meurtres de Jack l'Eventreur, à l'automne 1888, pour que les pouvoirs publics se décident enfin à installer l'éclairage au gaz de ville dans les quartiers défavorisés.

Le remarquable Mister Holmes...

Grand, mince, sportif accompli, logicien, mélomane averti, Sherlock Holmes est né en 1887 sous la plume de Sir Arthur Conan Doyle. Celui-ci voulait être acteur et pratiquait l'escrime et la boxe avec dextérité. D'*Une étude en rouge* à *L'Aventure de Shoscombe Place* en 1927, le docteur Conan Doyle, médecin sans client, écrira cinquante-six nouvelles et quatre romans dont s'inspireront nombre de réalisateurs pour tourner des œuvres aussi inoubliables que les films avec Basil Rathbone ou encore la série télévisée de Granada avec Jeremy Brett.

C'est à la Noël 1887 que l'éditeur londonien Ward Lock publie *Une étude en rouge*, un roman qui paraît dans le *Beeton Christmas Almanach* et passe presque inaperçu. Seul un agent littéraire qui travaille pour le compte de l'éditeur américain Lippincott le remarquera et commandera à Conan Doyle *Le Signe des Quatre*. Mais ce n'est qu'en 1889 que Sherlock Holmes connaîtra la gloire grâce à la publication de ses aventures dans le *Strand Magazine*, une revue populaire à gros tirage. Ayant étudié la médecine à l'université d'Edimbourg, Conan Doyle prit comme modèle pour son détective l'un de ses professeurs, un certain Joseph Bell, dont les grandes facultés déductives l'étonnaient. C'est l'acteur américain William Gillette qui, au théâtre, donnera la pipe calebasse à Holmes. Quant à la merveilleuse casquette de chasseur de daim, ce sera une idée de Sydney Pagett, l'illustrateur de ses aventures dans le *Strand Magazine*. Mais, c'était bien ignorer les coutumes victoriennes ! Compte tenu de son milieu social et de son statut de gentleman, jamais Sherlock Holmes n'aurait osé sortir sans son chapeau haut de forme et sa redingote ! Pagett le dotera aussi d'un Macfarlane , ce manteau de campagne avec un rabat en forme de cape, mais bien trop rural pour la ville de Londres. Jamais, on ne l'aurait laissé entrer dans un club ou un restaurant chic accoutré de cette façon !

Des lieux légendaires...

Près de Trafalgar Square, se trouve, dans Northumberland Street, le pub Sherlock Holmes qui s'appelait autrefois le Northumberland Hotel où descendit Sir Henry Baskerville. On peut y voir exposés la tête phosphorescente du chien des Baskerville et plusieurs autres souvenirs. Une reconstitution du salon du détective, qui date de la grande exposition de 1951, se trouve au premier étage du restaurant.

Nous ne sommes pas loin des anciens locaux de Scotland Yard, le domaine réservé de l'inspecteur Lestrade. Toujours dans ce quartier de Westminster, c'est devant la National Gallery que Stapleton hèle un cab pour suivre l'héritier des Baskerville. C'est au Foreign Office, situé dans Whitehall, que le ministre des Affaires étrangères persuade le détective, dans *Son dernier coup d'archet*, de prendre en main l'affaire Von Bock.

Piccadilly Circus est devenu légendaire dans la mythologie holmésienne grâce au Criterion Restaurant. C'est en effet ici que le Docteur Watson entend parler pour la première fois de Sherlock Holmes par un l'un de ses anciens soldats de la campagne du Punjab. Cet événement, qui fut jadis commémoré par une plaque murale, plusieurs fois volée, nous est rapporté par Watson dans *Une étude en rouge*. Mais la rencontre historique entre les deux hommes se déroule au laboratoire de chimie du St Bartholomew Hospital, lorsque le jeune Stanford présente le docteur Watson à Sherlock Holmes. Tous les deux sont à la recherche d'un colocataire. Le lendemain, ils visitent le 221B Baker Street…

Au coeur de Mayfair, se cachent les clubs de jeux, les prostituées de Shepherd's Market et les petits marchands de journaux qui composent la bande des Irréguliers de Baker Street qui sont les yeux et les oreilles de Holmes dans la grande cité. Ces petits détectives amateurs venaient en fait des bas quartiers de la ville et ils étaient les dignes frères du jeune Oliver Twist. A cette époque, de nombreux gamins miséreux couchaient dans la rue, sous un porche, entre deux poubelles, vivant de mendicité et de petits boulots.

La City et l'East End furent des terres de mystères de tout premier choix pour le grand détective. Il est rare que les ruelles venteuses de ces quartiers ne figurent pas dans un récit. Holmes se bat dans les arrière-cours, traque ses adversaires au fil des caprices de la Tamise, passe d'un fiacre à une locomotive poussive. Il utilise sa canne-épée et vide le chargeur de son gros Browning sur des bandes de mauvais garçons. Un immeuble de Leadenhall Street, à quelques pas du vieux marché couvert, abrite le bureau d'Hosmer Angel, le caissier véreux dans *Une affaire d'identité*. Lime Street, la rue du Lloyd's Building, est présente dans *La Pierre de Mazarin*. Mycroft, le frère de Sherlock, est membre du Diogenes Club, un établissement réservé aux membres du Foreign Office qui se trouve dans le quartier des clubs de Pall Mall.

Dans les pages de *L'Affaire Holmes-Dracula*, Holmes poursuit le comte Dracula jusqu'aux bassins de St Katherine's Docks avant de s'engager dans Wapping High Street où également dans *Le Signe des Quatre* il débusquera les sinistres coupables. Les docks, perdus dans le brouillard, regorgeaient d'escrocs et de criminels. Le détective fréquente le Prospect of Whitby et le Town of Ramsgate. Il sait se travestir, imiter les accents et surpasser ainsi les brigades de l'Inspecteur Lestrade. Devant la porte du Turk's Head, déguisé en marin, il prend en chasse celui qu'il croit être l'énigmatique Jack l'Eventreur dans *L'Ultime Défi de Sherlock Holmes* de Michael Dibdin.

Le film *Le Secret de la pyramide,* produit par Spielberg, trouve son dénouement à l'intérieur d'une pyramide située sous le cimetière de Wapping.

Les lecteurs se passionnent pour ces aventures policières empreintes d'exotisme. Car si les Victoriens se délectent des romans de Conan Doyle, c'est bien sûr chez eux devant un bon feu de cheminée. Ils habitent alors du côté de Putney ou de Regent Street, et à travers les aventures du détective, ils peuvent découvrir les culs-de-basse-fosse et les fumeries d'opium qui se cachent alors dans les venelles de Stepney ou de Whitechapel !

La mémoire des rues...

De retour vers un Londres apparemment plus calme, je vous invite à vous rendre au Langham Hotel, à Portland Place, l'un des plus luxueux palaces londoniens. En 1889, au restaurant de cet établissement prestigieux, l'agent littéraire Lippincott invita à déjeuner deux jeunes auteurs talentueux : Oscar Wilde et Conan Doyle. L'éditeur commanda à Conan Doyle, *Le Signe des Quatre* et à Wilde, *Le Portrait de Dorian Gray*. L'hôtel figure aussi dans *La Disparition de Lady Frances Carfax* et c'est également la résidence du comte von Kramm dans *Un scandale en Bohème*. Toujours à propos de cette dernière histoire, Doyle fait habiter la belle Irène Adler, la Femme, dans une maison discrète du quartier de St John's Wood : Briony Lodge, Serpentine Avenue. Essayez de la trouver ! Quant à ce criminel de professeur Moriarty, il vit dans des villas abandonnées ou des demeures perdues en rase campagne.

Covent Garden et le Strand n'échappent pas à Conan Doyle. C'est en effet au Lyceum Theatre que fut créée, en 1901, la pièce *Sherlock Holmes* avec l'acteur William Gillette. Dans le rôle du groom Billy, il y avait un débutant de quatorze ans, un certain Charlie Chaplin ! Enfin, toujours dans *Le Signe des Quatre*, au pied du troisième pilier de cette salle de spectacle, Holmes, Watson et Mary Morstan se retrouveront pour un bien étrange rendez-vous...

C'est à la gare de Charing Cross que la chanteuse d'opéra Irene Adler, la femme idéale selon Holmes, et Godfrey Morton, son futur mari, quittent Londres. A la gare Victoria, Holmes s'embarque à bord de l'Orient Express, pour se rendre à Vienne rencontrer le docteur Sigmund Freud, le seul être capable de le débarrasser de la drogue dans *La Solution à sept pour cent* de Nicholas Mayer. Watson fit ses études à University College au cœur du quartier de Bloomsbury. A deux pas de cette faculté, le jeune Holmes, fraîchement arrivé d'Oxford, loue une chambre au 24 Montague Street, à quelques pas de la salle de lecture du British Museum. Conan Doyle, jeune médecin, habitait 23 Russell Square. Il exerça aussi au 2 Devonshire Place. On pourrait consacrer ainsi de nombreuses pages à évoquer le Londres du détective et mentionner ses rencontres avec Karl Marx, la reine Victoria, le président Teddy Roosevelt, le premier ministre Disraeli, mais un livre comme celui-ci n'y suffirait pas. Dans les aventures de Sherlock Holmes, Conan Doyle a fait de Londres bien plus qu'une suite de paysages ; la ville est en fait un véritable témoin de la vie d'un détective privé victorien dont son créateur disait : *« Après tout, Holmes fut un excellent ami à bien des égards ! »*

Peu avant sa mort, Conan Doyle déclarait également dans une interview :
« Je pense n'avoir réellement pris conscience de la manière dont Holmes est devenu pour le plus candide des lecteurs une personnalité vivante, que lorsque que j'ai entendu une très charmante histoire d'écoliers français qui, quand on leur demanda ce qu'ils voulaient voir en premier à Londres, répondirent unanimement qu'ils voulaient voir le logement de M. Holmes à Baker Street... » .

A voir…

Il est impossible de citer les quelques 260 films consacrés au détective privé, néanmoins, on recommandera la série avec Basil Rathbone et Nigel Bruce, réalisée de 1939 à 1949, avec un remarquable Chien des Baskerville. De même, on ne peut se passer de la version produite par la Hammer avec Peter Cushing qui, avec son atmosphère digne d'un film d'horreur, fut réalisée par Terence Fisher en 1959.

- **La vie privée de Sherlock Holmes (The Private Life of Sherlock Holmes)** *Billy Wilder. 1970 avec Robert Stephens est bien entendu le "must des must" !*
- **Meurtre par décret (Murder by Decree)** *Bob Clark 1979 avec Christopher Plummer et James Mason est consacré à Jack l'Eventreur*
- **Sherlock Holmes attaque l'Orient Express (The Seven Percent Solution)** *Herbert Ross 1976 avec Alan Arkin et Laurence Olivier*
- **Elémentaire mon cher… Lock Holmes (Without a Clue)** *Thom Eberhardt 1988 avec Michael Caine et Ben Kingsley*
- **Le secret de la pyramide (Young Sherlock Holmes).** *Barry Levinson. 1985 sur les premières aventures du jeune Holmes*
- **Sherlock Holmes contre Jack l'Eventreur (A Study in Terror)** *1965 James Hill avec John Neville*

A lire…

Bien sûr tous les écrits de Conan Doyle consacrés à Sherlock Holmes. Il est à noter que les aventures du grand detective sont ressorties dans une édition bilingue en trois volumes chez Omnibus.
Exemples d'ouvrages apocryphes :

- **La solution à sept pour cent. (The Seven Percent Solution)** *Nicholas Meyer 1974*
- **L'horreur du West End. (The West End Horror)** *Nicholas Meyer 1976*
- **Marx et Sherlock Holmes.** *Alexis Lecaye 1981*
- **Einstein et Sherlock Holmes.** *Alexis Lecaye 1989*
- **Le dossier Holmes-Dracula. (The Holmes-Dracula File)** *Fred Saberhagen 1978*
- **La vie privée de Sherlock Holmes.** *Michael et Mollie Hardwicke*
- **Histoires secrètes de Sherlock Holmes.** *René Réouven 1993*
- **L'ultime défi de Sherlock Holmes (The Last Sherlock Holmes Story).** *Michael Dibdin 1978 basé sur le cas Jack l'Eventreur.*
- **Mémoires de Mary Watson.** *Jean Dutourd 1980*
- *Benoît Bonte et Jean-Pierre Croquet ont consacré cinq albums de BD, sur des scénarios originaux, à Sherlock Holmes, parus aux éditions Soleil, .*

- Enquête sur Sherlock Holmes. *Bernard Oudin 1997*
- Sherlock Holmes, The Unauthorized Biography. *Nick Rennison 2005*

A découvrir :

Deux sites pour passionnés :

- **www.sshf.com**
  le site de la société Sherlock Holmes de France
- **www.sherlock-holmes.org.uk**
  site de la Sherlock Holmes Society of Great-Britain

A visiter :

- **The Sherlock Holmes**
  10 Northumberland Street : à l'angle de Northumberland Avenue, à deux pas de la gare de Charing Cross et de Trafalgar Square. Au rez-de-chaussée, ce pub est décoré d'objets holmésiens, de vieilles affiches de théâtre et photos de films. Au premier étage, un restaurant donne sur une petite, mais pieuse reconstitution du living-room du 221B Baker Street. Si vous ne souhaitez pas aller au restaurant, vous pouvez tout de même monter à l'étage où, du couloir qui mène à la salle, a été aménagée une ouverture qui vous permettra d'admirer à loisir cette reconstitution. Elle date de 1951 et avait été sponsorisée à l'époque du Festival of Britain, par Abbey National, dont les bureaux se trouvent dans Baker Street.
- **The Sherlock Holmes Memorabilia,**
  230, Baker Street, en face du musée, la boutique de souvenirs holmésiens !
- **Sherlock Holmes Museum,**
  221B Baker Street : Le musée arbore fièrement le n° 221 alors qu'il se trouve au 239. Il est ouvert tous les jours de 10h à 18h.
  Au rez-de-chaussée, bon restaurant avec décoration victorienne à l'enseigne de Mrs Hudson, la logeuse de Sherlock Holmes.
- **Station de métro Baker Street:**
  Devant l'entrée du métro, on peut voir une sculpture due à John Doubleday érigée en 1999, commandée par la Sherlock Holmes Society of London et sponsorisée par Abbey National pour célébrer leur 150e anniversaire.
- **Une visite s'impose à la Sherlock Holmes Collection** *qui se trouve à la bibliothèque municipale de Marylebone, Marylebone Road NW1. Prière de prendre rendez-vous au 020 7798 1206.*

Quelques Français sortis des brumes londoniennes

Ecrivains français

Sur les traces de... Alain-Fournier à Chiswick

« Attendue à travers les étés qui s'ennuient dans les cours
en silence et qui pleurent d'ennui... »

Alain-Fournier, Chiswick juillet 1905.

De nombreux liens existent entre Londres et Alain-Fournier, l'auteur de ce chef-d'œuvre immortel qui s'appelle *Le Grand Meaulnes.*

Dès sa plus tendre enfance Fournier se mit à aimer l'Angleterre à la lumière des livres de prix qui récompensaient son travail de petit écolier à l'école primaire d'Epineuil où ses parents enseignaient. Il n'avait pas encore pris le pseudonyme Alain-Fournier et répondait alors à son prénom, Henri. Dans sa chambre, située au grenier, il lisait *Robin des Bois, Robinson Crusoé* ou encore *Oliver Twist,* ces romans clés de la littérature britannique. Il en aimait les héros qui parcouraient les océans ou se battaient pour l'honneur d'une jeune fille dans les taudis londoniens. Au Lycée Lakanal, aux côtés de son ami Jacques Rivière, Fournier découvrira les œuvres de Shakespeare qui l'enchanteront. Plus tard, jeune journaliste à *Paris Journal,* il écrira des critiques sur Anthony Trollope, Thomas Hardy ou James Barrie, l'auteur de *Peter Pan* dont l'action se passe dans les jardins de Kensington qu'il découvrira lors de son unique séjour londonien au cours du bel été 1905. Un jour, T. S. Eliot lui enverra une liste de livres anglais à lire d'urgence. A cette occasion, Fournier découvrira Joseph Conrad. Bien entendu, c'est dans *Le Grand Meaulnes* que l'on ressent vraiment l'influence de ces écrivains sur l'auteur et en particulier celle de Stevenson et de ses romans d'aventures.

Chiswick, été 1905...

Le 2 juillet 1905, Henri Fournier s'embarque à bord du ferry qui fait la liaison entre Dieppe et Newhaven ; il vient travailler un été en tant que traducteur pour une société de Chiswick, Sanderson's, spécialisée dans les papiers peints. Cette firme est toujours en activité, mais à l'époque elle se tenait dans d'immenses ateliers à Heathfield Terrace, Turnham Green, aujourd'hui en partie occupés par une brasserie qui appartient au chef Rick Stein. Fournier logeait chez Monsieur et Madame Nightingale, 5 Burlington Road, une adresse proche de son bureau. Sa chambre, au dernier étage de la maison, donne sur le jardin. Alain-Fournier la trouve minuscule. Rien n'a changé, la rue est aussi charmante que du temps où elle s'appelait, jusqu'à la guerre de 14-18, Brandenburgh Road. Il y a de gros arbres et des haies autour des maisons.

Le Londres que découvre Fournier est la capitale d'une nouvelle Angleterre sur laquelle règne avec bienveillance Edouard VII, petit-fils de la reine Victoria, morte quatre ans auparavant. La guerre des Boers est terminée, la classe moyenne connaît alors ses meilleures années et peut s'installer dans des banlieues vertes et paisibles, des banlieues parsemées de petites maisons entourées de jardins. Leurs enfants apprennent le piano et une langue étrangère. De nombreuses familles pratiquent la photographie ; la grande mode consiste à exposer ses photos sous verre dans son salon. Le spiritisme est également en vogue et les gens essaient de photographier les ectoplasmes. Un cottage de Turnham Green, hanté par l'esprit d'une fillette, fait les gros titres du journal local.

Chiswick possède un cinéma dans la rue principale et l'usine la plus importante de l'Ouest londonien, The Cherry Blossom Factory, où des centaines d'ouvriers, logés à proximité de leur lieu de travail, fabriquent des tonnes de cirage. Parfois, on croise des voitures et l'aviation est alors la dernière invention à la mode. Le chemin de fer relie déjà toutes les gares qui se trouvent entre le centre de Londres et le proche Surrey.

Dans ses premières lettres à Jacques Rivière, Fournier décrit avec détail les espaces verts, le poste de police de Chiswick, les habitations qu'il compare à des maisons de poupée où, selon lui, les Londoniens mangent une nourriture pour Lilliputiens dans des assiettes de dînette !

Yvonne de Quièvrecourt...

Alain-Fournier recherche le dépaysement car il est malheureux ! Il n'arrive pas à oublier la jeune fille rencontrée à Paris, devant le Grand Palais, le jour de l'Ascension 1905. Il faisait très beau et ils prirent le bateau-mouche ensemble, échangeant quelques mots. Depuis cette rencontre, Alain-Fournier ne cesse de penser à celle qui, dans la vie, se nomme Yvonne de Quièvrecourt et qui, dans le roman, deviendra Mademoiselle Yvonne de Galais...

Son logeur, Mr Nightinale, est le comptable de la firme Sanderson's ; c'est un Anglais barbu qui adore parler de la France avec son hôte. Sa femme, mère de deux petites filles, fait de la musique, joue au badminton et va faire ses courses à vélo ; de plus elle ne s'habille que de couleurs claires, ce qui n'était pas commun dans la France de 1905 !

Chaque matin, Fournier se lève à sept heures, de manière à être au travail à huit heures. Il termine sa journée à dix-huit heures. Il est chargé d'ouvrir le courrier, de tenir le registre postal et de traduire les lettres commerciales. Il partage un bureau avec trois jeunes secrétaires qui ressemblent, selon lui, à des héroïnes de Kate Greenaway. Son salaire s'élève à dix shillings par semaine et sa pension lui coûte douze shillings. Au moment où Fournier arrive à Chiswick, la saison des bals et des fêtes champêtres bat son plein. Il participera à plusieurs de ces réjouissances, dont une à Gunnersbury Park organisée par l'Eglise méthodiste où tous les enfants sont déguisés. On en trouvera des échos dans le chapitre *La Fête étrange* ...

Fournier et les Anglaises…

Dans ses bons moments, Alain-Fournier adore les Anglais ; il les trouve tous grands, l'allure athlétique, rasés de près, sévères, rigoureux. Il va, dans ses lettres à Rivière, jusqu'à se moquer des Français qu'il trouve ridicules avec leurs fines moustaches. Par contre les Anglaises le déçoivent parce qu'elles ne portent pas de corset. Il déteste leur caractère "garçonnier" et leur reproche leur côté "gentil camarade". Le jour où il rencontre sa correspondante, il est vraiment désappointé et il écrit à Jacques « *qu'il aurait mieux valu qu'il ne la connaisse qu'à travers ses lettres…* ». Il compare Burlington Road à une rue calme du vieux Bourges et les maisons londoniennes à des châteaux de Sologne !

La nourriture…

Après trois semaines de séjour, il se plaint de la nourriture ; il a sans cesse très faim et prie ses parents de lui envoyer des petits pains qu'il dévorera malgré le fait qu'ils soient secs et qu'ils aient un goût de vieux dictionnaire. Mrs Nightingale n'arrive pas à rassasier le petit Français qui lui reproche, dans son courrier, de ne lui donner que des larmes de confiture sur ses tartines au breakfast. Il a du mal à comprendre qu'ici on mange sans pain et que l'on boive de la limonade ou du thé et non du vin. Le café lui est servi dans une tasse et pas dans un bol. La table est toujours bien mise, même pour manger une côtelette accompagnée de trois pommes de terre.

Londres sur Sologne…

Malgré ses critiques et ses réserves, le futur écrivain s'accommode fort bien de l'Angleterre. Il envoie de nombreuses cartes postales à sa famille, marche à travers Londres et porte aux nues les paysages d'Hampton Court, de Kew Gardens et de Richmond. Dans ces banlieues, il lui semble entendre le bruit d'une petite musique lointaine le ramenant vers les villages de Sologne qui dorment sous les feux de l'été. Dans les musées londoniens, il admire les tableaux de Turner et de Constable. A la Tate Gallery, il aime s'attarder devant le tableau que Dante Rossetti consacra à la mémoire de son épouse, Elizabeth Siddal. Cette *Beata Beatrix* lui renvoie le reflet du visage aimé d'Yvonne de Quièvrecourt. Fournier n'hésite pas à partir à la recherche de la demeure de Rossetti, qu'il trouvera au numéro 4 Cheyne Walk, Chelsea. Assis sur un banc, il essaie d'imaginer ce que devait être la belle demeure de style géorgien à l'époque de Rossetti, Swinburne, Meredith et de tous ceux qui vécurent autour d'Elizabeth Siddal.

Parfois, le samedi après-midi, il regarde ses camarades de travail jouer au cricket devant l'église de Chiswick. A la fin du match, il les suit au Grove Park Pub, partageant avec eux quelques verres de bière. M. Harold Sanderson adore Fournier et déclare à ses collègues que « ce jeune homme est un vrai gentleman ! ». Malgré tout, la mélancolie le rattrape souvent. Le dimanche anglais est triste, silencieux, consacré aux choses de la religion. Le soir, Alain-Fournier, après un long dimanche « de poussière et d'ennui », prononce à voix basse les noms des villages du pays berrichon : Henrichemont, Neuvy, Nançay, Presly… En entendant siffler le train de Richmond, il croit écouter passer le train de Bourges. Ces rêveries mélancoliques l'entraînent vers son amour perdu. La nuit, il lui arrive de voir défiler, à moitié en songe, des rangées de jeunes filles qui lui ressemblent ; pourtant aucune ne le satisfait car il leur manque toujours quelque chose que possédaitYvonne. Il l'écrit à Jacques : « *L'une a un chapeau comme le sien, l'autre a son regard si pur ou le bleu de ses yeux, mais j'avoue avec tristesse qu'aucune n'est vraiment la jeune fille du Cours La Reine…* »

Lorsque la famille Nightingale part en vacances dans le Devon, Fournier reste seul à Chiswick pendant quinze jours. Il doit se faire la cuisine et il ne comprend pas pourquoi il lui faut payer la totalité de son loyer pendant cette période. Il se réfugie dans de longues missives à Jacques Rivière. Il en oublie Londres et se sauve vers ce qui devient son credo : la nostalgie. Dans une lettre du 13 août, il décrit la Chapelle d'Angillon, le bruit du portail de la maison de ses grands-parents, l'odeur du placard à nourriture. Il finit par avouer qu'il en a assez de cette misérable vie anglaise…

Les débuts du Grand Meaulnes…

On peut affirmer que c'est à Londres qu'il commencera à penser sérieusement à écrire son livre. En relisant *Le Grand Meaulnes,* le chapitre intitulé *Les Gens du domaine* nous renvoie à Chiswick, au jardin de la maison de Burlington Road. Il y décrit une scène de bonheur où une mère apprend à marcher à son enfant, comme Madame Nightingale le faisait ici avec sa fille…

En septembre 1905, Henri Fournier quitte Londres, malgré la tristesse de sa famille anglaise et de son patron. Dans sa valise, il rapporte une jolie édition de *David Copperfield* qui fera l'admiration de sa sœur Isabelle, et un poème magnifique *A travers les étés…* . En attendant d'écrire son unique roman, il revient passer une autre année scolaire à Lakanal. Selon ses propres mots :

« *Je suis venu en Angleterre comme un enfant, j'en suis reparti comme un homme… Pour moi, ce pays représente la transmutation de toutes les valeurs…* »

Ensuite, il y aura le début d'une carrière journalistique, un roman qui connaîtra un énorme succès, puis la mort qui viendra chercher Alain-Fournier, un jour de septembre 1914, dans une clairière des Hauts de Meuse.

A voir :

- **Le Grand Meaulnes.***1967. Jean-Gabriel Albicocco*
- **Le Grand Meaulnes.** *2006. Jean-Daniel Verhaeghe*

A lire :

- **Alain-Fournier.** *1963 Isabelle Rivière très belle biographie écrite par sa sœur.*
- **Alain-Fournier.** *1994 Patrick Martinat , biographie écrite par un Berrichon fort enthousiaste.*
- **Alain-Fournier.** *2005 Violaine Massenet. biographie récente qui essaie de dresser un portrait plus réaliste de Fournier.*
- **Chroniques et Critiques.** *1991 Alain-Fournier.*
  Beaucoup de ces articles rédigés pour Paris Journal portent sur des écrits britanniques. Bien entendu, il faut relire **Le Grand Meaulnes.**

L'auteur Guillaume Orgel en a imaginé une suite, tout à fait remarquable, d'ailleurs préfacé par Alain Rivière, le fils d'Isabelle et le neveu d'Alain, intitulée

- **La Nuit de Sainte Agathe.** *1988.*

Enfin, l'amateur de Fournier reviendra sur les volumes consacrés, chez Gallimard, à la correspondance entre Jacques Rivière et Alain-Fournier.

Il existe aussi une association des amis de Jacques Rivière et d'Alain-Fournier qui publie un bulletin semestriel : 21 Allée du Père Julien Dhuit, 75020 Paris

Londres, nous t'avons tant aimé…

« En 1902, dans Londres qui était encore la ville de Thomas de Quincey et de Dickens, j'avais habité un pub sordide à Whitechapel au bord de la Tamise… »

Pierre Mac Orlan

On ne peut, certes, citer tous les noms des Français venus à Londres, mais il y en a qui me paraissent incontournables et pourraient faire l'objet d'un petit pèlerinage de votre part, chers lecteurs. Certains étaient des exilés et détestaient Londres, d'autres de vrais anglophiles. En voici quelques-uns.

Voltaire

Voltaire résida à Londres, entre 1726 et 1729, après avoir connu la paille humide de la Bastille, à la suite d'une querelle avec le prince de Rohan.

Il débarqua du navire à Greenwich et devait vivre sous la protection du roi George Ier. Dès son arrivée, sous un beau ciel bleu, il trouva que Londres était une autre Venise ! Il vécut d'abord chez un ami quaker, Everatt Falkener, à Wandsworth, dans une maison où se trouve aujourd'hui le commissariat de police local dans Wandsworth High Street. Néanmoins, soucieux de son statut social, Voltaire donnait son adresse personnelle chez Lord Bolingbroke, dans sa résidence de Pall Mall !

A Londres, sera publié *La Henriade* et il rédigera ses *Lettres aux Anglais*, glorifiant entre autres la tolérance religieuse. Grand admirateur des Anglais, Voltaire fera la connaissance de Jonathan Swift, se rendra en week-end chez Alexander Pope à Twickenham et séjournera à Strawberry Hill. Tout en apprenant l'anglais et l'escrime, il sera de tous les événements importants de la saison londonienne, allant jusqu'à assister à l'enterrement de Sir Isaac Newton. A cette occasion, il sera agréablement surpris en voyant les quatre personnages les plus importants du Royaume porter en terre le cercueil d'un roturier.

Vers la fin de son séjour, Voltaire se rapprochera du centre de Londres et habitera au 10 Maiden Lane, dans le quartier de Covent Garden, juste en face du fameux restaurant Rules. Il qualifia l'Angleterre « *d'étrange et inexplicable nation* », mais il admirait l'esprit de liberté qui y régnait. Gageons qu'à partir de ce séjour, commença la longue route du philosophe vers les loges maçonniques.

Chateaubriand

Comme Talleyrand, Chateaubriand sera ambassadeur de France à la Cour de Saint-James ; il connaîtra également l'exil politique à Londres. Il y résidera entre 1793 et 1800, jusqu'au moment où Bonaparte décidera d'autoriser les immigrés à rentrer.

Après avoir rejoint les troupes du Prince de Condé pour défendre la monarchie en 1792, il avait été blessé à la bataille de Thionville et se réfugia chez son oncle à Jersey. Ayant appris l'exécution de Louis XVI, il décidera de partir pour Londres.

Un cousin lui trouvera une chambre sous les toits, à Covent Garden, pour la somme de six shillings par mois. Il donnera des cours, travaillera dans une petite école, mais connaîtra surtout la misère. Devant déménager, il s'installera dans un logis de Paddington Street, devenu aujourd'hui Paddington Street Gardens. Se croyant poitrinaire, effrayé de pouvoir mourir en terre étrangère, Chateaubriand écrira néanmoins son *Essai sur les révolutions*, rédigeant la nuit, cherchant son inspiration le jour au hasard des rues. Il évoquera ses deux vies londoniennes dans *Les Mémoires d'outre-tombe*.

Lors de ses journées d'exil, Chateaubriand tombera amoureux de Charlotte Ives, son élève ; mais, celle-ci étant déjà mariée, son amour s'avérera vite impossible. En 1794, il apprendra la mort sur l'échafaud de son frère et de sa belle-sœur. Ne fréquentant pas le milieu du comte d'Artois, futur Charles X, il se lia avec les monarchistes libéraux, dominés par la forte personnalité de madame de Staël.

Il débarquera à Paris avec dans sa valise les premières feuilles du *Génie du Christianisme*. Bonaparte lui donnera en 1803 son premier poste diplomatique à Rome, comme secrétaire de l'ambassadeur… Après de nombreux voyages, le diplomate ira de nomination en nomination, pour être enfin nommé en place à Londres, en 1822, sous Louis XVIII.

Il aura du mal à retrouver le Londres de ses trente ans, vivant maintenant dans un palais géorgien de Portland Place, riche, célèbre et courtisé. Pourtant, Chateaubriand déchantera assez vite, considérant son travail « *morne et routinier* ». Après six mois de cette vie diplomatique et mondaine, il sera de nouveau à Paris, et obtiendra enfin le poste de ministre des Affaires étrangères de Louis XVIII, le 28 décembre 1822 !

Jules Vallès

Jules Vallès fut un virulent journaliste d'opposition sous Napoléon III ; condamné à mort, il dut s'exiler après la chute de la Commune de Paris, au printemps 1871.

Vivant de piges journalistiques et de cours privés, il écrira, entre 1876 et 1879, une trentaine de chroniques pour le magazine *L'Evénement* qui seront réunies en 1884, dans un livre, *La Rue à Londres*. Dans cet ouvrage, rédigé dans la frustration et la colère, il critiquera l'Angleterre et aura trop tendance à idéaliser la France. Vallès vécut un peu au hasard des taudis de Camden et de Soho, critiquant l'obscurité de Londres, la saleté, la misère des dockers, allant jusqu'à traiter la Tamise de « *long serpent galeux qui vomit tous les marins avalés à l'autre bout du monde* ». Pour le proscrit qu'il était, les églises ressemblaient à de vilaines casernes et les rues lui semblaient vides et sans joie.

De retour à Paris, amnistié, Jules Vallès sera catégorique : « *L'Angleterre est le pays du mal vivre, du mal manger, du mal loger, du mal s'asseoir et du mal dormir !* »

Emile Zola

Emile Zola arrive à Londres le 15 octobre 1898, suite à la publication de ses articles sur l'affaire Dreyfus dans le journal *L'Aurore*.

Poursuivi en France pour diffamation, condamné à une peine d'un an d'emprisonnement et convaincu de l'innocence du capitaine Alfred Dreyfus, Zola, auteur à succès, restera un an dans la banlieue londonienne, au Queen's Hotel de Norwood, entre Brixton et Crystal Palace, 122 Church Road, SE19. Parcourant la ville, il fit de nombreuses photographies et écrivit ses *Notes de Londres*. Sa première vision d'exilé sera celle des falaises de Douvres, balayées par des rafales de vent et de pluie. Ne parlant pas un traître mot d'anglais, Zola passa sa première nuit au Grosvenor Hotel, près de la gare Victoria. Il comparera sa chambre du cinquième étage à une cellule de prison. Une fois son procès cassé pour vice de forme, il reviendra en France. Esterhazy, l'officier qui rédigea le vrai bordereau pour l'ambassade d'Allemagne et qui incrimina Alfred Dreyfus, fuira en Angleterre à son tour et y mourra. Son corps repose au cimetière de Saint-Albans.

Rimbaud et Verlaine

Rimbaud et Verlaine vinrent à Londres en 1872, après avoir résidé en Belgique, pour fuir les pressions familiales. En ce temps-là, l'homosexualité n'était pas une situation facile à vivre. Le couple de poètes sera vite déçu par la ville que Verlaine compara à « *un gros cafard noir* » à cause de la pluie et des fumées du chemin de fer qui tachaient le paysage. Ils se firent peu d'amis et trouvaient les pubs calamiteux. Pour pouvoir payer le loyer, Rimbaud donnait des cours de français. Néanmoins, le peu d'argent que gagnait le ménage passait surtout dans les alcools forts et les drogues. A cet effet, Verlaine et Rimbaud fréquentaient les docks et ses pubs à matelots pour se fournir en substances illicites. Le jugement de Verlaine sur les boissons et la nourriture anglaises est très acerbe : « *le café n'est qu'un affreux mélange de lait et de chicorée, le Gin qu'une anisette sortie des W. C. , la bière est amère et tiède et le pain colle au palais !* ».

Deux adresses évoquent leur présence londonienne :
35 Howland Street, WCI où Paul Valéry dévoilera la plaque commémorative en janvier 1922. C'est là que Verlaine écrivit le poème *Il pleure dans mon cœur, comme il pleut sur la ville...* et 8 Royal College Street, NWI où une plaque a été posée pour indiquer leur séjour dans cette maison.

André Gide

André Gide qui écrivait « *mon rôle premier est de choquer les gens* » rencontra Marc Allégret en 1917. Le futur cinéaste, à qui est dédié *Les Faux-monnayeurs,* avait alors dix-sept ans. En 1925, il réalisera *Voyage au Congo,* sur un texte de Gide. Avant de s'envoler pour l'Afrique, Gide et Allégret venaient souvent à Londres, ville qu'ils appréciaient beaucoup. Ils vivaient au cœur de Bloomsbury, le quartier bohème, chez Dorothy et Simon Bussy, 51 Gordon Square. Dorothy Bussy était la sœur du merveilleux Lytton Strachey, l'auteur de *Victoriens éminents.* Dorothy sera la confidente de Gide pendant presque trente ans. Marc Allégret adorait les atmosphères londoniennes ; nul ne doute qu'il saura s'en souvenir au moment de tourner quelques-uns de ses films comme *Le Lac aux dames, Orage* ou *La Petite du quai aux fleurs,* films au cachet très anglais. Grâce à Gide, Allégret fera la connaissance de Virginia Woolf, du philosophe Bertrand Russel et de la plupart des personnes qui fréquentaient les salons de Bloomsbury. Il nous laisse une magnifique phrase sur Londres :
« *A l'heure où s'allument les réverbères, Londres prend les couleurs d'une lointaine soirée d'un mystérieux été indien...* »

Louis-Ferdinand Céline

Céline fit plusieurs séjours en Angleterre. Ce furent d'abord, dès l'âge de quinze ans, des voyages linguistiques à Rochester et à Broadstairs dans le Kent.

Après sa grave blessure en 1914, Céline, encore le cuirassier Destouches, est nommé au service des passeports du consulat général de France à Londres qui se trouvait alors à Bedford Square, dans une belle maison victorienne. En attendant d'être réformé, en mai 1915, celui qui deviendra l'auteur du *Voyage au bout de la nuit* essaie d'oublier les traumatismes de la guerre en visitant les mauvais endroits de Londres et fréquente la pègre française de Soho.

Aucun bas quartier ne lui échappe, ni Whitechapel, ni Wapping. A Limehouse, il rôde dans les salles de jeux clandestines et les fumeries d'opium. Son pub préféré restera le mythique Charley Brown qui se trouvait dans West India Dock Road où, derrière le bar en acajou, de petites lumières clignotaient sur des dizaines de souvenirs rapportés par les marins de leurs voyages. Je me souviens d'une corne de narval, d'une collection de théières chinoises et de divers poissons endormis dans des bocaux de formol. Une carapace de tortue géante pendait au plafond, tandis qu'un bulldog empaillé, une cigarette à la gueule, surveillait l'entrée. Ce pub sera démoli en 1988. Mais c'est le Prospect of Whitby qui lui inspirera le décor de la Taverne de Prospero Jim dans *Guignol's Band*. Dans ce livre et sa suite *Le Pont de Londres*, Céline décrit sa vie londonienne au fil des bateaux qui déchargent leur cargaison, des airs d'accordéon dans les pubs et des bombardements par les zeppelins de l'Allemagne impériale. Au fil des pages, surgit parfois le visage d'une jeune anglaise. Céline épousa à Londres Suzanne Nebout mais, une fois réformé, il repartira seul en France. Il habitait un petit studio au 27 Marloes Road, à South Kensington.

André Maurois

Dans un registre différent, André Maurois, l'académicien qui a donné son nom au bâtiment de la Section britannique du Lycée Français Charles de Gaulle de Londres, fera des études de lettres et en 1914 sera officier de liaison auprès des états-majors alliés. De cette expérience naîtra *Les Silences du Colonel Bramble*, livre qui m'apprit comment faire une bonne tasse de thé ! Romancier, historien, biographe, Maurois ou"Oncle André" pour les anglophiles, sera le premier auteur à être publié dans la collection Penguin, en 1936. *Ariel ou la vie de Shelley* sera même vendu dans les distributeurs de bouquins qui se trouvaient dans les gares. Il traduira aussi le poème de Kipling *If*. En 1937, Maurois écrit une *Histoire de l'Angleterre* qui fait encore date. Il enchaînera sur des biographies de Browning, Byron, Disraeli, Hugo, Proust, Georges Sand. Il séjournera régulièrement à Londres, fréquentant le cercle de Bloomsbury jusqu'en 1940, date à laquelle il fera le choix de s'exiler aux Etats-Unis au lieu de rester avec de Gaulle. Churchill dira de lui :
« *Nous pensions avoir en monsieur Maurois un ami, nous n'avions qu'un client* ».

Je me souviens avoir rencontré Maurois, en juin 1963, chez lui dans sa propriété du Périgord, située au milieu de splendides vergers. La fumée d'une cigarette anglaise parfumait le grand salon. Sur le piano, il y avait même un magnifique portrait dédicacé de Churchill ! Ses costumes de tweed, coupés chez les meilleurs tailleurs de Savile Row, étaient légendaires, sa petite moustache blanche et son sourire aussi.

Dans ses mémoires, "Oncle André " se souvient d'avoir logé, en 1934, dans deux maisons magnifiques : Pembroke Lodge dans Richmond Park, ancienne propriété de Lord Russell, devenu un salon de thé et Ormeley Lodge sur Ham Common. Du jardin de la première, il apercevait l'endroit où Henri VIII guetta la fumée lointaine qui, s'élevant de Hampton Court, lui annoncerait l'exécution d'Anne Boleyn. La nuit, avant de se coucher, Maurois et sa femme arpentaient les allées du parc. Le Londres que fréquentait Maurois était celui de l'âge d'or, des thés dansants du Savoy, des parties de croquet à Richmond, des canotiers sur la Tamise et des bals de société chez les Asquith. Il aimait les traditions, la monarchie britannique. Dans une lettre, intitulée *Le Côté de Chelsea*, il fait part de ce qui pour lui représente la tradition londonienne :
« *Les repaires de la vie urbaine : le fronton rouge de Woolworth, la vitrine arrondie de Boots, le bandeau de faïence vernissée de MM. WH Smith libraires…* »

Dans un texte complémentaire, il évoque son voyage dans la Flèche d'Or, un train rapide qui reliait jadis Paris et Londres. A un moment, il écrit :
« *Ce Londres n'est plus celui de mon enfance, défendu par l'appareil solennel de la mer, par les tempêtes, par les marins en ciré. Le Londres d'aujourd'hui, auprès duquel l'avion atterrit, s'apprête à ne plus être qu'une ville d'Europe…* ». A méditer, chers lecteurs !

Pierre Mac Orlan

Lorsqu'il s'agit de parler de Londres, le nom de Pierre Mac Orlan est désormais incontournable. Cet écrivain à qui l'on doit *Le Chant de l'équipage, Quai des Brumes* ou *La Bandera* était un véritable anglophile.

Natif de Péronne, dans la Somme, en 1882, il connaîtra la bohème à Montmartre, la guerre de 1914, et éprouvera toujours une grande tendresse pour le port de Londres, découvert chez Stevenson et Dickens. Pour Mac Orlan, le Londres de 1920 n'était pas très différent de la grande capitale victorienne avec ses pubs cachés, ses ruelles malodorantes et la misère de son petit peuple. Il portait un béret écossais à pompon, fumait la pipe, jouait de l'accordéon dans un bouge de Wapping et apprenait à son perroquet Dagobert à parler la langue de Shakespeare. Les bas quartiers des docks étaient son domaine favori, le vent de la Tamise et le brouillard ses meilleurs amis. Mac Orlan inventa justement le fantastique social, en littérature ou dans les chansons qu'il composait. A Londres, il fuyait les beaux quartiers pour retrouver les pavés luisants de Whitechapel, les personnages louches ou les marins titubants les soirs de beuverie, à la sortie du Prospect of Whitby !

En 1931, pour *Paris Soir,* il suivra l'affaire sanglante de la malle de Brighton et plusieurs autres crimes célèbres, jugés au tribunal de l'Old Bailey. Le soir, une fois les pubs fermés, Mac Orlan revenait à pied dormir dans son petit hôtel, The Blue Boar, au 28 Shoreditch High Street, où il descendait à chaque voyage ; cet endroit, selon lui, se situait « *entre le bordel et la soupe populaire* ». Plus tard, il logera au Cecil Hotel sur le Strand. Avant de s'endormir, il mettait de l'ordre dans les notes qu'il avait prises dans la journée.

Ce vieil ami de Max Jacob, ce poète des brumes, écrivit dans *Images sur la Tamise* : « *Ce soir-là, à Limehouse, on ne voyait plus les lumières de la rue qu'estompées et troubles comme des yeux de bête marine dans un aquarium recouvert de buée* ».

Accompagné d'un guide qui, avec son chapeau melon, ressemblait à un vieux lord déchu, il retrouvera les endroits où furent occises les cinq victimes de Jack l'Eventreur. La nuit londonienne n'avait pas de secret pour lui ; il était curieux, et c'est pour cela que j'aime Mac Orlan. Il évoquait, entre deux pintes au Prospect of Whitby, « *la tristesse lumineuse et froide de Commercial Road* » et devant un bassin du port « *l'ombre des formes imaginaires de trépassés peu honorables* ».

A quinze ans, j'ai lu ces mots ; ils m'ont donné l'envie de prendre le ferry de Douvres et d'ouvrir les portes secrètes de mon Londres, celui que j'essaie de vous offrir ! Lorsque je me promène sur les quais de la Tamise, et que j'écoute Procol Harum interpréter *Salty Dog*, je revois Pierre Mac Orlan, coiffé de son bonnet écossais. De cette vision remonte un tenace parfum d'aventure. Moi aussi, j'aurais voulu être un aventurier, un baroudeur des brumes !

Charles de Gaulle et les Français Libres...

Charles de Gaulle, sous-secrétaire d'Etat à la guerre dans le gouvernement de Paul Raynaud au printemps 1940, rejoignit Londres avec son aide de camp le lieutenant de Courcel ; il refusait l'armistice demandé par le vieux maréchal Pétain aux nazis.

Parti de Bordeaux, dans un avion envoyé par Churchill, de Gaulle toucha le sol anglais sur le terrain de Hendon, où se trouve actuellement le musée de la Royal Air Force. Après son appel à continuer le combat au micro de la BBC, dans le bâtiment de Bush House sur Aldwych, le mouvement de la France Libre était né. Maintenant, il fallait recruter des soldats et les loger. De Gaulle sera tout d'abord invité par Churchill à occuper un appartement dans St Stephen's House sur The Embankment. Le général, n'ayant pas de poste de radio à sa disposition, allait écouter les nouvelles dans un club de soldats... anglais !

Il établira son Quartier Général au numéro 4, Carlton Gardens. Une plaque posée sur l'immeuble reproduit le texte de l'Appel du 18 juin. Pour loger sa famille, le général louera Frognal House, située dans Frognal Rise à Hampstead, maison qui porte aussi une plaque commémorative. Les Forces Aériennes Libres seront cantonnées au Lycée Français de South Kensington et les commandos logeront à l'Institut Français, juste à côté. Les services secrets du colonel Passy se tiendront à Orchard Court, une grande résidence de Duke Street, non loin du magasin Selfridge's, mais aussi au 1, Dorset Square, tout près de Baker Street, où sont actuellement situés les locaux de l'Alliance Française.

Bien entendu, les exilés possédaient leur propre journal, *La France*, dans lequel écrivait Albert Cohen, l'auteur de *Belle du Seigneur*. L'humoriste et chansonnier Pierre Dac, Jean Marin, Frank Bauer, Pierre Bourdan, Maurice Schumann et encore quelques autres, animaient les émissions de la BBC qui partaient vers la France prisonnière. Il y avait aussi le journaliste et reporter Joseph Kessel qui, avec son neveu Maurice Druon, écrira *Le Chant des Partisans* sur une musique d'Anna Marly, rencontrée dans le sous-sol du Petit Club Français de Green Park. L'hymne des maquis sera créé le dimanche 30 mai 1943 dans un pub de Coulsdon, qui s'appelait alors The Ashdown Park Hotel et qui deviendra par la suite The White Swan. Ces Français s'y réunissaient en fin de semaine pour fuir les bombardements. Bien avant que Kessel, ami de Saint-Exupéry et de Mermoz, ancien pilote lui-même, ne publie *Le Lion*, il écrira dans son appartement du 19 Pall Mall, *L'Armée des ombres*, dont Jean-Pierre Melville, autre Français de Londres, tirera un film avec Simone Signoret et Lino Ventura. Le livre sortira en 1946 et le film à l'automne 1969.

Paul Morand

A la même époque, travaillait à l'ambassade de Londres un jeune attaché, Paul Morand. Ecrivain, dandy et anglophile passionné, il découvre Londres à treize ans un soir de juillet 1903 à la gare Charing Cross. Le jeune adolescent "sent" aussitôt la vieille métropole à travers ses odeurs de charbon, de curry et de tabac blond de Virginie, au goût de miel.

Dix ans plus tard, le jeune diplomate Paul Morand était nommé à l'ambassade de France à Knighstbridge, sous les ordres de l'ambassadeur Paul Cambon qui participa à la négociation du traité de l'Entente Cordiale. Morand couche sous les combles dont les fenêtres donnent sur Hyde Park et son allée cavalière.

A Londres, il vivra son " âge snob", sortant tous les soirs dans les dîners et bals de société. Ami de Virginia Woolf, comme de la famille Asquith ou du photographe Cecil Beaton, il deviendra un habitué de Mayfair et de Bloomsbury, mais n'hésitera jamais à s'échapper pour vivre des escapades coquines dans les docks.

En 1914, Morand observe les bombardements depuis le toit de l'ambassade. La veille de la déclaration de guerre, il assiste à une représentation de Boris Godounov à Covent Garden. A la fin du spectacle, le ténor Chaliapine entonne *La Marseillaise*. Publiant des poèmes dans des revues, il écrit aussi un court roman *La Nuit de Putney* et un essai *Les Masques à la cour d'Angleterre*. Sa carrière littéraire est ainsi lancée ; elle ne s'arrêtera que dans les années soixante.

Sa passion pour Londres le poussera en 1937 à écrire le meilleur recueil de souvenirs sur la ville, sous le titre *Londres*. Le livre ressortira, révisé, en 1967.

Il nous y apprend qu'en matière de bière « *se nomme ale tout ce qui n'est pas stout* ». Le brouillard ne le gêne pas ; dans ses écrits il le qualifie de « *mon cher ami* ».

Si vous passez devant les merveilleuses boutiques de vêtements de Jermyn Street, pensez à Paul Morand, c'était sa rue préférée. Il portait, tradition british oblige, des costumes sombres en semaine et du tweed le week-end. Il habita presque tout le temps au 22 Curzon Street. Sa carrière connaîtra des problèmes en juin 1940. Alors chef de la mission diplomatique française à Londres, il reviendra en France de son plein chef, après l'Appel du général de Gaulle, et rejoint Vichy. Pendant une grande partie de la Deuxième Guerre mondiale, Paul Morand sera, dès le retour en grâce de Laval en 1942, l'ambassadeur de la France de Vichy en Roumanie. L'auteur de *L'Europe Galante* sera reçu sous la coupole de l'Académie Française en 1968. Dans son livre *Londres* il écrivait :

« *Bientôt les faubourgs de Londres se trouveront à l'entrée du tunnel sous la Manche…* »

François Rivière

Un autre grand anglophile est l'écrivain François Rivière, charentais d'origine, qui découvre Londres dans les pages d'Agatha Christie, puis en tant que lycéen au cours de voyages dans des familles anglaises.

Avec le dessinateur Floc'h, il va produire plusieurs albums qui seront un vibrant hommage à l'Angleterre littéraire, parcourue par Virginia Woolf et Noël Coward. Ouvrez les pages du *Rendez-vous de Sevenoaks*, du *Dossier Harding*, de *A la recherche de Sir Malcolm*, ou de *Blitz*, et vous serez à Londres, à Piccadilly où se trouvait jadis le grand magasin Swan and Edgar. Vous retrouverez Golden Square et Soho, Mayfair et les docks. Chez Floc'h et Rivière, les héros appartiennent au Savage Club, achètent des costumes à Savile Row, des chemises à Jermyn Street et des pipes chez Dunhill ! Ils ne portent du tweed que le week-end, jouent au golf le samedi et lisent tous les bons écrivains anglo-saxons. D'ailleurs le personnage principal, Francis Albany, est critique littéraire au *Daily Wire* et anime Quatuor, une émission littéraire qui passe sur les ondes de la BBC. Détective amateur, il a failli naître sur le Titanic. Son majordome chinois s'appelle Wang et il est encore plus stylé qu'un vrai serviteur britannique. Il ne quitte jamais ses gants blancs, même pour boire une tasse de thé. L'humour de Wang est légendaire, aucun détail ne lui échappe et ses nids d'hirondelles sont forts réputés.

Les dîners chez Francis Albany attirent les meilleures plumes de l'Empire. Le crayon de Floc'h et les histoires de Rivière nous content la vie anglaise dans toute sa perfection, avec le thé, le whisky, les terrains de cricket et les salons mondains de Bloomsbury, ou encore les maisons d'édition de Bedford Square, avec leurs bureaux éclairés par la douce lumière d'un vieux lampadaire. Rivière pioche dans les grands mythes anglophiles, souvenirs de livres et de films. Son héroïne, Olivia Sturgess, est un mélange de Virginia Wolf et d'une de ces amazones qui faisaient les beaux jours de la société londonienne des années trente, des jeunes femmes qui aimaient et souffraient sans lâcher leur fume-cigarette en ambre. Comme Albany, Olivia écrit des romans et des biographies. Au fil des dessins, on rencontre Noël Coward, Somerset Maugham, les peintres Gilbert et Georges, une villa à Highgate, de vieilles voitures magnifiques, Hithcock, le théâtre de l'horreur à Ladbroke Grove et une croisière maudite sur le Titanic. Chez Floc'h et Rivière, tout est précis et anglais jusqu'aux couleurs délavées de ces vieilles publicités qui, pendant la dernière guerre mondiale, décoraient les murs londoniens.

François Rivière a écrit plusieurs romans qui ont pour cadre Londres ou l'Angleterre. Il fut également le premier à publier, en France, des biographies d'Agatha Christie, d'Enid Blyton ou de James Barrie, l'auteur de *Peter Pan*. Il y a peu, avec Benoît Mouchart, il a sorti une biographie de Jacobs, le père de Blake et Mortimer. Bien entendu, je ne peux que vous conseiller la lecture de son livre illustré par Floc'h, *Les Chroniques d'Olivier Alban*. En refermant l'ouvrage, tous les grands noms de la vie artistique et littéraire londonienne seront devenus vos amis pour la vie.

Vive l'anglophilie !

« London n'est pas un paysage, c'est un état d'esprit fait de savoir et de loisir »
Bernard Delvaille

« Londres, je m'y suis passionnément attaché. On y jette l'ancre pour la vie »
Henry James

« Londres est une ville où il faut apprendre à se livrer au hasard »
Michel Déon

« La pluie convient à Londres comme le soleil à l'Italie ! C'est une valeur refuge, le gage de ce fameux esprit de corps »
Olivier Barrot

« Londres envolée au fil de ces années passées ? Allons donc ! Elle est plus solide que ça l'Angleterre »
Pierre-Jean Rémy

« Les bancs publics anglais sont en général privés et romantiques. Ce sont de charmants ex-voto placés là pour offrir aux passants le partage des souvenirs heureux… »
Bernard Rapp

Sur ces quelques citations, je dédie ce livre à Ted Rassmussen et Etienne San Germa qui, chacun à sa façon, surent aimer Londres au travers de ses pubs, de ses rues, de ses parcs et de ses nombreux plaisirs et à tous les gens qui, au fil des années, découvrirent Londres à mes côtés, notamment les membres de l'Amicale des personnels du Lycée Français de Londres !

Pour celle que j'aime, dont les yeux ont la couleur du ciel d'automne au-dessus des collines d'Hampstead Heath. Sans elle, ce livre n'existerait pas !

Remerciements :

Les auteurs cités dans ce livre, Christine qui s'est prêtée au jeu de l'illustration et qui m'apporta bien plus que des dessins, Jean-Pierre Croquet, cet amateur de mystères, François Rivière, Michel Boucher, pour sa mise en… théière de Hitchcock, Laura Tabet et son petit écureuil, Blandine Yernaux, Hélène Adol, Faustina Fiore, Olivier Poivre d'Arvor qui se pencha le premier sur ce texte, Colette Haudot, piétonne de Londres, les élèves du lycée français, Bertrand, l'ami lointain, Olivier of Brixton, Taylan Gungor, Flore Cornuet, Cécile Rémy, Charles Trénet qui écrivit *Le jardin extraordinaire* à Londres, Hergé et Tintin qui m'initièrent à l'anglophilie, le regretté Bernard Rapp et ses *Objets anglais*, Jacques Laudy, le vrai capitaine Blake, et enfin une mention toute spéciale à Rob, ce très grand maquettiste !

Note de l'illustratrice :

Tenter de suivre Eric dans son imaginaire est plus qu'une aventure, c'est une gageure ! Comment traduire ses merveilleux souvenirs en arides rues et places sans les trahir ? Comment conserver l'exactitude tout en gardant la part de mystère ? Pour l'exactitude il me faut remercier Keith Gilleran et Michèle Gauriat, pour l'indispensable critique des dessins Corinne Mabileau et, pour son inépuisable patience, Rob qui a mis ce livre en valeur.

Les erreurs sur les cartes sont de ma seule responsabilité donc si vous vous perdez, et ce faisant, découvrez à votre tour vos propres ombres, c'est moi qu'il faudra remercier !

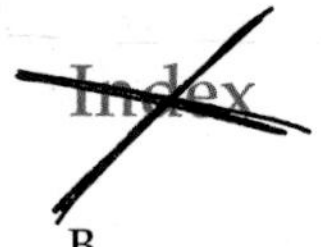

Index

B

Bande Dessinée

Blake et Mortimer, La Marque Jaune , E. P.Jacobs : 1, 2, 4, 5, 12, 19, 42, 74, 78, 112, 120, 123, 126, 175, 209

Francis Albany, Floc'h et Rivière : 4, 42, 123, 209

Peter Pan, Loisel : 106

Sherlock Holmes, Bonte et Croquet : 68, 192

Victor Sackville, Carin, Borile, Rivière :68

C

Cimetières

Bunhill Fields, 90

Hampstead, 53-54

Highgate, 5, 62, 66-70

Wapping, 118, 125, 190

autres, 4, 17, 30, 75, 76, 86, 94,106, 137, 149, 155, 203.

Cinéma

Curzon, 12

Ealing Studios, 5, 155

Electric, 164

Everyman, 50, 53, 59

Hammer Films, 34, 46, 118, 192

D

Désastres, épidemies

Choléra, 32, 74, 106,110, 147

Grand Incendie, 74, 86, 88, 89

Peste, 55, 76, 77, 81, 86, 88, 89, 174

E

Emeutes, manifestations, mutineries, révoltes

56, 108, 114, 116, 117, 129

Espionnage, Services Secrets

Fiction : 20, 36, 68, 166, 169

Réalité : 16, 20, 21, 29, 39, 113, 187, 207

F

Fantômes

4, 16, 19, 20, 21,41, 42, 43, 51, 54, 62, 63, 64, 69, 77, 87, 88, 91, 94, 103, 112, 123, 143-151, 159, 165, 173, 174, 175

G

Guerres

Blitz :50, 77, 79, 89, 90, 94, 104, 120, 127, 170, 182, 209

Deuxième guerre mondiale : 9, 14, 16, 20, 35, 40, 42, 50, 51, 79, 88, 111, 113, 122, 136, 149, 150, 161, 168, 169, 170, 187, 205, 207, 208, 209

France Libre : 9, 35, 79, 169, 207

Guerre 14 –18 : 8, 14, 27, 33, 35, 54, 146, 149, 160, 167, 199, 204, 205, 207, 208

Guerre d'Espagne : 9, 21 ;

J

Justice, procès, prisons, exécutions

Newgate, 114, 14, 78, 93, 94, 148

Old Bailey, 94, 95, 148, 206

Tyburn, 11, 78, 89, 94 ;

M

Meurtres, crimes, faits divers

11, 12 ,20, 42, 43, 52, 68, 110, 112, 114, 168, 206

Musées

British Museum : 65, 146, 147, 161, 170, 175, 191

Autres, 51, 52, 57, 58, 14, 129, 140, 147, 151, 182, 183, 193, 207

Musique

12, 37-40

P

Personnages

Architectes:

Hawksmoor, Nicolas, 106, 123

Wren, Sir Christopher, 42, 53, 74, 75, 86, 90, 94, 114, 118

Artistes peintres :

Bacon, Francis, 27, 35

Constable, 51, 53, 55, 59, 136, 198

Doré, Gustave, 103, 178

Hogarth, William, 29, 31

Turner, 55, 116, 198

autres, 105, 127

Dandies :

Beau Brummell, 13, 14 19

Douglas, Lord Alfred, 17 , 53

Wilde, Oscar, voir Ecrivains

Ecrivains :
Alain-Fournier, 196-200
Barrie, James, 2, 41, 53, 58, 105, 144, 196
Betjeman, John, 62, 64, 71, 115, 148
Bloomsbury, groupe de, 158, 160, 161, 205
Céline, 204-205
Christie, Agatha, 9, 15, 23, 50, 79, 209
Chateaubriand, René de, 31, 54, 202
Chaucer, Geoffrey, 76, 135, 174
Coleridge, Samuel Taylor, 62, 63, 65
Defoe, Daniel, 76, 81, 89, 90, 104, 108, 115, 117, 175
Dickens, Charles, 4, 33, 43, 55, 56, 64, 68, 75, 78, 81, 86, 91, 94, 95, 97, 103, 104, 108, 113, 121, 123, 134, 135, 174, 178, 201, 206
Fleming, Ian, 17, 20, 22
Gide, André, 204
Greene, Graham, 9, 15, 36, 135
Hardy, Thomas, 57, 196
Johnson, Samuel, 77, 78,80, 81, 83, 117;
Keats, 57 ; London, Jack, 15, 103, 108
Mac Orlan, Pierre, 74, 102, 103, 121, 201, 206-207
Maugham, Somerset, 13, 14, 19, 23
Maurois, André, 2, 205-206
Mitford, Nancy, 8, 9, 15, 19, 23
Morand, Paul, 15, 77, 112, 208
Orwell, George, 34, 78, 105, 108, 137
Quincey, Thomas de, 33, 108, 201
Ray, Jean, 4, 41, 65, 103, 123, 128, 171-176
Rivière, François, 2, 4, 42, 68, 81, 123, 154, 209
Rohmer, Sax, 41, 119, 122, 127, 129
Rossetti, Dante Gabriel, 68, 69, 198
Simenon, 121
Stevenson, Robert Louis, 33, 44, 52, 117, 182, 196 , 206
Stoker, Bram, 53, 66, 69, 71, 147
Vallès, Jules, 32, 203
Verlaine, Paul, 19, 32, 203
Voltaire, 9, 30, 77, 201-202
Waugh, Evelyn, 9
Wells, H. G. , 1, 5, 14, 53, 68, 161, 178
Wilde, Oscar, 4, 17, 36, 42, 45, 53, 55, 77, 119, 147, 155, 169, 191
Woolf, Virginia, 137, 138, 157-162, 204, 208, 209 ;
Zola, Emile, 203
Hommes politiques, d'Etat :
Churchill, Winston, 77, 80, 111, 112, 126, 166, 187, 205, 207
Cromwell, Olivier, 11, 64, 90, 150
Eon, chevalier d', 28, 29, 46
Gaulle, Charles de, 9, 35, 54, 59, 205, 207, 208
Henri VIII, 28, 105, 127, 158, 159, 205
Lord Maire, 70, 87, 89
Marx, Karl, 11, 31, 32, 69, 108, 191, 192
Mitford, Sœurs, 8, 9
Mosley, Oswald, 9, 114
Vitoria, reine, 32, 53, 68, 91, 121, 165, 180, 181, 191, 197
Whittington, Dick, 63, 70, 86, 99
Wellington, duc de, 10
Hommes de Sciences :
Bacon, Francis, 64
Culpeper, 105 ;
Dee, John, 65, 71, 175
Freud, Sigmund, 50, 57, 60, 191
Swedenborg, 114
Hors-la-loi, meurtriers, criminels :
Jack l'Eventreur, 5, 26, 79, 95, 102, 104, 106, 148, 167, 175-184, 188, 189, 190, 192, 206
Kray, Frères, 102, 110, 128
Todd, Sweeney, 78, 81, 83
Turpin, Dick, 55, 62, 63, 71, 136

This is not a proper index !

Musiciens, chanteurs :
Beatles, 4, 17, 19, 23, 39, 137
Faithfull, Marianne, 39, 40, 43
Haendel, 17,19, 54
Hendrix, Jimi, 17,19, 39, 140
Jagger, Mike et les Rolling Stones, 38, 40, 136, 140, 158
Mozart, 30, 37, 46
Personnages de fiction :
Dickson, Harry, 1, 68, 102, 122, 169-176
Dracula, 34, 53, 58, 66, 69 71, 111, 118, 191, 192
Fu Manchu, 1, 119, 122
Holmes, Sherlock, 4, 5, 42, 44, 69, 86, 87, 102, 173, 178, 180, 184, 185-193
Peter Pan, 53, 58, 66, 196, 209
Poppins, Mary, 54, 55, 58
Potter, Harry, 4, 92, 96
Scrooge, 91, 96
Réalisateurs de cinema :
Chaplin, Charlie, 10, 115, 117, 118, 139, 191
Hitchcock, Alfred, 1, 4, 33, 36, 66, 163-170
Truffaut, François, 10, 33, 164
Presse, Médias
BBC : 38, 79, 207, 208, 209
Fleet Street : 73-83

Pubs
131-142, 145-146
French House, The : 27, 35-36, 46
Grenadier : 20-21
Prospect of Whitby : 121, 125, 190, 205, 206
Spaniards Inn : 55, 56, 62
Town of Ramsgate : 116-118, 125, 173, 190
Ye Olde Cheshire Cheese : 77-78
et de nombreux autres tout au long des pages de ce livre

Q

Quartiers, rues
Baker Street : 173, voir Sherlock Holmes
Belgravia : 20-23
Bethnal Green : 103, 110, 121, 138, 173
Bloomsbury : 138, 148, 158, 161, 168, 188, 191, 204
Brewer Street : 22, 29, 35, 42, 46
Brick Lane : 104 -108, 138, 166
Chelsea : 2, 4, 20, 55, 66, 89, 134, 147, 159, 174, 198, 205
City : 55, 62, 70, 75, 85-99 , 102, 127, 178, 179, 190
Chinatown : 40, 46, 174
Chiswick : 135, 139, 141, 142, 151, 159, 180, 196 -199
Docks : 1, 5, 15, 74, 87, 90 102, 113, 115, 116, 117, 119, 120, 121, 123, 127
East End : 89, 101-129 , 132, 140, 165, 166, 168, 173, 175, 178, 179, 182, 183, 190
Fleet Street: 1, 73-83
Hampstead : 5, 49–59, 62, 66, 71, 74, 89, 108, 159, 208
Highgate : 5, 53, 55, 61–71, 86, 159, 209
Ile aux Chiens : 112, 127
Limehouse : 1, 5, 40, 74, 122-128, 173, 174, 204, 206
Mayfair : 5, 7-23, 122, 169, 190, 208, 209
Piccadilly : 4, 10, 19, 28, 41, 43, 46, 190, 209
Richmond : 135, 138, 145, 146, 157-162, 198, 205
Soho : 5, 25-47, 52, 108, 136, 203, 204, 209
Wapping : 1, 5, 87, 115-121, 173, 190, 206
Whitechapel : 1, 5, 28, 103-112, 148, 173, 180, 181, 183, 187, 190, 201, 204, 206
Wimbledon : 136, 149, 150

R

Religions, lieux de culte
Huguenots, Protestants : 28, 29, 30, 105, 106, 109, 129, 135, 148
Juifs : 5, 32, 106, 107, 112, 114, 173, 180
St Bride : 75, 76, 83
St Mary-le-Bow : 94, 95, 109
St Paul Cathedral : 74, 90, 94, 124